S0-AAM-198

Líderes que Inspiraron al Mundo

Dibujos a lápiz por J. L. Converse

Elena G. de White

Autora de las siguientes obras de gran difusión: *El Deseado de todas las gentes, El camino a Cristo, La educación, Héroes y mártires del cristianismo apostólico, Palabras de vida del gran Maestro, El hogar cristiano, El triunfo del amor de Dios,* y muchas más.

Líderes que Inspiraron al Mundo

Historia de los patriarcas y profetas del Antiguo Testamento

Tomo 2

Esta obra ha sido publicada también con el título
Patriarcas y Profetas

PUBLICACIONES INTERAMERICANAS
PACIFIC PRESS PUBLISHING ASSOCIATION
Boise, Idaho
Oshawa, Ontario, Canadá

Título de este libro en inglés:
Patriarchs and Prophets

Derechos reservados.
Copyright © 1984, by
Pacific Press Publishing Association.
Se prohíbe la reproducción total o parcial de esta obra
sin el permiso de los editores.

Editado e impreso por
PUBLICACIONES INTERAMERICANAS
División Hispana de la Pacific Press Publishing Association
● P. O. Box 7000, Boise, Idaho 83707, EE. UU. de N. A.

Primera edición en este formato
6.000 ejemplares en circulación
1991

Offset in U.S.A.
ISBN 0-8163-9898-4

Indice

CAPITULO 37

Este capítulo está basado en Números 20: 1-13.

La Roca Herida

DE LA roca que Moisés golpeó, brotó primeramente el arroyo de agua viva que refrescó a Israel en el desierto. Durante todas sus peregrinaciones, doquiera fuese necesario, un milagro de la misericordia de Dios les proporcionó agua. Pero las aguas no siguieron fluyendo de Horeb. Dondequiera que les hacía falta agua en su peregrinaje, fluía de las hendiduras de las rocas y corría al lado de su campamento.

Cristo era quien, por el poder de su palabra, hacía fluir el arroyo refrescante para Israel. "Bebían de la roca espiritual que los seguía, y la roca era Cristo". El era la fuente de todas las bendiciones, tanto temporales como también espirituales. Cristo, la Roca verdadera, los acompañó en toda su peregrinación. "No tuvieron sed cuando los llevó por los desiertos; les hizo brotar agua de la piedra; abrió la peña, y corrieron las aguas". "Abrió la peña, y fluyeron aguas; corrieron por los sequedales como un río" (1 Corintios 10: 4; Isaías 48: 21; Salmo 105: 41).

La roca herida era una figura de Cristo, y mediante este símbolo se enseñan las más preciosas verdades espirituales. Así como las aguas vivificadoras fluían de la roca herida, de Cristo, "herido de Dios y abatido", "herido ... por nuestras rebeliones, molido por nuestros pecados", fluye la corriente de la salvación para una raza perdida. Como la roca fue herida una vez, así también Cristo había de ser "ofrecido una sola vez para llevar los pecados de muchos" (Isaías 53: 4, 5; Hebreos 9: 28). Nuestro Salvador no había de ser sacrificado una segunda vez; y solamente es necesario para los que buscan las bendiciones de su gracia que las pidan en el nombre de Jesús, exhalando los deseos de su corazón en oración penitente. La tal oración presentará al Señor de los ejércitos las heridas de Jesús, y entonces brotará de nuevo la sangre vivificante, simbolizada por la corriente de agua viva que fluía para Israel.

Una vez establecidos en Canaán, los israelitas se acostumbraron a celebrar con demostraciones de gran regocijo el flujo del agua de la roca en el desierto. En la época de Cristo esta celebración se había convertido en una ceremonia muy impresionante. Se realizaba en ocasión de la fiesta de las cabañas, cuando el pueblo de todo el país se congregaba en Jerusalén. Durante los siete días de la fiesta los sacerdotes salían cada día acompañados de música y del coro de los levitas, a sacar en un recipiente de oro agua de la fuente de Siloé. Iban seguidos por grandes multitudes de adoradores, de los cuales tantos como podían acercarse al agua bebían de ella, mientras se elevaban los acordes llenos de júbilo:

"Sacaréis con gozo aguas de las fuentes de la salvación" (Isaías 12: 3). Luego el agua sacada por los sacerdotes era conducida al templo en medio de la algazara de las trompetas y de los cantos solemnes: "Nuestros pies estuvieron dentro de tus puertas, oh Jerusalén" (Salmo 122: 2). El agua se derramaba sobre el altar del holocausto, mientras que repercutían los cantos de alabanza y las multitudes se unían en coros triunfales acompañados por instrumentos de música y trompetas de tono profundo.

El Salvador utilizó este servicio simbólico para dirigir la atención del pueblo a las bendiciones que él había venido a traerles. "En el último y gran día de la fiesta" se oyó su voz en tono que resonó por todos los ámbitos del templo, diciendo: "Si alguno tiene sed, venga a mí y beba. El que cree en mí, como dice la Escritura, de su interior correrán ríos de agua viva". "Y esto —dice Juan— dijo del Espíritu que habían de recibir los que creyesen en él" (S. Juan 7: 37-39). El agua refrescante que brota en tierra seca y estéril, hace florecer el desierto y fluye para dar vida a los que perecen, es un emblema de la gracia divina que sólo Cristo puede conceder, y que, como agua viva, purifica, refrigera y fortalece el alma. Aquel en quien mora Cristo tiene dentro de sí una fuente eterna de gracia y fortaleza. Jesús alegra la vida y alumbra el sendero de todos aquellos que le buscan de todo corazón. Su amor, recibido en el corazón, se manifestará en buenas obras para la vida eterna. Y no sólo bendice al alma de la cual brota, sino que la corriente viva fluirá en palabras y acciones justas, para refrescar a los sedientos que la rodean.

Cristo empleó la misma figura en su conversación con la mujer de Samaria al lado del pozo de Jacob: "Mas el que bebiere del agua que yo le daré, no tendrá sed jamás; sino que el agua que yo le daré será en él una fuente de agua que salte para vida eterna" (S. Juan 4: 14). Cristo combina los dos símbolos. El es la roca y es el agua viva.

Las mismas figuras, bellas y expresivas, se conservan en toda la Biblia. Muchos siglos antes que viniera Cristo, Moisés le señaló como la roca de la salvación de Israel (Deuteronomio 32: 15); el salmista cantó sus loores, y le llamó "roca mía, y redentor mío", "mi roca fuerte", "roca que es más alta que yo", "mi roca y mi fortaleza", "roca de mi corazón y mi porción", la "roca de mi confianza". En los cánticos de David su gracia es presentada como "aguas de reposo" en "delicados pastos", hacia los cuales el Pastor divino guía su rebaño. Y también dice:"Tú los abrevarás del torrente de tus delicias. Porque contigo está el manantial de la vida". Y el sabio declara: "Arroyo que rebosa" es "la fuente de la sabiduría". Para Jeremías, Cristo es la "fuente de agua viva", para Zacarías un "manantial abierto... para la purificación del pecado y la inmundicia" (Salmos 19: 14; 62: 7; 61: 2; 71: 3; 73: 26; 94: 22; 23: 2; 36: 8, 9; Proverbios 18: 4; Jeremías 2: 13; Zacarías 13: 1).

Isaías lo describe como "la Roca de la eternidad", como "sombra de gran peñasco en tierra calurosa". Y al anotar la preciosa promesa evoca el recuerdo del arroyo vivo que fluía para Israel: "Los afligidos y menesterosos buscan las aguas, y no las hay; seca está de sed su lengua; yo Jehová los oiré, yo el Dios de Israel no los desampararé". "Porque yo derramaré aguas sobre el sequedal, y ríos sobre la tierra árida". "Porque aguas serán cavadas en el desierto, y torrentes en la soledad". Se extiende la invitación "a todos los sedientos: Venid a las aguas". Y esta invitación se repite en las últimas páginas de la santa Palabra. El río del agua de vida, "resplandeciente como cristal", emana del trono de Dios y del Cordero; y la misericordiosa invitación repercute a través de los siglos: "El que tiene sed, venga; y el que quiera, tome del agua de la vida gratuitamente" (Isaías 26: 4, VM; 32: 2; 41: 17; 44: 3; 35: 6; 55: 1; Apocalipsis 22: 17).

Precisamente antes de que la hueste hebrea llegara a Cades, dejó de fluir el arroyo de agua viva que por tantos años había brotado y corrido a un lado del campamento. El Señor quería probar de nuevo a su pueblo. Quería ver si habría de confiar en su providencia o imitaría la incredulidad de sus padres.

Tenían ahora a la vista las colinas de Canaán. Unos pocos días de camino los llevarían a las fronteras de la tierra prometida. Se hallaban a poca distancia de Edom, la tierra que pertenecía a los descendientes de Esaú, a través de la cual pasaba la ruta hacia Canaán. A Moisés se le había dado la orden: "Volveos al norte. Y manda al pueblo, diciendo: Pasando vosotros por el territorio de vuestros hermanos los hijos de

Esaú, que habitan en Seir, ellos tendrán miedo de vosotros… Compraréis de ellos por dinero los alimentos, y comeréis; y también compraréis de ellos el agua, y beberéis" (Deuteronomio 2: 3-6). Estas instrucciones debieran haber bastado para explicarles por qué se les había cortado la provisión de agua; estaban por cruzar un país bien regado y fértil, en camino directo hacia la tierra de Canaán. Dios les había prometido que pasarían sin molestias por Edom, y que tendrían oportunidad de comprar alimentos y agua suficiente para suplir a toda la hueste. La cesación del milagroso flujo de agua debiera haber sido motivo de regocijo, una señal de que la peregrinación por el desierto había terminado. Lo habrían comprendido si no los hubiera cegado la incredulidad. Pero lo que debió ser evidencia de que se cumplía la promesa de Dios, se hizo motivo de duda y murmuración. El pueblo pareció haber renunciado a toda esperanza de que Dios lo pondría en posesión de la tierra de Canaán, y clamó por las bendiciones del desierto.

Antes de que Dios les permitiese entrar en la tierra de Canaán, los israelitas debían demostrar que creían en su promesa. El agua dejó de fluir antes que llegaran a Edom. Tuvieron pues, por lo menos durante un corto tiempo, oportunidad de andar por la fe en vez de andar confiados en lo que veían. Pero la primera prueba despertó el mismo espíritu turbulento y desagradecido que habían manifestado sus padres. En cuanto se oyó clamar por agua en el campamento, se olvidaron de la mano que durante tantos años había suplido sus necesidades, y en lugar de pedir ayuda a Dios, murmuraron contra él, exclamando en su desesperación: "¡Ojalá hubiéramos muerto cuando perecieron nuestros hermanos delante de Jehová!" (Números 20: 1-13). Es decir que desearon haberse contado entre los que fueron destruidos en la rebelión de Coré.

Sus clamores se dirigían contra Moisés y contra Aarón: "¿Por qué hiciste venir la congregación de Jehová a este desierto, para que muramos aquí nosotros y nuestras bestias? ¿Y por qué nos has hecho subir de Egipto, para traernos a este mal lugar? No es lugar de sementera, de higueras, de viñas, ni de granadas; ni aun de agua para beber".

Los jefes fueron a la puerta del tabernáculo, y se postraron. Nuevamente "la gloria de Jehová apareció sobre ellos", y Moisés recibió la orden: "Toma la vara, y reúne la congregación, tú y Aarón tu hermano, y hablad a la peña a vista de ellos; y ella dará su agua, y les sacarás agua de la peña".

Los dos hermanos se presentaron ante el pueblo, llevando Moisés la vara de Dios en la mano. Ambos eran ya hombres muy ancianos. Habían sobrellevado mucho tiempo la rebelión y la testarudez de Israel; pero ahora por último aun la paciencia de Moisés se agotó. "¡Oíd ahora, rebeldes! —exclamó—: ¿Os hemos de hacer salir aguas de esta peña?" Y en vez de hablar a la roca, como Dios le había mandado, la hirió dos veces con la vara.

El agua brotó en abundancia para satisfacer a la hueste. Pero se había cometido un gran agravio. Moisés había hablado, movido por la irritación; sus palabras expresaban la pasión humana más bien que una santa indignación porque Dios había sido deshonrado. "Oíd ahora, rebeldes", había dicho. La acusación era veraz, pero ni aun la verdad debe decirse apasionada o impacientemente. Cuando Dios le había mandado a Moisés que acusara a los israelitas de rebelión, las palabras habían sido dolorosas para él y difíciles de soportar para ellos; sin embargo, Dios le había sostenido a él para dar el mensaje. Pero cuando se arrogó la responsabilidad de acusarlos, contristó al Espíritu de Dios y sólo le hizo daño al pueblo. Evidenció su falta de paciencia y de dominio propio. Así dio al pueblo oportunidad de dudar de que sus procedimientos anteriores hubieran sido dirigidos por Dios, y de excusar sus propios pecados. Tanto Moisés como los hijos de Israel habían ofendido a Dios. Su conducta, dijeron ellos, había merecido desde un principio crítica y censura. Ahora habían encontrado el pretexto que deseaban para rechazar todas la represiones que Dios les había mandado por medio de su siervo.

Moisés demostró que desconfiaba de Dios. "¿Os hemos de hacer salir aguas de esta peña?" preguntó él, como si el Señor no fuera a cumplir lo que había prometido. "No creísteis en mí, para santificarme delante de los hijos de Israel", dijo el Señor a los dos hermanos. Cuando el agua dejó de fluir y al oír las murmuraciones y la rebelión del pueblo, vaciló la fe de ambos en el cumplimiento de las promesas de Dios. La primera generación había sido condenada a perecer en el desierto a causa de su incredulidad; pero se veía el mismo espíritu de sus hijos. ¿Dejarían éstos también de recibir la promesa? Cansados y desalentados, Moisés y Aarón no habían hecho esfuerzo alguno para detener la corriente del sentimiento popular. Si ellos mismos hubiesen manifestado una fe firme en Dios, habrían podido presentar el asunto al pueblo en forma tal que lo hubiera capacitado para soportar esta prueba. Por el ejercicio rápido y decisivo de la autoridad que se les había otorgado como magistrados, habrían sofocado la murmuración. Era su deber hacer todo lo que estuviese a su alcance por crear un estado mejor de cosas entre el pueblo antes de pedir a Dios que hiciera la obra por ellos. Si en Cades se hubiese evitado a tiempo la murmuración, ¡cuántos males subsiguientes se habrían evitado!

Por su acto temerario Moisés restó fuerza a la lección que Dios se proponía enseñar. Siendo la roca un símbolo de Cristo, había sido herida una vez, como Cristo había de ser ofrecido una vez. La segunda vez bastaba hablar a la roca, así como ahora sólo tenemos que pedir las bendiciones en el nombre de Jesús. Al herir la roca por segunda vez, se destruyó el significado de esta bella figura de Cristo.

Más aún, Moisés y Aarón se habían arrogado un poder que sólo pertenece a Dios. La necesidad de que Dios interviniera daba gran solemnidad a la ocasión, y los jefes de Israel debieran haberse valido de ella para inculcar en la gente reverencia hacia Dios y fortalecer su fe en el poder y la bondad de Dios. Cuando exclamaron airadamente: "¿Os *hemos* de hacer salir aguas de esta peña?" se pusieron en lugar de Dios, como si dispusieran de poder ellos mismos, seres sujetos a las debilidades y pasiones humanas. Abrumado por la continua murmuración y rebelión del pueblo, Moisés perdió de vista a su Ayudador Omnipotente y sin la fuerza divina se le dejó manchar su foja de servicios por una manifestación de debilidad humana. El hombre que hubiera podido conservarse puro, firme y desinteresado hasta el final de su obra, fue vencido por último. Dios quedó deshonrado ante la congregación de Israel, cuando debió ser engrandecido y ensalzado.

En esta ocasión, Dios no dictó juicios contra los impíos cuyo procedimiento inicuo había provocado tanta ira en Moisés y Aarón. Toda la reprensión cayó sobre los dos jefes. Los que representaban a Dios no le habían honrado. Moisés y Aarón se habían sentido agraviados, y no habían tenido en cuenta que las murmuraciones del pueblo no eran contra ellos, sino contra Dios. Por mirar a sí mismos y apelar a sus propias simpatías, habían caído inconscientemente en pecado, y no expusieron al pueblo la gran culpabilidad en que había incurrido ante Dios.

Amargo y profundamente humillante fue el juicio que se pronunció en seguida. "Jehová dijo a Moisés y a Aarón: Por cuanto no creísteis en mí, para santificarme delante de los hijos de Israel, por tanto, no meteréis esta congregación en la tierra que les he dado". Juntamente con el rebelde Israel, habrían de morir antes de que se cruzara el Jordán. Si Moisés y Aarón se hubieran tenido en alta estima o si hubieran dado rienda suelta a un espíritu apasionado frente a la amonestación y reprensión divinas, su culpa habría sido mucho mayor. Pero no se los podía acusar de haber pecado intencionada y deliberadamente; habían sido vencidos por una tentación repentina, y su contrición fue inmediata y de todo corazón. El Señor aceptó su arrepentimiento, aunque, a causa del daño que su pecado pudiera ocasionar entre el pueblo, no podía remitir el castigo.

Moisés no ocultó su sentencia, sino que le dijo al pueblo que por no haber atribuido la gloria a Dios, no lo podría introducir en la tierra prometida. Lo invitó a que notara cuán severo era el castigo que se le infligía, y luego considerara cómo debía de juzgar Dios sus murmuraciones y su modo de atribuir a un simple hombre los juicios que habían merecido todos por sus pecados. Les explicó cómo había suplicado a Dios que le remitiera la sentencia y ello le había sido negado. "Pero Jehová se había enojado contra mí a causa de vosotros —dijo—, por lo cual no me escuchó" (Deuteronomio 3: 26).

Cada vez que se vieran en dificultad o prueba, los israelitas habían estado dispuestos a culpar a Moisés por haberlos sacado de Egipto, como si Dios no hubiese intervenido en el asunto. Durante toda su peregrinación, cuando se quejaban de las dificultades del camino y murmuraban contra sus jefes, Moisés les decía: "Vuestra murmuración se dirige contra Dios. El, y no yo, es quien os libró". Pero con sus palabras precipitadas ante la roca: "¿Os hemos de hacer salir aguas?" admitía virtualmente el cargo que ellos le hacían, y con ello los habría de confirmar en su incredulidad y justificaría sus murmuraciones. El Señor quería eliminar para siempre de su mente esta impresión al prohibir a Moisés que entrara en la tierra prometida. Ello probaba en forma inequívoca que su caudillo no era Moisés, sino el poderoso Angel de quien el Señor había dicho: "He aquí yo envío mi Angel delante de ti para que te guarde en el camino, y te introduzca en el lugar que yo he preparado. Guárdate delante de él, y oye su voz; ... porque mi nombre está en él" (Exodo 23: 20-21).

"Jehová se había enojado contra mí por causa de vosotros", dijo Moisés. Todos los ojos de Israel estaban fijos en Moisés, y su pecado arrojaba una sombra sobre Dios, que le había escogido como jefe de su pueblo. Toda la congregación sabía de la transgresión; y si se la hubiera pasado por alto como cosa sin importancia, se habría creado la impresión de que bajo una gran provocación la incredulidad y la impaciencia podían excusarse entre aquellos que ocupaban elevados cargos de responsabilidad. Pero cuando se declaró que, a causa de aquel pecado único, Moisés y Aarón no habrían de entrar en Canaán, el pueblo se dio cuenta de que Dios no hace acepción de personas, sino que ciertamente castiga al transgresor.

La historia de Israel debía escribirse para la instrucción y advertencia de las generaciones venideras. Los hombres de todos los tiempos habrían de ver en el Dios del cielo a un Soberano imparcial que en ningún caso justifica el pecado. Pero pocos se dan cuenta de la excesiva gravedad del pecado. Los hombres se lisonjean de que Dios es demasiado bueno para castigar al transgresor. Sin embargo, a la luz de la historia bíblica es evidente que la bondad de Dios y su amor le compelen a tratar el pecado como un mal fatal para la paz y la felicidad del universo.

Ni siquiera la integridad y la fidelidad de Moisés pudieron evitarle la retribución que merecía su culpa. Dios había perdonado al pueblo transgresiones mayores; pero no podía tratar el pecado de los caudillos como el de los acaudillados. Había honrado a Moisés por sobre todos los hombres de la tierra. Le había revelado su gloria, y por su intermedio había comunicado sus estatutos a Israel. El hecho de que Moisés había gozado de grandes luces y conocimientos, agravaba tanto más su pecado. La fidelidad de tiempos pasados no expiará una sola mala acción. Cuanto mayores sean las luces y los privilegios otorgados al hombre, tanto mayor será su responsabilidad, tanto más graves sus fracasos y faltas, y tanto mayor su castigo.

Según el juicio humano, Moisés no era culpable de un gran crimen; su pecado era una falta común. El salmista dice que "habló inconsideradamente con sus labios" (Salmo 106: 33, VM). En opinión de los hombres, ello puede parecer cosa ligera; pero si Dios trató tan severamente este pecado en su siervo más fiel y honrado, no lo disculpará ciertamente en otros. El espíritu de ensalzamiento propio, la inclinación a censurar a nuestros hermanos, desagrada sumamente a Dios. Los que se dejan dominar por estos males arrojan dudas sobre la obra de Dios, y dan a los escépticos motivos para disculpar su incredulidad. Cuanto más importante sea el cargo de uno, y tanto mayor sea su influencia, tanto más necesitará cultivar la paciencia y la humildad.

Si los hijos de Dios, especialmente los que ocupan puestos de responsabilidad, se dejan inducir a atribuirse la gloria que sólo a Dios se debe, Satanás se regocija. Ha ganado una victoria. Así fue cómo él cayó, y así es cómo obtiene el mayor éxito en sus tentaciones para arruinar a otros. Para ponernos precisamente en guardia contra sus artimañas, Dios nos ha dado en su Palabra muchas lecciones que recalcan el peligro del ensalzamiento propio. No hay en nuestra naturaleza impulso alguno ni facultad mental o tendencia del corazón, que no necesite estar en todo momento bajo el dominio del Espíritu de Dios. No hay bendición alguna otorgada por Dios al hombre, ni prueba permitida por él, que Satanás no pueda ni desee aprovechar para tentar, acosar y destruir el alma, si le damos la menor ventaja. En consecuencia, por grande que sea la luz espiritual de uno, por mucho que goce del favor y de las bendiciones divinas, debe andar siempre humildemente ante el Señor, y suplicar con fe a Dios que dirija cada uno de sus pensamientos y domine cada uno de sus impulsos.

Todos los que profesan la vida piadosa tienen la más sagrada obligación de guardar su espíritu y de dominarse ante las mayores provocaciones. Las cargas impuestas a Moisés eran muy grandes; pocos hombres fueron jamás probados tan severamente como lo fue él; sin embargo, ello no excusó su pecado. Dios proveyó ampliamente en favor de sus hijos; y si ellos confían en su poder, nunca serán juguete de las circunstancias. Ni aun las mayores tentaciones pueden excusar el pecado. Por intensa que sea la presión ejercida sobre el alma, la transgresión es siempre un acto nuestro. No puede la tierra ni el infierno obligar a nadie a que haga el mal. Satanás nos ataca en nuestros puntos débiles, pero no es preciso que nos venza. Por severo o inesperado que sea el asalto, Dios ha provisto ayuda para nosotros, y mediante su poder podemos ser vencedores.

CAPITULO 38

Este capítulo está basado en Números 20: 14-29; 21: 1-9.

El Viaje Alrededor de Edom

EL CAMPAMENTO de Israel en Cades estaba a poca distancia de los límites de Edom, y tanto Moisés como el pueblo tenían muchos deseos de cruzar ese territorio para ir a la tierra prometida; así que, tal como Dios les había mandado, enviaron este mensaje al rey de Edom:

"Así dice Israel tu hermano: Tú has sabido todo el trabajo que nos ha venido; cómo nuestros padres descendieron a Egipto, y estuvimos en Egipto largo tiempo, y los Egipcios nos maltrataron, y a nuestros padres; y clamamos a Jehová, el cual oyó nuestra voz, y envió un ángel, y nos sacó de Egipto; y he aquí estamos en Cades, ciudad cercana a tus fronteras. Te rogamos que pasemos por tu tierra. No pasaremos por labranza, ni por viña, ni beberemos agua de pozos; por el camino real iremos, sin apartarnos a diestra ni a siniestra, hasta que hayamos pasado tu territorio" (Números 20: 14-20).

Como contestación a esta petición cortés, recibieron una negativa amenazadora: "No pasarás por mi país; de otra manera, saldré contra ti armado".

Sorprendidos por esta negativa, los jefes de Israel enviaron otra súplica al rey, con la promesa: "Por el camino principal iremos; y si bebiéremos tus aguas yo y mis ganados, daré el precio de ellas; déjame solamente pasar a pie, nada más".

La contestación fue: "No pasarás". Ya había grupos de edomitas armados en los pasos dificultosos, de manera que cualquier avance pacífico en esa dirección era imposible, y se les había prohibido a los hebreos recurrir a la fuerza para lograr su fin. Tenían que hacer un largo rodeo alrededor de la tierra de Edom.

Si cuando se los probó, los israelitas hubieran confiado en Dios, el Capitán de la hueste de Jehová los habría guiado a través de Edom, y el temor a ellos se habría apoderado de los habitantes de la tierra, de tal manera que, en vez de manifestarles hostilidad, les hubieran hecho favores. Pero los israelitas no obraron inmediatamente según la Palabra de Dios, y mientras se quejaban y murmuraban, pasó la oportunidad preciosa. Cuando por último estuvieron dispuestos a presentar su petición al rey, recibieron una negativa. Desde que salieron de Egipto, Satanás estuvo empeñado en poner obstáculos y tentaciones en su camino, para que no llegaran a heredar la tierra de Canaán. Y por su propia incredulidad le habían permitido varias veces que resistiese a los propósitos de Dios.

Es importante creer en la Palabra de Dios y actuar de acuerdo a ella, mientras los ángeles están esperando para obrar en nuestro favor. Los ángeles malos están siempre listos para disputar todo paso hacia adelante. Y cuando la providencia de Dios manda a sus hijos que avancen, cuando él está dispuesto a hacer grandes cosas para ellos, Satanás los tienta a que desagraden al Señor por su vacilación y tardanza; trata de encender un espíritu de contienda y de despertar murmuraciones o incredulidad, a fin de privarlos de las bendiciones que Dios desea otorgarles. Los siervos de Dios deben estar siempre dispuestos a avanzar tan pronto como su providencia les abra el camino. Cualquier tardanza que haya de su parte da tiempo a que Satanás obre para derrotarlos.

En las instrucciones que se le dieron primeramente a Moisés tocante al paso de los israelitas por Edom, después de declarar que los edomitas les tendrían temor, el Señor prohibió a su pueblo que se valiera de esta ventaja. No debían los hebreos saquear a Edom por el hecho de que los favorecía el poder de Dios y de que los temores de los edomitas hacían de ellos una presa fácil. El mandamiento que se les dio fue: "Vosotros guardaos mucho. No os metáis con ellos porque no os daré de su tierra ni aun lo que cubre la planta de un pie; porque yo he dado por heredad a Esaú el monte de Seir" (Deuteronomio 2: 4-5). Los edomitas eran descendientes de Abrahán e Isaac, y por amor a estos siervos suyos, Dios había sido favorable a los hijos de Esaú. Les había dado el monte de Seir como posesión, y no se los había de perturbar a menos que por sus pecados se colocaran fuera del alcance de su misericordia. Los hebreos habían de desposeer y destruir totalmente a los habitantes de Canaán, que habían colmado la medida de sus iniquidades; pero los edomitas vivían todavía su tiempo de gracia, por lo cual debían ser tratados misericordiosamente. Dios se complace en la misericordia y manifiesta su compasión antes de aplicar sus juicios. Enseñó a los israelitas a pasar sin hacer daño a Edom, antes de exigirles que destruyeran a los habitantes de Canaán.

Los antepasados de Edom y de Israel eran hermanos, y debieran haber reinado entre ellos la bondad y la cortesía fraternal. Se les prohibió a los israelitas que vengaran entonces o en cualquier momento futuro, la afrenta que se les había hecho al negarles el paso por la tierra. No debían contar con poseer parte alguna de la tierra de Edom. Aunque los israelitas eran el pueblo escogido y favorecido de Dios, debían obedecer todas sus órdenes. Dios les había prometido una buena herencia; pero no habían de creer por eso que ellos eran los únicos que tenían derechos en la tierra, ni tratar de expulsar a todos los demás. Se les ordenó que al tratar con los edomitas no les hiciesen injusticia. Habían de comerciar con ellos, comprarles lo que necesitaran y pagar puntualmente por todo lo que recibieran. Como aliciente para que Israel confiara en Dios y obedeciera a su palabra, se le recordó: "Jehová tu Dios te ha bendecido en toda obra de tus manos; ... y nada te ha faltado" (Deuteronomio 2: 7). Israel no dependía de los edomitas, pues tenía un Dios rico y abundante en recursos. Nada debía procurar de ellos por la fuerza o el fraude, sino que más bien en todas sus relaciones debía poner en práctica este principio de la ley divina: "Amarás a tu prójimo como a ti mismo".

Si los hebreos hubiesen cruzado Edom como Dios se había propuesto, su paso habría resultado en una bendición, no sólo para ellos, sino también para los habitantes de la tierra; pues les habría permitido conocer al pueblo de Dios y su culto, y ver cómo el Dios de Jacob había prosperado a los que le amaban y le temían. Pero la incredulidad de Israel había impedido todo esto. Dios le había dado al pueblo agua en contestación a sus clamores, pero hubo de dejar que de su incredulidad proviniera su castigo. Nuevamente debían cruzar el desierto y saciar su sed en la fuente milagrosa que no habrían necesitado más si tan sólo hubieran confiado en él.

Las huestes de Israel se encaminaron nuevamente hacia el sur por tierras estériles, que les parecían aún más áridas después de percibir vislumbres de los campos verdes entre las colinas y los valles de Edom. En la sierra que domina este sombrío desierto, se levanta el monte Hor, en cuya cima moriría y sería sepultado Aarón. Cuando los israelitas llegaron a este monte, recibió Moisés la siguiente orden divina: "Toma a Aarón y a Eleazar su hijo, y hazlos subir al monte de Hor, y desnuda a Aarón de sus vestiduras, y viste con ellas a Eleazar su hijo; porque Aarón será reunido a su pueblo, y allí morirá" (Números 20: 22-29).

Juntos los dos ancianos, acompañados del hombre más joven, ascendieron trabajosamente a la cumbre del monte. Las cabezas de Moisés y de Aarón estaban ya blancas con la nieve de ciento veinte inviernos. Su vida larga y llena de acontecimientos se había distinguido por las pruebas más profundas y los mayores honores que jamás le hayan tocado en suerte a ser humano alguno. Eran hombres de gran capacidad natural, y todas sus facultades habían sido desarrolladas, exaltadas y dignificadas por su comunión constante con el Infinito. Habían dedicado toda su vida a trabajar desinteresadamente para Dios y sus semejantes; sus semblantes daban evidencia de mucho poder intelectual, firmeza, nobleza de propósitos y fuertes afectos.

Durante muchos años, Moisés y Aarón habían caminado juntos, ayudándose mutuamente en sus cuidados y en sus labores. Juntos habían arrostrado innumerables peligros, y habían compartido la señalada bendición de Dios; pero ya había llegado la hora en que debían separarse. Marchaban lentamente, pues cada momento que pasaban en su compañía mutua les resultaba sumamente precioso. El ascenso era escarpado y penoso; y durante sus frecuentes paradas para descansar, conversaban acerca del pasado y del futuro. Ante ellos, hasta donde se

perdía la vista, se extendía el escenario de su peregrinación por el desierto. Abajo, en la llanura, acampaban los vastos ejércitos de Israel, a los cuales estos hombres escogidos habían dedicado la mejor parte de su vida; por cuyo bienestar habían sentido tan profundo interés y habían hecho tan grandes sacrificios. En algún sitio más allá de las montañas de Edom, estaba la senda que conducía a la tierra prometida, aquella tierra de cuyas bendiciones Moisés y Aarón no gozarían. Ningún sentimiento rebelde había en su corazón. Ninguna murmuración salió de sus labios, aunque una tristeza solemne embargó sus semblantes cuando recordaron lo que les impedía llegar a la herencia de sus padres.

La obra de Aarón en favor de Israel había terminado. Cuarenta años antes, a la edad de ochenta y tres años, Dios le había llamado para que se uniera a Moisés en su grande e importante misión. Había cooperado con su hermano en la obra de sacar a los hijos de Israel de Egipto. Había sostenido las manos del gran jefe cuando los ejércitos hebreos luchaban denodadamente con Amalec. Se le había permitido ascender al monte Sinaí, aproximarse a la presencia de Dios y contemplar la divina gloria. El Señor había conferido el sacerdocio a la familia de Aarón, y le había honrado con la santa consagración de sumo sacerdote. Le había mantenido en su santo cargo mediante las pavorosas manifestaciones del juicio divino en la destrucción de Coré y su grupo. Gracias a la intercesión de Aarón se detuvo la plaga. Cuando sus dos hijos fueron muertos por haber desacatado el expreso mandamiento de Dios, él no se rebeló ni siquiera murmuró. No obstante, la hoja de servicios de su vida noble había sido manchada. Aarón cometió un grave pecado cuando cedió a los clamores del pueblo e hizo el becerro de oro en el Sinaí; y otra vez cuando se unió a María en un arrebato de envidia y murmuración contra Moisés. Y junto con Moisés ofendió al Señor en Cades cuando violaron la orden de hablar a la roca para que diese agua.

Dios quería que estos grandes caudillos de su pueblo representasen a Cristo. Aarón llevaba el nombre de Israel en su pecho. Comunicaba al pueblo la voluntad de Dios. Entraba al lugar santísimo el día de la expiación, "no sin sangre", como mediador en pro de todo Israel. De esa obra pasaba a bendecir a la congregación, como Cristo vendrá a bendecir a su

Moisés quitó con mucho dolor las vestimentas
de Aarón, y se las puso a Eleazar.

CHARLES D'ANDREA © PPPA

pueblo que le espera, cuando termine la obra expiatoria que está haciendo en su favor. El exaltado carácter de aquel santo cargo como representante de nuestro gran Sumo Sacerdote, fue lo que hizo tan grave el pecado de Aarón en Cades.

Con profunda tristeza, Moisés despojó a Aarón de sus santas vestiduras y se las puso a Eleazar, quien llegó a ser así sucesor de su padre por nombramiento divino. A causa del pecado que cometió en Cades, se le negó a Aarón el privilegio de oficiar como sumo sacerdote de Dios en Canaán, de ofrecer el primer sacrificio en la buena tierra, y de consagrar así la herencia de Israel. Moisés había de continuar llevando su carga de conducir al pueblo hasta los mismos límites de Canaán. Había de llegar a ver la tierra prometida, pero no había de entrar en ella. Si estos siervos de Dios, cuando estaban frente a la roca de Cades, hubieran soportado sin murmuración alguna la prueba a que allí se los sometió, ¡cuán diferente habría sido su futuro! Jamás puede deshacerse una mala acción. Puede suceder que el trabajo de toda una vida no recobre lo que se perdió en un solo momento de tentación o aun de negligencia.

El hecho de que faltaran del campamento los dos grandes jefes, y de que los acompañara Eleazar, quien, como era bien sabido, había de ser el sucesor de Aarón en el santo cargo, despertó un sentimiento de aprensión; y se aguardó con ansiedad el regreso de ellos. Cuando uno miraba en derredor suyo en aquella enorme congregación, veía que casi todos los adultos que salieron de Egipto habían perecido en el desierto. Un presentimiento tenebroso embargó a todos cuando recordaron la sentencia pronunciada contra Moisés y Aarón. Algunos estaban al tanto del objeto de aquel viaje misterioso a la cima del monte Hor, y su preocupación por sus jefes era intensificada por los amargos recuerdos y las acusaciones que se dirigían a sí mismos.

Por fin, columbraron las siluetas de Moisés y Eleazar, que descendían lentamente por la ladera del monte; pero Aarón no los acompañaba. Eleazar tenía puestas las vestiduras sacerdotales y ello mostraba que había sucedido a su padre en el santo cargo. Cuando el pueblo, con pesadumbre en el corazón, se congregó alrededor de su jefe, Moisés explicó que Aarón había muerto en sus brazos en el monte Hor, y que allá se le había dado sepultura. La congregación prorrumpió en llanto y en lamentación, pues todos amaban de corazón a Aarón, aunque tan a menudo le habían causado dolor. "Le hicieron duelo por treinta días todas las familias de Israel" (Números 20: 29).

Con respecto al entierro del sumo sacerdote de Israel las Escrituras relatan sencillamente: "Allí murió Aarón, y allí fue sepultado" (Deuteronomio 10: 6). ¡Qué contraste tan notable hay entre este entierro, llevado a cabo de conformidad al mandamiento expreso de Dios, con los que se acostumbran hoy día! En los tiempos modernos las exequias de un hombre que ocupó una posición elevada son a menudo motivo de demostraciones pomposas y extravagantes. Cuando murió Aarón, uno de los hombres más ilustres que alguna vez hayan vivido, presenciaron su muerte y asistieron a su entierro solamente dos de sus deudos más cercanos. Y aquella tumba solitaria en la cumbre de Hor quedó vedada para siempre a los ojos de Israel. No se honra a Dios en las grandes demostraciones que se hacen a veces a los muertos y en los gastos extravagantes en que se incurre para devolver sus cuerpos al polvo.

Toda la congregación lloró a Aarón, pero nadie pudo sentir la pérdida tan agudamente como Moisés. La muerte de Aarón recordaba vigorosamente a Moisés que su propio fin se aproximaba; pero por corto que fuera el tiempo que aún le tocara permanecer en la tierra, sentía profundamente la pérdida de su constante compañero, del que por tantos largos años había compartido sus gozos y sus tristezas, sus esperanzas y sus temores. Moisés debía ahora continuar la obra solo; pero sabía que Dios era su amigo, y en él se apoyó tanto más.

Poco tiempo después de dejar el monte de Hor, los israelitas sufrieron una derrota en el combate que sostuvieron contra Arad, uno de los reyes cananeos. Pero como pidieron fervientemente la ayuda de Dios, se les otorgó el apoyo divino, y sus enemigos fueron derrotados. La victoria, en vez de inspirarles gratitud e inducirlos a reconocer cuánto dependían de Dios, los volvió jactanciosos y seguros de sí mismos. Pronto se entregaron de nuevo a su viejo hábito de murmurar. Estaban ahora descontentos porque no se había permitido a los ejércitos de Israel que avanzaran sobre Canaán inmediatamente después de su rebelión al oír el informe de los espías, casi cuarenta años antes. Consideraban su larga estada en el desierto como una tardanza innecesaria y argüían que habrían podido vencer a sus enemigos tan fácilmente antes como ahora.

Mientras continuaban su viaje hacia el sur, hubieron de pasar por un valle ardiente y arenoso, sin sombra ni vegetación. El camino parecía largo y trabajoso, y sufrían de cansancio y de sed. Nuevamente no pudieron soportar la prueba de su fe y paciencia. Al pensar a todas horas sólo en la fase triste y tenebrosa de cuanto experimentaban, se fueron separando más y más de Dios. Perdieron de vista el hecho de que si no hubieran murmurado cuando el agua dejó de fluir en Cades, Dios les habría evitado el viaje alrededor de Edom. Dios les deseaba cosas mejores. Debieran haber llenado su corazón de gratitud hacia él porque les había infligido tan ligero castigo por su pecado. En vez de hacerlo, se jactaron diciendo que si Dios y Moisés no hubiesen intervenido, ahora estarían en posesión de la tierra prometida. Después de acarrearse dificultades que les hicieron la suerte mucho más difícil de lo que Dios se había propuesto, le culparon a él de todas sus desgracias. Sintieron amargura con respecto al trato de Dios con ellos, y por último, sintieron descontento por todo. Egipto les parecía más halagüeño y deseable que la libertad y la tierra a la cual Dios les conducía.

Cuando los israelitas daban rienda suelta a su espíritu de descontento encontraban faltas en las mismas bendiciones que recibían: "Y habló el pueblo contra Dios y contra Moisés: ¿Por qué nos hiciste subir de Egipto para que muramos en este desierto? Pues no hay pan ni agua, y nuestra alma tiene fastidio de este pan tan liviano" (Números 21: 5).

Moisés indicó fielmente al pueblo la magnitud de su pecado. Era tan sólo el poder de Dios lo que les había conservado la vida en el "desierto grande y espantoso, lleno de serpientes ardientes, y de escorpiones, y de sed, donde no había agua" (Deuteronomio 8: 15). Cada día de su peregrinación habían sido guardados por un milagro de la divina misericordia. En toda la ruta en que Dios los había conducido, habían encontrado agua para los sedientos, pan del cielo que les mitigara el hambre, y paz y seguridad bajo la sombra de la nube de día y el resplandor de la columna de fuego de noche. Los ángeles les habían asistido mientras subían las alturas rocosas o transitaban por los ásperos senderos del desierto. No obstante las penurias que habían soportado, no había una sola persona débil en todas sus filas. Los pies no se les habían hinchado en sus largos viajes, ni sus ropas habían envejecido. Dios había subyugado y dominado ante su paso las fieras y los reptiles ponzoñosos del bosque y del desierto. Si a pesar de todos estos notables indicios de su amor el pueblo continuaba quejándose, el Señor iba a retirarle su protección hasta cuando llegara a apreciar su misericordioso cuidado y se volviera hacia él, arrepentido y humillado.

Porque había estado escudado por el poder divino, Israel no se había dado cuenta de los innumerables peligros que lo habían rodeado continuamente. En su ingratitud e incredulidad había declarado que deseaba la muerte, y ahora el Señor permitió que la muerte le sobreviniera. Las serpientes venenosas que pululaban en el desierto eran llamadas serpientes ardientes a causa de los terribles efectos de su mordedura, pues producía una inflamación violenta y la muerte al poco rato. Cuando la mano protectora de Dios se apartó de Israel, muchísimas personas fueron atacadas por estos reptiles venenosos.

Hubo entonces terror y confusión en todo el campamento. En casi todas las tiendas había muertos o moribundos. Nadie estaba seguro. A menudo rasgaban el silencio de la noche gritos penetrantes que anunciaban nuevas víctimas. Todos estaban atareados para asistir a los dolientes, o con cuidado angustioso trataban de proteger a los que aún no habían sido heridos. Ninguna murmuración salía ahora de sus labios. Cuando comparaban sus dificultades y pruebas anteriores con los sufrimientos por los cuales pasaban ahora, aquéllas les parecían baladíes.

El pueblo se humilló entonces ante Dios. Muchos se acercaron a Moisés para hacerle sus confesiones y súplicas. "Hemos pecado —dijeron— por haber hablado contra Jehová, y contra ti" (Números 21: 7). Poco antes le habían acusado de ser su peor enemigo, la causa de todas sus angustias y aflicciones. Pero aun antes que las palabras dejaran sus labios, sabían perfectamente que los cargos eran falsos; y tan pronto como llegaron las verdaderas dificultades, corrieron hacia él como a la única persona que podía interceder ante Dios por ellos. "Ruega a Jehová

—clamaron— que quite de nosotros estas serpientes".

Dios le ordenó a Moisés que hiciese una serpiente de bronce seme-jante a las vivas, y que la levantara ante el pueblo. Todos los que habían sido mordidos debían mirarla para encontrar alivio. Hizo lo que se le había mandado, y por todo el campamento cundió la grata noticia de que todos los que habían sido mordidos podían mirar la serpiente de bronce, y vivir. Muchos habían muerto ya, y cuando Moisés hizo levantar la serpiente en un poste, hubo quienes se negaron a creer que con sólo mirar aquella imagen metálica se iban a curar. Estos perecieron en la incredulidad. No obstante, hubo muchos que tuvieron fe en lo provisto por Dios. Padres, madres, hermanos y hermanas se dedicaban afanosa-mente a ayudar a sus deudos dolientes y moribundos a fijar los ojos lán-guidos en la serpiente. Si ellos, aunque desfallecientes y moribundos, podían mirarla una vez, se restablecían por completo.

La gente sabía perfectamente que en aquella serpiente de bronce no había poder alguno para ocasionar un cambio tal en los que la miraban. La virtud curativa venía únicamente de Dios. En su sabiduría eligió esta manera de manifestar su poder. Mediante este procedimiento sen-cillo se le hizo comprender al pueblo que esta calamidad le había sobre-cogido como consecuencia directa de sus pecados. También se le asegu-ró que mientras obedecieran a Dios no tenían motivo de temor; pues él los preservaría de todo mal.

El alzamiento de la serpiente de bronce tenía por objeto enseñar una lección importante a los israelitas. No podían salvarse del efecto fatal del veneno que había en sus heridas. Solamente Dios podía curarlos. Se les pedía, sin embargo, que demostraran su fe en lo provisto por Dios. Debían mirar para vivir. Su fe era lo aceptable para Dios, y la demostra-ban mirando la serpiente. Sabían que no había virtud en la serpiente misma, sino que era un símbolo de Cristo; y se les inculcaba así la nece-sidad de tener fe en los méritos de él. Hasta entonces muchos habían llevado sus ofrendas a Dios, creyendo que con ello expiaban ampliamen-te sus pecados. No dependían del Redentor que había de venir, de quien estas ofrendas y sacrificios no eran sino una figura o sombra. El Señor quería enseñarles ahora que en sí mismos sus sacrificios no tenían más poder ni virtud que la serpiente de bronce, sino que, como ella, estaban destinados a dirigir su espíritu a Cristo, el gran sacrificio propiciatorio.

"Y como Moisés levantó la serpiente en el desierto, así es necesario que el Hijo del hombre sea levantado, para que todo aquel que en él cree, no se pierda, mas tenga vida eterna" (S. Juan 3: 14, 15). Todos los que hayan existido alguna vez en la tierra han sentido la mordedura mortal de "la serpiente antigua, que se llama diablo y Satanás" (Apocalipsis 12: 9). Los efectos fatales del pecado pueden eliminarse tan sólo mediante lo provisto por Dios. Los israelitas salvaban su vida mirando la serpiente levantada en el desierto. Aquella mirada implicaba fe. Vivían porque creían la Palabra de Dios, y confiaban en los medios provistos para su restablecimiento. Así también puede el pecador mirar a Cristo, y vivir. Recibe el perdón por medio de la fe en el sacrificio expiatorio. En contraste con el símbolo inerte e inanimado, Cristo tiene poder y virtud en sí para curar al pecador arrepentido.

Aunque el pecador no puede salvarse a sí mismo, tiene sin embargo algo que hacer para conseguir la salvación. "Al que a mí viene, no le echo fuera" (S. Juan 6: 37). Pero debemos *ir* a él; y cuando nos arrepentimos de nuestros pecados, debemos creer que nos acepta y nos perdona. La fe es el don de Dios, pero el poder para ejercitarla es nuestro. La fe es la mano de la cual se vale el alma para asir los ofrecimientos divinos de gracia y misericordia.

Nada excepto la justicia de Cristo puede hacernos merecedores de una sola de las bendiciones del pacto de la gracia. Muchos son los que durante largo plazo han deseado obtener estas bendiciones, pero no las han recibido, porque han creído que podían hacer algo para hacerse dignos de ellas. No apartaron las miradas de sí mismos ni creyeron que Jesús es un Salvador absoluto. No debemos pensar que nuestros propios méritos nos han de salvar; Cristo es nuestra única esperanza de salvación. "Y en ningún otro hay salvación; porque no hay otro nombre bajo el cielo, dado a los hombres, en que podamos ser salvos" (Hechos 4: 12).

Cuando confiamos plenamente en Dios, cuando dependemos de los méritos de Jesús como Salvador que perdona los pecados, recibimos toda la ayuda que podamos desear. Nadie mire a sí mismo, como si tuviera poder para salvarse. Precisamente porque no podíamos salvarnos, Jesús murió por nosotros. En él se cifra nuestra esperanza, nuestra justificación y nuestra justicia. Cuando vemos nuestra naturaleza pecaminosa, no debemos abatirnos ni temer que no tenemos Salvador, ni dudar de su misericordia hacia nosotros. En ese mismo momento, nos invita a ir a él con nuestra debilidad, y ser salvos.

Muchos de los israelitas no vieron ayuda en el remedio que el cielo había designado. Por todas partes, los rodeaban los muertos y moribundos, y sabían que, sin la ayuda divina, su propia suerte estaba sellada; pero continuaban lamentándose y quejándose de sus heridas, de sus dolores, de su muerte segura hasta que sus fuerzas se agotaron, hasta que los ojos se les pusieron vidriosos, cuando podían haber sido curados instantáneamente. Si conocemos nuestras necesidades, no debemos dedicar todas nuestras fuerzas a lamentarnos acerca de ellas. Aunque nos demos cuenta de nuestra condición impotente sin Cristo, no debemos ceder al desaliento, sino depender de los méritos del Salvador crucificado y resucitado. Miremos y viviremos. Jesús ha empeñado su palabra; salvará a todos los que acudan a él. Aunque muchos millones de los que necesitan curación rechazarán la misericordia que les ofrece, a ninguno de los que confían en sus méritos lo dejará perecer.

Muchos no quieren aceptar a Cristo antes que todo el misterio del plan de la redención les resulte claro. Se niegan a mirar con fe, a pesar de que ven que miles han mirado a la cruz de Cristo y sentido la eficacia de esa mirada. Muchos andan errantes, por los intrincados laberintos de la filosofía, en busca de razones y evidencias que jamás encontrarán, mientras que rechazan la evidencia que Dios ha tenido a bien darles. Se niegan a caminar en la luz del Sol de Justicia, hasta que se les explique la razón de su resplandor. Todos los que insistan en seguir este camino dejarán de llegar al conocimiento de la verdad. Jamás eliminará Dios todos los motivos de duda. Da suficientes evidencias en que basar la fe, y si esta evidencia no se acepta, la mente es dejada en tinieblas. Si los que eran mordidos por las serpientes se hubieran detenido a dudar y deliberar antes de consentir en mirar, habrían perecido. Es nuestro deber primordial mirar; y la mirada de la fe nos dará vida.

Moisés puso la serpiente de bronce en un poste, para que todos los enfermos y moribundos pudieran mirarla y ser curados.

JOHN STEEL © PPPA

CAPITULO 39

Este capítulo está basado en Deuteronomio 2; 3: 1-11.

La Conquista de Basán

DESPUES de rodear a Edom por el sur, los israelitas se volvieron hacia el norte y otra vez se dirigieron hacia la tierra prometida. Su camino pasaba ahora por una alta y vasta llanura refrescada por las brisas vivificantes de las colinas. Fue un cambio grato después del valle árido y calcinante por el cual habían viajado, así que avanzaban llenos de ánimo y esperanza. Habiendo atravesado el arroyo de Zered, pasaron al oriente de la tierra de Moab; pues se les había dado la orden: "No molestes a Moab, ni te empeñes con ellos en guerra, porque no te daré posesión de su tierra; porque yo he dado a Ar por heredad a los hijos de Lot" (véase Deuteronomio 2). Y se les repitió la misma orden con respecto a los amonitas que eran también descendientes de Lot.

Continuando hacia el norte, los ejércitos de Israel llegaron pronto a la tierra de los amorreos. Este pueblo fuerte y guerrero ocupaba originalmente la parte meridional de la tierra de Canaán, pero al aumentar en número, cruzaron el Jordán, guerrearon con los moabitas y les quitaron una parte de su territorio. Allí se establecieron, y dominaban sin oposición toda la tierra desde el Arnón hasta el Jaboc en el norte. El camino que los israelitas deseaban seguir para ir al Jordán pasaba direc-

tamente por ese territorio, y Moisés le envió un mensaje amistoso a Sehón, rey de los amorreos, en su capital: "Pasaré por tu tierra por el
camino; por el camino iré, sin apartarme ni a diestra ni a siniestra. La
comida me venderás por dinero, y comeré; el agua también me darás por
dinero, y beberé; solamente pasaré a pie". La contestación fue una negativa terminante, y todos los ejércitos de los amorreos fueron convocados para oponerse al paso de los invasores. Este ejército formidable ate-
rrorizó a los israelitas que distaban mucho de estar preparados para sostener un encuentro con fuerzas bien pertrechadas y disciplinadas. Los
enemigos le aventajaban ciertamente en habilidad guerrera, y a juzgar
por las apariencias humanas, pronto acabarían con él.

Pero Moisés mantuvo fija la mirada en la columna de nube, y alentó
al pueblo con el pensamiento de que la señal de la presencia de Dios
estaba aún con ellos. Al mismo tiempo les mandó que hicieran todos los
esfuerzos humanos posibles a fin de prepararse para la guerra. Sus enemigos estaban ansiosos de librar batalla, en la seguridad de que raerían
de la tierra a los israelitas mal preparados. Pero el jefe de Israel había
recibido la orden del Dueño de todas las tierras: "Levantaos, salid, y
pasad el arroyo de Arnón; he aquí he entregado en tu mano a Sehón rey
de Hesbón, amorreo, y a su tierra; comienza a tomar posesión de ella, y
entra en guerra con él. Hoy comenzaré a poner tu temor y tu espanto
sobre los pueblos debajo de todo el cielo, los cuales oirán tu fama, y
temblarán y se angustiarán delante de ti".

Estas naciones que estaban situadas en los confines de Canaán se
habrían salvado si no se hubieran opuesto al progreso de Israel en desafío de la Palabra de Dios. El Señor se había mostrado longánime, sumamente bondadoso, tierno y compasivo, aun hacia esos pueblos paganos.
Cuando en visión se le mostró a Abrahán que su posteridad, los hijos de
Israel, serían extranjeros en tierra ajena durante cuatrocientos años, el
Señor le prometió: "En la cuarta generación volverán acá; porque aún
no ha llegado a su colmo la maldad del amorreo hasta aquí" (Génesis 15:
16).

Aunque los amorreos eran idólatras que por su gran iniquidad habían perdido todo derecho a la vida, Dios los toleró cuatrocientos años

para darles pruebas inequívocas de que él era el único Dios verdadero, el Hacedor de los cielos y la tierra. Ellos conocían todas las maravillas que Dios había realizado al sacar de Egipto a los israelitas. Les dio suficiente evidencia; y podrían haber conocido la verdad, si hubieran querido apartarse de su idolatría y de su vida licenciosa. Pero rechazaron la luz, y se aferraron a sus ídolos.

Cuando Dios condujo a su pueblo por segunda vez a la frontera de Canaán, proporcionó evidencias adicionales de su poder a aquellas naciones paganas. Vieron que Dios había estado con Israel en la victoria que obtuvo sobre los ejércitos del rey Arad y de los cananeos, y en el milagro obrado para salvar a los que perecían por las mordeduras de las serpientes. Aunque se les había negado el permiso de pasar por la tierra de Edom, y por ello se habían visto obligados a tomar la ruta larga y difícil a orillas del mar Rojo, los israelitas no habían manifestado hostilidad en todos sus viajes y campamentos frente a las tierras de Edom, de Moab y de Amón, ni habían hecho daño alguno a la gente o a sus propiedades. Al llegar a la frontera de los amorreos, Israel había solicitado permiso para atravesar directamente el país, prometiendo que observaría las mismas reglas que habían regido su trato con otras naciones. Cuando el rey amorreo rehusó lo pedido con cortesía, y en señal de desafío congregó a sus ejércitos para la batalla, se colmó la copa de la iniquidad de ese pueblo, y ahora Dios iba a ejercer su poder para derrocarlo.

Los israelitas cruzaron el río Arnón, y avanzaron sobre el enemigo. Se libró un combate, en el cual los ejércitos de Israel salieron victoriosos, y aprovechando la ventaja obtenida estuvieron pronto en posesión de la tierra de los amorreos. Fue el Capitán de los ejércitos del Señor el que venció a los enemigos de su pueblo; y habría hecho lo mismo treinta y ocho años antes, si Israel hubiera confiado en él.

Henchidos de esperanza y ánimo, los ejércitos de Israel avanzaron con ardor y, siguiendo hacia el norte, pronto llegaron a una tierra que podía probar muy bien su valor y su fe en Dios. Ante ellos se extendía el reino de Basán, poderoso y muy poblado, lleno de ciudades de piedra que hasta hoy inspiran asombro al mundo, "sesenta ciudades, ... fortificadas con muros altos, con puertas y barras, sin contar otras muchas ciudades sin muro" (véase Deuteronomio 3: 1-11). Las casas se habían construido con enormes piedras negras, de dimensiones tan estupendas que hacían los edificios absolutamente inexpugnables para cualquier ejército que en aquellos tiempos los pudiera atacar. Era un país lleno de cavernas salvajes, altos precipicios, simas abiertas y rocas escarpadas. Los habitantes de esa tierra, descendientes de una raza de gigantes, eran ellos mismos de fuerza y tamaño asombrosos, y tanto se distinguían por su violencia y su crueldad, que aterrorizaban a las naciones circunvecinas; mientras que Og, rey del país, se destacaba por su tamaño y sus proezas, aun en una nación de gigantes.

Pero la columna de nube avanzaba y, guiados por ella, los ejércitos hebreos llegaron hasta Edrei, donde los esperaba el gigante, con sus ejércitos. Og había escogido hábilmente el sitio de la batalla. La ciudad de Edrei estaba situada en la orilla de una meseta cubierta de rocas volcánicas y desgarradas que se levantaba abruptamente de la planicie. Sólo podía llegarse a la ciudad por desfiladeros angostos y escarpados. En caso de ser derrotadas, sus fuerzas podrían encontrar en aquel desierto de rocas un refugio donde los extranjeros no podrían perseguirlas.

Seguro de su éxito, el rey salió con su enorme ejército a la llanura

abierta; mientras que se oían los alaridos desafiantes que partían de la meseta superior, donde se podían ver las lanzas de millares deseosos de entrar en liza. Cuando los hebreos vieron aquel gigante de gigantes que sobrepasaba a los soldados de su ejército, cuando vieron los ejércitos que le rodeaban y divisaron la fortaleza aparentemente inexpugnable, detrás de la cual miles de soldados invisibles estaban atrincherados, muchos corazones de Israel temblaron de miedo. Pero Moisés estaba sereno y firme; el Señor había dicho con respecto al rey de Basán: "No tengas temor de él, porque en tu mano he entregado a él y a todo su pueblo, con su tierra; y harás con él como hiciste con Sehón rey amorreo, que habitaba en Hesbón" (Deuteronomio 3: 2).

La fe serena de su jefe inspiraba al pueblo a tener confianza en Dios. Lo entregaron todo a su brazo omnipotente, y él no les faltó. Ni los poderosos gigantes, ni las ciudades amuralladas, ni tampoco los ejércitos armados y las fortalezas escarpadas podían subsistir ante el Capitán de la hueste de Jehová. El Señor conducía al ejército; el Señor desconcertó al enemigo; y obtuvo la victoria para Israel. El gigantesco rey y su ejército fueron destruidos; y los israelitas no tardaron en poseer toda la región. Así se borró de la faz de la tierra esa gente extraña, que se había entregado a la iniquidad y a la idolatría abominable.

En la conquista de Galaad y de Basán hubo muchos que recordaron los acontecimientos que, casi cuarenta años antes, habían condenado a Israel, en Cades, a una larga peregrinación por el desierto. Veían que el informe de los espías tocante a la tierra prometida era correcto en muchos sentidos. Las ciudades estaban amuralladas y eran muy grandes, y las habitaban gigantes, frente a los cuales los hebreos no eran sino pigmeos. Pero podían ver ahora que el error fatal de sus padres había consistido en desconfiar del poder de Dios. Unicamente esto les había impedido entrar en seguida en la hermosa tierra.

La primera vez que se prepararon para entrar en Canaán eran menos que ahora las dificultades que acompañaban la empresa. Dios había prometido a su pueblo que si le obedecía y oía su voz, iría delante de él y pelearía por él; y que también enviaría avispones para ahuyentar a los habitantes de la tierra. En general, los temores de las naciones no se habían despertado, y ellas habían hecho pocos preparativos para oponerse al progreso de Israel. Pero cuando el Señor le ordenó ahora que avanzara lo tuvo que hacer contra enemigos poderosos y alertados, de modo que hubo de luchar con ejércitos grandes y bien preparados para oponerse a su paso.

En sus luchas con Og y Sehón, el pueblo se vio sometido a la misma prueba bajo la cual sus padres habían fracasado tan señaladamente. Pero la prueba era ahora mucho más severa que cuando Dios ordenó a los hijos de Israel que avanzaran. Las dificultades del camino habían aumentado desde que ellos rehusaron avanzar cuando se les mandó hacerlo en el nombre del Señor. Es así como Dios prueba aun ahora a sus hijos. Si no soportan la prueba, los lleva al mismo punto, y la segunda vez la prueba será más estrecha y severa que la anterior. Esto continúa hasta que soportan la prueba, o, si todavía son rebeldes, Dios les retira su luz, y los deja en tinieblas.

Los hebreos recordaban ahora cómo anteriormente, cuando sus fuerzas habían salido a luchar, fueron derrotadas y miles perecieron. Pero en aquel entonces habían salido a luchar en abierta oposición al mandamiento de Dios. Habían salido sin Moisés, el jefe nombrado por Dios, sin la columna de nube, símbolo de la presencia divina, y sin el arca. Pero ahora Moisés estaba con ellos, y fortalecía sus corazones con palabras de esperanza y fe; el Hijo de Dios, rodeado por la columna de nube, les mostraba el camino; y el arca santa acompañaba al ejército. Todo esto encierra una lección para nosotros. El poderoso Dios de Israel es nuestro Dios. En él podemos confiar, y si obedecemos sus requerimientos, obrará por nosotros tan señaladamente como lo hizo por su antiguo pueblo. Todo el que procure seguir el camino del deber se verá a veces asaltado por la duda e incredulidad. El camino estará a veces tan obstruido por obstáculos aparentemente insuperables, que ello podrá descorazonar a los que cedan al desaliento; pero Dios les dice: Seguid adelante. Cumplid vuestro deber cueste lo que costare. Las dificultades de aspecto tan formidable, que llenan vuestra alma de espanto, se desvanecerán a medida que, confiando humildemente en Dios, avancéis por el sendero de la obediencia.

CAPITULO 40

Este capítulo está basado en Números 22 a 24.

Balaam

CUANDO regresaron al Jordán, después de la conquista de Basán, los israelitas, en preparación para la inmediata invasión de Canaán, acamparon a la orilla del río un poco más arriba que el punto de su desembocadura en el mar Muerto, frente a la llanura de Jericó. Estaban en la misma frontera de Moab, y los moabitas se llenaron de terror al tener tan cerca a los invasores.

La gente de Moab no había sido molestada por Israel; pero había observado con presentimientos inquietantes todo lo que había ocurrido en los países vecinos. Los amorreos ante quienes habían tenido que retroceder, habían sido vencidos por los hebreos, y el territorio que los amorreos habían arrebatado a Moab estaba ahora en posesión de Israel. Los ejércitos de Basán habían cedido ante el poder misterioso que encerraba la columna de nube, y las gigantescas fortalezas estaban ocupadas por los hebreos. Los moabitas no osaron arriesgarse a sacarlos; ante las fuerzas sobrenaturales que obraban en su favor, apelar a las armas era fútil. Pero, como Faraón, decidieron acudir al poder de la hechicería para contrarrestar la obra de Dios. Atraerían una maldición sobre Israel.

Balaam observó a Israel desde la altura, y con palabras inspiradas bendijo a los escogidos de Dios.

JOE MANISCALCO © PPPA

La gente de Moab estaba estrechamente relacionada con los madianitas, por vínculos nacionales y de religión. Así que Balac, rey de Moab, despertó los temores de ese pueblo pariente, y obtuvo su cooperación en sus propósitos contra Israel mediante el siguiente mensaje: "Ahora lamerá esta gente todos nuestros contornos, como lame el buey la grama del campo" (véase Números 22-24). Era fama que Balaam, habitante de Mesopotamia, poseía poderes sobrenaturales, y esa fama había llegado a la tierra de Moab. Se acordó solicitar su ayuda. Por consiguiente, enviaron mensajeros "los ancianos de Moab y los ancianos de Madián", para asegurarse los servicios de sus adivinaciones y su magia contra Israel.

Los embajadores emprendieron en seguida su largo viaje a través de las montañas y los desiertos hacia Mesopotamia; al encontrar a Balaam, le entregaron el mensaje de su rey: "Un pueblo ha salido de Egipto, y he aquí cubre la faz de la tierra, y habita delante de mí. Ven pues, ahora, te ruego, maldíceme este pueblo, porque es más fuerte que yo; quizá yo pueda herirlo y echarlo de la tierra; pues yo sé que el que tú bendigas será bendito, y el que tú maldigas será maldito". .

Balaam había sido una vez hombre bueno y profeta de Dios; pero había apostatado, y se había entregado a la avaricia; no obstante, aún profesaba servir fielmente al Altísimo. No ignoraba la obra de Dios en favor de Israel; y cuando los mensajeros le dieron su recado, sabía muy bien que debía rehusar los presentes de Balac, y despedir a los embajadores. Pero se aventuró a jugar con la tentación, pidió a los mensajeros que se quedaran aquella noche con él, y les dijo que no podía darles una contestación decisiva antes de consultar al Señor. Balaam sabía que su maldición no podía perjudicar en manera alguna a los israelitas. Dios estaba de parte de ellos; y siempre que le fuesen fieles, ningún poder terrenal o infernal adverso podría prevalecer contra ellos. Pero halagaron su orgullo las palabras de los embajadores: "El que tú bendigas será bendito, y el que tú maldigas será maldito". El soborno de los regalos costosos y de la exaltación en perspectiva excitaron su codicia. Avidamente aceptó los tesoros ofrecidos, y luego, aunque profesando obedecer estrictamente a la voluntad de Dios, trató de cumplir los deseos de Balac.

Durante la noche el ángel de Dios vino a Balaam con el mensaje: "No vayas con ellos, ni maldigas al pueblo, porque bendito es".

Por la mañana, Balaam de mala gana despidió a los mensajeros; pero no les dijo lo que había dicho el Señor. Airado porque sus deseos de lucro y de honores habían sido repentinamente frustrados, exclamó con petulancia: "Volveos a vuestra tierra, porque Jehová no me quiere dejar ir con vosotros".

Balaam "amó el premio de la maldad" (2 S. Pedro 2: 15). El pecado de la avaricia que, según la declaración divina, es idolatría, le hacía buscar ventajas temporales, y por ese solo defecto, Satanás llegó a dominarlo por completo. Esto ocasionó su ruina. El tentador ofrece siempre ganancia y honores mundanos para apartar a los hombres del servicio de Dios. Les dice que sus escrúpulos excesivos les impiden alcanzar prosperidad. Así muchos se dejan desviar de la senda de una estricta integridad. Después de cometer una mala acción les resulta más fácil cometer otra, y se vuelven cada vez más presuntuosos. Una vez que se hayan entregado al dominio de la codicia y a la ambición de poder se atreverán a hacer las cosas más terribles. Muchos se lisonjean creyendo que por un tiempo pueden apartarse de la probidad estricta para alcanzar alguna ventaja mundana, y que después de haber logrado su fin, podrán cambiar de conducta cuando quieran. Los tales se enredan en los lazos de Satanás, de los que rara vez escapan.

Cuando los mensajeros dijeron a Balac que el profeta había rehusado acompañarlos, no dieron a entender que Dios se lo había prohibido. Creyendo que la dilación de Balaam se debía a su deseo de obtener una recompensa más cuantiosa, el rey mandó mayor número de príncipes y más encumbrados que los primeros, con promesas de honores más grandes y con autorización para aceptar todas las condiciones que Balaam pusiese. El mensaje urgente de Balac al profeta fue éste: "Te ruego que no dejes de venir a mí; porque sin duda te honraré mucho, y haré todo lo que me digas; ven, pues, ahora, maldíceme a este pueblo".

Por segunda vez Balaam fue probado. En su respuesta a las peticiones de los embajadores hizo alarde de tener mucha conciencia y probidad, y les aseguró que ninguna cantidad de oro y de plata podía persuadirle a obrar contra la voluntad de Dios. Pero anhelaba acceder al ruego del rey; y aunque ya se le había comunicado la voluntad de Dios en forma definitiva, rogó a los mensajeros que se quedaran, para que pudiese consultar otra vez a Dios, como si el Infinito fuera un hombre sujeto a la persuasión.

Durante la noche se le apareció el Señor a Balaam y le dijo: "Si vinieron para llamarte estos hombres, levántate y vete con ellos; pero harás lo que yo te diga". Hasta ese punto le permitiría el Señor a Balaam que hiciera su propia voluntad, ya que se empeñaba en ello. No procuraba hacer la voluntad de Dios, sino que decidía su conducta y luego se esforzaba por obtener la sanción del Señor.

Son millares hoy los que siguen una conducta parecida. No tendrían dificultad en comprender su deber, si éste armonizara con sus inclinaciones. Lo hallan claramente expuesto en la Biblia, o lisa y llanamente indicado por las circunstancias y la razón. Pero porque estas evidencias contrarían sus deseos e inclinaciones, con frecuencia las hacen a un lado y pretenden acudir a Dios para saber cuál es su deber. Aparentan tener una conciencia escrupulosa y en fervientes y largas oraciones piden ser iluminados. Pero Dios no tolera que los hombres se burlen de él. A menudo permite a tales personas que sigan sus propios deseos y que sufran las consecuencias. "Pero mi pueblo no oyó mi voz, ... los dejé, por tanto, a la dureza de su corazón; caminaron en sus propios consejos" (Salmo 81: 11, 12). Cuando uno ve claramente su deber, no procura ir presuntuosamente a Dios para rogarle que le dispense de cumplirlo. Más bien debe ir con espíritu humilde y sumiso, pedir fortaleza divina y sabiduría para hacer lo que le exige.

Los moabitas eran un pueblo envilecido e idólatra; sin embargo, de acuerdo con la luz que habían recibido, su culpabilidad no era, a lo ojos del cielo, tan grande como la de Balaam. Por el hecho de que él aseveraba ser profeta de Dios, se atribuiría autoridad divina a todo lo que diría. Por lo tanto no se le iba a permitir hablar como quisiera, sino que habría de anunciar el mensaje que Dios le diera. "Harás lo que yo te diga", fue la orden divina.

Balaam había recibido permiso para acompañar a los mensajeros de

Moab en caso de que vinieran por la mañana a llamarle. Pero enfadados por la tardanza de él y creyendo que otra vez se negaría a ir, salieron para su tierra sin consultar más con él. Había sido eliminada la excusa para cumplir lo pedido por Balac. Pero Balaam había resuelto obtener la recompensa; y tomando el animal en el cual solía montar, se puso en camino. Temía que se le retirara aun ahora el permiso divino, y se apresuraba ansiosamente, impaciente y temeroso de perder por uno u otro motivo la recompensa codiciada.

Pero "el ángel de Jehová se puso en el camino por adversario suyo". El animal vio al divino mensajero, a quien el hombre no había visto, y se apartó del camino real y entró en el campo. Con golpes crueles, Balaam hizo volver la bestia al camino; pero nuevamente, en un sitio angosto y cerrado por murallas de piedra, le apareció el ángel, y el animal, tratando de evitar la figura amenazadora, apretó el pie de su amo contra la muralla. Balaam no veía la intervención divina, y no sabía que Dios estaba poniendo obstáculos en su camino. Se enfureció, y golpeando sin misericordia al asna, la obligó a seguir adelante.

"Y el ángel de Jehová pasó más allá, y se puso en una angostura donde no había camino para apartarse ni a derecha ni a izquierda." Apareció el ángel, como anteriormente, en actitud amenazadora, y el pobre animal, temblando de terror, se detuvo por completo, y cayó al suelo debajo de su amo. La ira de Balaam no conoció límites, y con su vara golpeó al animal aún más cruelmente que antes. Dios abrió entonces la boca a la burra y la "bestia de carga, hablando con voz de hombre, refrenó la locura del profeta" (2 S. Pedro 2: 16). "¿Qué te he hecho, que me has azotado estas tres veces?", dijo.

Lleno de ira al verse así estorbado en su viaje, Balaam contestó a la bestia como si ésta fuese un ser racional: "Porque te has burlado de mí. ¡Ojalá tuviera espada en mi mano, que ahora te mataría!" ¡Allí estaba un hombre que se hacía llamar mago, que iba de camino para pronunciar una maldición sobre un pueblo con el objeto de paralizarle su fuerza, en tanto que no tenía siquiera poder suficiente para matar el animal en que montaba!

Los ojos de Balaam fueron entonces abiertos, y vio el ángel de Dios

de pie con la espada desenvainada, listo para darle muerte. Aterrorizado, "hizo reverencia, y se inclinó sobre su rostro". El ángel le dijo: "¿Por qué has azotado tu asna estas tres veces? He aquí yo he salido para resistirte, porque tu camino es perverso delante de mí. El asna me ha visto, y se ha apartado luego de delante de mí estas tres veces; y si de mí no se hubiera apartado, yo también ahora te mataría a ti, y a ella dejaría viva".

Balaam debió la conservación de su vida al pobre animal tan cruelmente tratado por él. El hombre que alegaba ser profeta del Señor, el que declaraba ser "varón de ojos abiertos", y "que vio la visión del Omnipotente", estaba tan cegado por la codicia y la ambición, que no pudo discernir al ángel de Dios que era visible para su bestia. "El dios de este siglo cegó el entendimiento de los incrédulos" (2 Corintios 4: 4). ¡Cuántos son así cegados! Se precipitan por sendas prohibidas, traspasan la divina ley, y no pueden reconocer que Dios y sus ángeles se les oponen. Como Balaam, se aíran contra los que procuran evitar su ruina.

Por la manera en que tratara su bestia, Balaam había demostrado qué espíritu le dominaba. "El justo cuida de la vida de su bestia; mas el corazón de los impíos es cruel" (Proverbios 12: 10). Pocos comprenden debidamente cuán inicuo es abusar de los animales o dejarlos sufrir por negligencia. El que creó al hombre también creó a los animales inferiores, y extiende "sus misericordias sobre todas sus obras" (Salmo 145: 9). Los animales fueron creados para servir al hombre, pero éste no tiene derecho a imponerles mal trato o exigencias crueles.

A causa del pecado del hombre, "la creación entera gime juntamente con nosotros, y a una está en dolores de parto hasta ahora" (Romanos 8: 22, VM). Así cayeron los sufrimientos y la muerte no solamente sobre la raza humana, sino también sobre los animales. Le incumbe pues al hombre tratar de aligerar, en vez de aumentar, el peso del padecimiento que su transgresión ha impuesto a los seres creados por Dios. El que abusa de los animales porque los tiene en su poder, es un cobarde y un tirano. La tendencia a causar dolor, ya sea a nuestros semejantes o a los animales irracionales, es satánica. Muchos creen que nunca será conocida su crueldad, porque las pobres bestias no la pueden revelar. Pero si los ojos de esos hombres pudiesen abrirse como se abrieron los de Ba-

El ángel se interpuso tres veces en el camino, y Balaam golpeó, sin misericordia, tres veces al indefenso animal.

CHARLES D'ANDREA © PPPA

laam, verían a un ángel de Dios de pie como testigo, para testificar contra ellos en las cortes celestiales. Asciende al cielo un registro, y vendrá el día cuando el juicio se pronunciará contra los que abusan de los seres creados por Dios.

Cuando vio al mensajero de Dios, Balaam exclamó aterrorizado: "He pecado, porque no sabía que tú te ponías delante de mí en el camino; mas ahora, si te parece mal, yo me volveré". El Señor le permitió proseguir su viaje, pero le dio a entender que sus palabras serían controladas por el poder divino. Dios quería dar a Moab evidencia de que los hebreos estaban bajo la custodia del cielo; y lo hizo en forma eficaz cuando les demostró cuán imposible era para Balaam pronunciar una maldición contra ellos sin el permiso divino.

El rey de Moab, informado de que Balaam se acercaba, salió con un gran séquito hasta los confines de su reino, para recibirle. Cuando expresó su asombro por la tardanza de Balaam, en vista de las ricas recompensas que le esperaban, el profeta le dio esta contestación: "He aquí yo he venido a ti; mas ¿podré ahora hablar alguna cosa? La palabra que Dios pusiere en mi boca, esa hablaré". Balaam lamentaba que se le hubiese impuesto esta restricción; temía que sus fines no pudieran cumplirse porque el poder del Señor le dominaba.

Con gran pompa, el rey y los dignatarios de su reino escoltaron a Balaam "a los altos de Baal", desde donde iba a poder divisar al ejército hebreo. Contemplemos al profeta de pie en la altura eminente, mirando hacia el campamento del pueblo escogido de Dios. ¡Qué poco saben los israelitas de lo que está ocurriendo tan cerca de ellos! ¡Qué poco saben del cuidado de Dios, que los cobija de día y de noche! ¡Cuán embotada tiene la percepción el pueblo de Dios! ¡Cuán tardos han sido sus hijos en todas las edades para comprender su gran amor y misericordia! Si tan sólo pudieran discernir el maravilloso poder que Dios manifiesta constantemente en su favor, ¿no se llenarían sus corazones de gratitud por su amor, y de reverencia al pensar en su majestad y poder?

Balaam tenía cierta noción de los sacrificios y ofrendas de los hebreos, y esperaba que, superándolos en donativos costosos, podrían obtener la bendición de Dios y asegurar la realización de sus proyectos pecaminosos. Así iban dominando su corazón y su mente los sentimientos de los moabitas idólatras. Su sabiduría se había convertido en insensatez; su visión espiritual se había ofuscado; cediendo al poder de Satanás, se había enceguecido él mismo.

Por indicación de Balaam, se erigieron siete altares, y él ofreció un sacrificio en cada uno. Luego se retiró a una altura, para comunicarse con Dios, y prometió que le haría saber a Balac cualquier cosa que el Señor le revelase.

Con los nobles y los príncipes de Moab, el rey se quedó de pie al lado del sacrificio, mientras que la multitud anhelosa se congregó alrededor de ellos, y todos esperaban el regreso del profeta. Por último volvió, y el pueblo esperó oír las palabras capaces de paralizar para siempre aquel poder extraño que se manifestaba en favor de los odiados israelitas. Balaam dijo:

"De Aram me trajo Balac,
rey de Moab, de los montes del oriente;
ven, maldíceme a Jacob;
y ven, execra a Israel.
¿Por qué maldeciré yo al que Dios no maldijo?
¿Y por qué he de execrar al que Jehová no ha execrado?
Porque de la cumbre de las peñas lo veré,
y desde los collados lo miraré;
he aquí un pueblo que habitará confiado,
y no será contado entre las naciones.
¿Quién contará el polvo de Jacob,
o el número de la cuarta parte de Israel?
Muera yo la muerte de los rectos,
y mi postrimería sea como la suya".

Balaam confesó que había venido con el objeto de maldecir a Israel; pero las palabras que pronunció contradijeron rotundamente los sentimientos de su corazón. Se le obligó a pronunciar bendiciones, en tanto que su alma estaba henchida de maldiciones.

Mientras Balaam miraba el campamento de Israel, contempló con asombro la evidencia de su prosperidad. Se lo habían pintado como una multitud ruda y desorganizada que infestaba el país con grupos merodeadores que afligían y aterrorizaban las naciones circunvecinas; pero lo que veía era todo lo contrario. Notó la vasta extensión y el orden perfecto del campamento, y que todo denotaba disciplina y orden cabales. Le fue revelado el favor que Dios dispensaba a Israel, y el carácter distintivo de ese pueblo escogido. No había de equipararse a las otras naciones, sino de superarlas en todo. El "pueblo que habitará confiado, y no será contado entre las naciones". Cuando se pronunciaron estas palabras, los israelitas aún no se habían establecido permanentemente en un sitio, y Balaam no conocía su carácter particular y especial ni sus modales y costumbres. Pero ¡cuán sorprendentemente se cumplió esta profecía en la historia ulterior de Israel! A través de todos los años de su cautiverio y de todos los siglos de su dispersión, han subsistido como pueblo distinto de los demás. Así también los hijos de Dios, el verdadero Israel, aunque dispersados entre todas las naciones, no son sino advenedizos en la tierra, y su ciudadanía está en los cielos.

No sólo se le mostró a Balaam la historia del pueblo hebreo como nación, sino que contempló el incremento y la prosperidad del verdadero Israel de Dios hasta el fin. Vio cómo el favor especial del Altísimo asistía a los que le aman y le temen. Los vio, sostenidos por su brazo, entrar en el valle de la sombra de muerte. Y les vio salir de la tumba, coronados de gloria, honor e inmortalidad. Vio a los redimidos regocijarse en las glorias imperecederas de la tierra renovada. Mirando la escena, exclamó: "¿Quién contará el polvo de Jacob, o el número de la cuarta parte de Israel?" Y al ver la corona de gloria en cada frente y el regocijo que resplandecía en todos los semblantes, contempló con anticipación aquella vida ilimitada de pura felicidad, y rogó solemnemente: "¡Muera yo la muerte de los rectos, y mi postrimería sea como la suya!"

Si Balaam hubiera estado dispuesto a aceptar la luz que Dios le había dado, habría cumplido su palabra; e inmediatamente habría cortado toda relación con Moab. No hubiera presumido ya más de la misericordia de Dios, sino que se habría vuelto hacia él con profundo arrepentimiento. Pero Balaam amaba el salario de iniquidad, y estaba resuelto a obtenerlo a cualquier precio.

Balac había esperado confiadamente que una maldición caería como plaga fulminante sobre Israel; y al oír las palabras del profeta exclamó apasionadamente: "¿Qué me has hecho? Te he traído para que maldigas a mis enemigos, y he aquí has proferido bendiciones". Balaam, procurando hacer de la necesidad una virtud, aseveró que, movido por un respeto concienzudo de la voluntad de Dios, había pronunciado palabras que habían sido impuestas a sus labios por el poder divino. Su contestación fue: "¿No cuidaré de decir lo que Jehová ponga en mi boca?"

Aun así Balac no podía renunciar a sus propósitos. Decidió que el espectáculo imponente ofrecido por el vasto campamento de los hebreos, había intimidado de tal modo a Balaam que no se atrevió a practicar sus adivinaciones contra ellos. El rey resolvió llevar al profeta a algún punto desde el cual sólo pudiera verse una parte de la hueste. Si se lograba inducir a Balaam a que la maldijera por pequeños grupos, todo el campamento no tardaría en verse entregado a la destrucción. En la cima de una elevación llamada Pisga, se hizo otra prueba. Nuevamente se construyeron siete altares, sobre los cuales se colocaron las mismas ofrendas y sacrificios que antes. El rey y los príncipes permanecieron al lado de los sacrificios, en tanto que Balaam se retiraba para comunicarse con Dios. Otra vez se le confió al profeta un mensaje divino, que no pudo callar ni alterar.

Cuando se presentó a la compañía que esperaba ansiosamente, se le preguntó: "¿Qué ha dicho Jehová?" La contestación, como anteriormente, infundió terror al corazón del rey y de los príncipes:

"Dios no es hombre, para que mienta,
ni hijo de hombre para que se arrepienta.
El dijo, ¿y no hará?
Habló, ¿y no lo ejecutará?
He aquí, he recibido orden de bendecir;
el dio bendición y no podré revocarla.
No ha notado iniquidad en Jacob,

> ni ha visto perversidad en Israel.
> Jehová su Dios está con él,
> y júbilo de rey en él".

Embargado por el temor reverente que le inspiraban estas revelaciones, Balaam exclamó: "No hay hechizo contra Israel, ni hay adivinación contra Israel" (Números 23: 23, VM). Conforme al deseo de los moabitas, el gran mago había probado el poder de su encantamiento; pero precisamente con respecto a esta ocasión se iba a decir de los hijos de Israel: "¡Lo que ha hecho Dios!" Mientras estuvieran bajo la protección divina, ningún pueblo o nación, aunque fuese auxiliado por todo el poder de Satanás, podría prevalecer contra ellos. El mundo entero iba a maravillarse de la obra asombrosa de Dios en favor de su pueblo, a saber, que un hombre empeñado en seguir una conducta pecaminosa fuese de tal manera dominado por el poder divino que se viese obligado a pronunciar, en vez de imprecaciones, las más ricas y las más preciosas promesas en el lenguaje sublime y fogoso de la poesía. Y el favor que en esa ocasión Dios concedió a Israel había de ser garantía de su cuidado protector hacia sus hijos obedientes y fieles en todas las edades. Cuando Satanás indujese a los impíos a que calumniaran, maltrataran y exterminaran al pueblo de Dios, este mismo suceso les sería recordado y fortalecería su ánimo y fe en Dios.

El rey de Moab, desalentado y angustiado, exclamó: "Ya que no lo maldices, tampoco lo bendigas". No obstante, subsistía una débil esperanza en su corazón, y decidió hacer otra prueba. Condujo a Balaam al monte Peor, donde había un templo dedicado al culto licencioso de Baal, su dios. Allí se erigió el mismo número de altares que antes, y el mismo número de sacrificios fueron ofrecidos; pero Balaam no se apartó solo como en las otras ocasiones, para averiguar la voluntad de Dios. No pretendió hacer hechicería alguna, sino que, de pie al lado de los altares, miró a lo lejos a las tiendas de Israel. Otra vez el Espíritu de Dios asentó sobre él, y brotó de sus labios el divino mensaje:

> "¡Cuán hermosas son tus tiendas, oh Jacob,
> tus habitaciones, oh Israel!

Como arroyos están extendidas,
como huertos junto al río,
como áloes plantados por Jehová,
como cedros junto a las aguas.
De sus manos destilarán aguas,
y su descendencia será en muchas aguas;
enaltecerá su rey más que Agag,
y su reino será engrandecido...
Se encorvará para echarse como león, y como leona;
¿quién lo despertará?
Benditos los que te bendijeren,
y malditos los que te maldijeren".

La prosperidad del pueblo de Dios se presenta aquí mediante algunas de las más bellas figuras ofrecidas por la naturaleza. El profeta compara a Israel a los valles fértiles cubiertos de abundantes cosechas; a huertos florecientes regados por manantiales inagotables; al perfumado árbol de sándalo y al majestuoso cedro. Esta última figura es una de las más hermosas y apropiadas que se encuentran en la Palabra inspirada. El cedro del Líbano era honrado por todos los pueblos del oriente. El género de árboles al que pertenece se encuentra dondequiera que el hombre haya ido, por toda la tierra. Florecen desde las regiones árticas hasta las zonas tropicales, y si bien gozan del calor, saben arrostrar el frío; brotan exuberantes en las orillas de los ríos, y no obstante, se elevan majestuosamente sobre el páramo árido y sediento. Clavan sus raíces profundamente entre las rocas de las montañas, y audazmente desafían la tempestad. Sus hojas se mantienen frescas y verdes cuando todo lo demás ha perecido bajo el soplo del invierno. Sobre todos los demás árboles, el cedro del Líbano se distingue por su fuerza, su firmeza, su vigor perdurable; y se lo usa como símbolo de aquellos cuya vida "está escondida con Cristo en Dios" (Colosenses 3: 3). Las Escrituras dicen: "El justo florecerá como la palmera; crecerá como cedro en el Líbano" (Salmo 92: 12). La mano divina elevó el cedro a la categoría de rey del bosque. "Las hayas no fueron semejantes a sus ramas, ni los castaños fueron semejantes a su ramaje" (Ezequiel 31: 8). El cedro se usa a menudo como emblema de la realeza; y su empleo en la Escritura, para representar a los justos, demuestra cómo el cielo considera y aprecia a los que hacen la voluntad de Dios.

Balaam profetizó que el rey de Israel sería más grande y más poderoso que Agag. Tal era el nombre que se daba a los reyes de los amalecitas, entonces nación poderosa; pero Israel, si era fiel a Dios, subyugaría a todos sus enemigos. El Rey de Israel era el Hijo de Dios; su trono se habría de establecer un día en la tierra, y su poder se exaltaría sobre todos los reinos terrenales.

Al escuchar las palabras del profeta, Balac quedó abrumado por la frustración de su esperanza, por el temor y la ira. Le indignaba el hecho de que Balaam se hubiera atrevido a darle la menor promesa de una respuesta favorable, cuando todo estaba resuelto contra él. Miraba con desprecio la conducta transigente y engañosa del profeta. El rey exclamó airado: "Ahora huye a tu lugar; yo dije que te honraría, mas he aquí que Jehová te ha privado de honra". La contestación que recibió el rey fue que se le había prevenido que Balaam sólo podría pronunciar el mensaje dado por Dios.

Antes de volver a su pueblo, Balaam emitió una hermosísima y sublime profecía con respecto al Redentor del mundo y a la destrucción final de los enemigos de Dios:

> "Lo veré, mas no ahora; lo miraré, mas no de cerca:
> Saldrá ESTRELLA de Jacob, y se levantará cetro de Israel,
> y herirá las sienes de Moab, y destruirá a todos los hijos
> de Set".

Y concluyó prediciendo el exterminio total de Moab y de Edom, de Amalec y de los cineos, con lo que privó al rey de los moabitas de todo rayo de esperanza.

Frustrado en sus esperanzas de riquezas y de exaltación, en desgracia con el rey, y sabiendo que había incurrido en el desagrado de Dios, Balaam volvió de la misión que se había impuesto a sí mismo. Después que llegó a su casa, le abandonó el poder del Espíritu de Dios que lo había dominado, y prevaleció su codicia, que hasta entonces había sido tan sólo refrenada. Estaba dispuesto a recurrir a cualquier ardid para obtener la recompensa prometida por Balac. Balaam sabía que la prosperidad de Israel dependía de que éste obedeciera a Dios y que no había manera alguna de ocasionar su ruina sino induciéndole a pecar. Decidió entonces conseguir el favor de Balac, aconsejándoles a los moabitas el procedimiento que se había de seguir para traer una maldición sobre Israel.

Regresó inmediatamente a la tierra de Moab y expuso sus planes al rey. Los moabitas mismos estaban convencidos de que mientras Israel permaneciera fiel a Dios, él sería su escudo. El proyecto propuesto por Balaam consistía en separarlos de Dios, induciéndolos a la idolatría. Si fuese posible hacerlos participar en el culto licencioso de Baal y Astarté, ello los enemistaría con su omnipotente Protector, y pronto serían presa de las naciones feroces y belicosas que vivían en derredor suyo. De buena gana aceptó el rey este proyecto, y Balaam mismo se quedó allí para ayudar a realizarlo.

Balaam presenció el éxito de su plan diabólico. Vio cómo caía la maldición de Dios sobre su pueblo y cómo millares eran víctimas de sus juicios; pero la justicia divina que castigó el pecado en Israel no dejó escapar a los tentadores. En la guerra de Israel contra los madianitas, Balaam fue muerto. Había presentido que su propio fin estaba cerca cuando exclamó: "Muera yo la muerte de los rectos, y mi postrimería sea como la suya". Pero no había escogido la vida de los rectos, y tuvo el destino de los enemigos de Dios.

La suerte de Balaam se asemejó a la de Judas, y los caracteres de ambos son muy parecidos. Trataron de reunir el servicio de Dios y el de Mamón*, y fracasaron completamente. Balaam reconocía al verdadero Dios y profesaba servirle; Judas creía en Cristo como el Mesías y se unió a sus discípulos. Pero Balaam esperaba usar el servicio de Jehová como escalera para alcanzar riquezas y honores mundanos; al fracasar en esto, tropezó, cayó y se perdió. Judas esperaba que su unión con Cristo le asegurase riquezas y exaltación en aquel reino terrestre que, según creía, el Mesías estaba por establecer. El fracaso de sus esperanzas le empujó a la apostasía y a la perdición. Tanto Balaam como Judas recibieron mucha iluminación espiritual y ambos gozaron de grandes prerrogativas; pero un solo pecado que ellos abrigaban en su corazón, envenenó todo su carácter y causó su destrucción.

Es cosa peligrosa albergar en el corazón un rasgo anticristiano. Un solo pecado que se conserve irá depravando el carácter, y sujetará al mal deseo todas sus facultades más nobles. La eliminación de una sola salvaguardia de la conciencia, la gratificación de un solo hábito pernicioso, una sola negligencia con respecto a los altos requerimientos del deber, quebrantan las defensas del alma y abren el camino a Satanás para que entre y nos extravíe. El único procedimiento seguro consiste en elevar diariamente con corazón sincero la oración que ofrecía David: "Sustenta mis pasos en tus caminos, para que mis pies no resbalen" (Salmo 17: 5).

---

*Las riquezas.

CAPITULO 41

Este capítulo está basado en Números 25.

La Apostasía a Orillas del Jordán

LAS victoriosas fuerzas de Israel habían vuelto de Basán con corazones alborozados y con renovada fe en Dios. Habían logrado la posesión de un territorio de valor, y estaban seguras de la inmediata conquista de Canaán. Solamente el río Jordán mediaba entre ellas y la tierra prometida. Al otro lado del río había una rica llanura, cubierta de verdor, regada por arroyos provenientes de manantiales copiosos, y sombreada por palmeras exuberantes. En el límite occidental de la planicie se destacaban las torres y los palacios de Jericó, tan enclaustrada entre sus palmeras que se la llamaba "la ciudad de las palmeras".

En el lado oriental del Jordán, entre el río y la alta meseta que Israel había atravesado, había también una planicie de varios kilómetros de anchura, y que se extendía por alguna distancia a lo largo del río. Este valle abrigado tenía clima tropical; y florecía allí el árbol de Sitim, o acacia, por lo que se le daba a la planicie el nombre de "valle de Sitim". En él acamparon los israelitas, y los bosques de acacias que había junto al río les proporcionaron agradable retiro.

Pero en este ambiente atractivo iban a encontrar un mal más mortífero que poderosos ejércitos de hombres armados o las fieras del desierto. Ese territorio, tan rico en ventajas naturales, había sido contaminado por sus habitantes. En el culto público de Baal, la divinidad principal, se practicaban constantemente las escenas más degradantes e inicuas. Por doquiera se encontraban lugares notorios por su idolatría y su libertinaje, cuyos nombres mismos sugerían la vileza y la corrupción del pueblo.

Este ambiente ejerció una influencia corruptora sobre los israelitas. La mente de ellos se familiarizó con los pensamientos viles que les eran sugeridos constantemente; la vida cómoda e inactiva produjo sus efectos desmoralizadores; y casi inconscientemente, se fueron alejando de Dios, y llegaron a una condición en la cual iban a sucumbir fácilmente a la tentación.

Mientras el pueblo acampaba al lado del Jordán, Moisés preparaba la ocupación de Canaán. El gran jefe estaba muy atareado en esta obra; pero este lapso de suspenso y espera resultó una prueba para el pueblo, y antes de que hubieran transcurrido muchas semanas, su historia quedó manchada por las más terribles desviaciones de la virtud e integridad.

Al principio hubo muy pocas relaciones entre los israelitas y sus vecinos paganos; pero después de algún tiempo, las mujeres madianitas comenzaron a introducirse en el campo. La aparición de ellas no causó alarma, y tan cautelosamente llevaron a cabo sus planes que nadie llamó la atención de Moisés al asunto. Estas mujeres tenían por objeto, en sus relaciones con los hebreos, seducirlos para hacerles violar la ley de Dios, llamar la atención a costumbres y ritos paganos, e inducirlos a la idolatría. Ocultaron diligentemente estos motivos bajo la máscara de la amistad, de modo que ni siquiera los guardianes del pueblo los sospecharon.

Por consejo de Balaam, el rey de Moab decidió celebrar una gran fiesta en honor de sus dioses, y secretamente se concertó que Balaam indujera a los israelitas a asistir. Ellos le consideraban profeta de Dios, y no le fue difícil alcanzar su fin. Gran parte del pueblo se reunió con él para asistir a las festividades. Se aventuraron a pisar terreno prohibido y se enredaron en los lazos de Satanás. Hechizados por la música y el baile y seducidos por la hermosura de las vestales paganas, desecharon su lealtad a Jehová. Mientras participaban en la alegría y en los festines, el consumo de vino ofuscó sus sentidos y quebrantó las vallas del dominio propio. Predominó la pasión en absoluto; y habiendo contaminado su conciencia por la lascivia, se dejaron persuadir a postrarse ante los ídolos. Ofrecieron sacrificios en los altares paganos y participaron en los ritos más degradantes.

No tardó el veneno en difundirse por todo el campamento de Israel, como una infección mortal. Los que habían vencido a sus enemigos en batalla fueron vencidos por los ardides de mujeres paganas. La gente parecía atontada. Los jefes y hombres principales fueron los primeros en violar la ley, y fueron tantos los culpables que la apostasía se hizo nacional. "Acudió el pueblo a Baal-peor" (véase Números 25). Cuando Moisés se dio cuenta del mal, la conspiración de sus enemigos había tenido tanto éxito que no sólo estaban los israelitas participando del culto licencioso en el monte Peor, sino que comenzaban a practicarse los ritos paganos en el mismo campamento de Israel. El viejo adalid se llenó de indignación y la ira de Dios se encendió.

Las prácticas inicuas hicieron para Israel lo que todos los encantamientos de Balaam no habían podido hacer; lo separaron de Dios. Debido a los castigos que les alcanzaron rápidamente, muchos reconocieron la enormidad de su pecado. Estalló en el campamento una terrible pestilencia de la cual decenas de millares cayeron prestamente víctimas. Dios ordenó que quienes encabezaron esa apostasía fuesen ejecutados por los magistrados. La orden se cumplió inmediatamente. Los ofensores fueron muertos, y luego se colgaron sus cuerpos a la vista del pueblo, para que la congregación, al percibir la severidad con que eran tratados sus cabecillas, adquiriese un sentido profundo de cuánto aborrecía Dios su pecado y de cuán terrible era su ira contra ellos.

Todos creyeron que el castigo era justo, y el pueblo se dirigió apresuradamente al tabernáculo, y con lágrimas y profunda humillación confesó su gran pecado. Mientras lloraba así ante Dios a la puerta del tabernáculo y la plaga aún hacía su obra de exterminio, y los magistrados ejecutaban su terrible comisión, Zimri, uno de los nobles de Israel, vino audazmente al campamento, acompañado de una ramera madianita, princesa de una familia distinguida de Madián, a quien él llevó a su tienda. Nunca se ostentó el vicio más osada o tercamente. Embriagado de vino, Zimri publicó "su pecado como Sodoma", y se enorgulleció de lo que debiera haberle avergonzado. Los sacerdotes y los jefes se habían postrado en aflicción y humillación, llorando "a la puerta del tabernáculo de reunión" e implorando al Señor que perdonara a su pueblo y que no entregara su heredad al oprobio, cuando este príncipe de Israel hizo alarde de su pecado en presencia de la congregación, como si desafiara la venganza de Dios y se burlara de los jueces de la nación. Finees, hijo del sumo sacerdote Eleazar, se levantó de entre la congregación, y asiendo una lanza, "fue tras el varón de Israel a la tienda", y lo mató a él y a la mujer. Así se detuvo la plaga y el sacerdote que había ejecutado el juicio divino fue honrado ante Israel, y el sacerdocio le fue confirmado a él y a su casa para siempre.

"Finees ... ha hecho apartar mi furor de los hijos de Israel", fue el mensaje divino; "por tanto diles: He aquí yo establezco mi pacto de paz con él; y tendrá él, y su descendencia después de él, el pacto del sacerdocio perpetuo, por cuanto tuvo celo por su Dios e hizo expiación por los hijos de Israel".

Los juicios que cayeron sobre Israel por su pecado en Sitim, destruyeron los sobrevivientes de aquella vasta compañía que mereciera casi cuarenta años antes la sentencia: "Han de morir en el desierto". El censo que Dios mandó hacer mientras el pueblo acampaba en las planicies del Jordán, demostró que ninguno quedaba "de los contados por Moisés y el sacerdote Aarón, quienes contaron a los hijos de Israel en el desierto de Sinaí... No quedó varón de ellos, sino Caleb hijo de Jefone y Josué hijo de Nun" (Números 26: 64, 65).

Dios había mandado castigos sobre los israelitas porque ellos habían cedido a los halagos de los madianitas; pero los tentadores mismos no habían de escapar a la ira de la divina justicia. Los amalecitas, que habían atacado a Israel en Refidim, y caído súbitamente sobre los débiles y rezagados de la hueste, no fueron castigados sino mucho tiempo después; mientras que los madianitas, que lo indujeron a pecar, hubieron de sentir con presteza los juicios de Dios, porque eran los enemigos más peligrosos. "Haz la venganza de los hijos de Israel contra los madianitas —fue la orden que se le dio a Moisés—; después serás recogido a tu pueblo" (véase Números 31). Esta orden fue obedecida al instante. Se escogieron mil hombres de cada una de las tribus, y se los mandó bajo la dirección de Finees. "Y pelearon contra Madián, como Jehová lo mandó a Moisés... Mataron también, entre los muertos de ellos, a los reyes de Madián, ... cinco reyes de Madián; también a Balaam hijo de Beor mataron a espada". Las mujeres que fueron capturadas por el ejército atacante, fueron muertas según la orden de Moisés, como las más culpables y como el enemigo más peligroso de Israel.

Tal fue el fin de quienes habían proyectado el daño del pueblo de Dios. El salmista dice: "Se hundieron las naciones en el hoyo que hicieron; en la red que escondieron fue tomado su pie". "Porque no abandonará Jehová a su pueblo, ni desamparará su heredad, sino que el juicio será vuelto a la justicia". Cuando "se juntan contra la vida del justo", el Señor "hará volver sobre ellos su iniquidad, y los destruirá en su propia

maldad" (Salmos 9: 15; 94: 14, 15, 21, 23).

Cuando Balaam fue llamado a maldecir a los hebreos, no pudo con todos sus encantamientos, hacerles daño alguno, pues el Señor no había "reparado la iniquidad en Jacob", ni había "mirado la perversidad en Israel" (Números 23: 21, VM). Pero cuando, cediendo a la tentación, violaron la ley de Dios, su defensa se alejó de ellos. Cuando el pueblo de Dios es fiel a sus mandamientos, entonces "contra Jacob no hay agüero, ni adivinación contra Israel". De ahí que Satanás ejerza todo poder y todas sus astutas artimañas para inducirlo a pecar. Si los que profesan ser depositarios de la ley de Dios violan sus preceptos, se separan de Dios y no podrán subsistir delante de sus enemigos.

Los israelitas, que no pudieron ser vencidos por las armas ni por los encantamientos de Madián, cayeron como presa fácil de las rameras. Tal es el poder que la mujer, alistada en el servicio de Satanás, ha ejercido para enredar y destruir las almas. "A muchos ha hecho caer heridos, y aun los más fuertes han sido muertos por ella" (Proverbios 7: 26). Fue así como los hijos de Set fueron alejados de su integridad y se corrompió la santa posteridad. Así fue tentado José. Así entregó Sansón su propia fuerza y la defensa de Israel en manos de los filisteos. En esto tropezó también David. Y Salomón, el más sabio de los reyes, al que por tres veces se le llamó amado de Dios, se trocó en esclavo de la pasión y sacrificó su integridad al mismo poder hechicero.

"Estas cosas les acontecieron como ejemplo, y están escritas para amonestarnos a nosotros, a quienes han alcanzado los fines de los siglos. Así que, el que piensa estar firme, mire que no caiga" (1 Corintios 10: 11, 12). Satanás conoce muy bien el material con el cual ha de vérselas en el corazón humano. Por haberlos estudiado con intensidad diabólica durante miles de años, conoce los puntos más vulnerables de cada carácter; y en el transcurso de las generaciones sucesivas ha obrado para hacer caer a los hombres más fuertes, príncipes de Israel, mediante las mismas tentaciones que tuvieron tanto éxito en Baal-peor. A través de los siglos pueden verse los casos de caracteres arruinados que encallaron en las rocas de la sensualidad. Mientras nos acercamos al fin del tiempo, mientras los hijos de Dios se hallan en las fronteras mismas de la

Canaán celestial, Satanás, como lo hizo antaño, redoblará sus esfuerzos para prender toda alma. No sólo los ignorantes y los incultos necesitan estar en guardia; él preparará sus tentaciones para los que ocupan los puestos más elevados en los cargos más sagrados; si puede inducirlos a contaminar sus almas, podrá, por su intermedio, destruir a muchos. Emplea ahora los mismos agentes que hace tres mil años. Por las amistades mundanas, los encantos de la belleza, la búsqueda del placer, la alegría desmedida, los festines o el vino, tienta a los seres humanos a violar el séptimo mandamiento.

Satanás indujo primero a Israel al libertinaje y luego a la idolatría. Los que deshonran la imagen de Dios en su propia persona y contaminan así su templo, no retrocederán ante ninguna cosa que deshonre a Dios con tal que satisfaga el deseo de sus corazones depravados. La sensualidad debilita la mente y degrada el alma. La satisfacción de las propensiones animales entorpece las facultades morales y no puede el esclavo de las pasiones comprender la obligación sagrada impuesta por la ley de Dios, apreciar el sacrificio expiatorio, o justipreciar el alma. La bondad, la pureza, la verdad, la reverencia a Dios y el amor por las cosas sagradas, todos estos afectos sagrados y deseos nobles que vinculan al hombre con el mundo celestial, quedan consumidos en el fuego de la concupiscencia. El alma se torna en desierto negro y desolado, en morada de espíritus malignos y "albergue de toda ave inmunda y aborrecible". En esta forma, los seres creados a la imagen de Dios son rebajados al nivel de los seres irracionales.

Por sus relaciones con los idólatras y la participación que tuvieron en sus festines, los hebreos fueron inducidos a violar la ley de Dios, y atrajeron sus juicios sobre toda la nación. Así también ahora Satanás obtiene su mayor éxito, en lo que se refiere a hacer pecar a los cristianos, cuando logra inducirlos a que se relacionen con los impíos y participen en sus diversiones. "Salid de en medio de ellos, y apartaos, dice el Señor, y no toquéis lo inmundo" (2 Corintios 6: 17). Dios exige hoy de su pueblo que se mantenga tan distinto del mundo, en sus costumbres, hábitos y principios, como debía serlo el antiguo Israel. Si siguen fielmente las enseñanzas de su Palabra, existirá esta distinción; no podrá

513

ser de otra manera. Las advertencias dadas a los hebreos para que no se relacionaran ni mezclaran con los paganos no eran más directas ni más terminantes que las hechas a los cristianos para prohibirles que imiten el espíritu y las costumbres de los impíos. Cristo nos dice: "No améis al mundo, ni las cosas que están en el mundo. Si alguno ama al mundo, el amor del Padre no está en él". "La amistad del mundo es enemistad contra Dios". "Cualquiera, pues, que quiera ser amigo del mundo, se constituye enemigo de Dios" (1 S. Juan 2: 15; Santiago 4: 4). Los que siguen a Cristo deben separarse de los pecadores y buscar su compañía tan sólo cuando haya oportunidad de beneficiarlos. No podemos ser demasiado firmes en la decisión de evitar la compañía de aquellos cuya influencia tiende a alejarnos de Dios. Mientras oramos: "No nos dejes caer en tentación", debemos evitar la tentación en todo lo posible.

Los israelitas fueron inducidos al pecado, precisamente cuando se hallaban en una condición de ocio y seguridad aparente. Se olvidaron de Dios, descuidaron la oración, y fomentaron un espíritu de seguridad y confianza en sí mismos. El ocio y la complacencia propia dejaron la ciudadela del alma sin resguardo alguno, y entraron pensamientos viles y degradados. Los traidores que moraban dentro de los muros fueron quienes destruyeron las fortalezas de los sanos principios y entregaron a Israel en manos de Satanás. Así precisamente es como Satanás procura aún la ruina del alma. Antes que el cristiano peque abiertamente, se verifica en su corazón un largo proceso de preparación que el mundo ignora. La mente no desciende inmediatamente de la pureza y la santidad a la depravación, la corrupción y el delito. Se necesita tiempo para que los que fueron formados en semejanza de Dios se degraden hasta llegar a lo brutal o satánico. Por la contemplación nos transformamos. Al nutrir pensamientos impuros en su mente, el hombre puede educarla de tal manera que el pecado que antes odiaba se le vuelva agradable.

Satanás emplea todos los medios posibles para popularizar el delito y los vicios envilecedores. No podemos transitar por las calles de nuestras ciudades sin notar cómo se presentan descaradamente actividades delictuosas en alguna novela o en algún escenario teatral. La mente se educa en la familiaridad con el pecado. Los periódicos y las revistas del día recuerdan constantemente al pueblo la conducta que siguen los depravados y viles; en relatos palpitantes le describen todo lo capaz de despertar las pasiones. Tanto lee y oye la gente con respecto a crímenes degradantes, que aun los que fueran una vez dotados de una conciencia sensible, a la cual hubieran horrorizado tales escenas, se vuelven empedernidos, y se espacian en estas cosas con ávido interés.

Muchas de las diversiones que son populares en el mundo hoy, aun entre aquellos que se llaman cristianos, tienden al mismo fin que perseguían las de los paganos. Son, en verdad, pocas las diversiones que Satanás no aprovecha para destruir las almas. Por medio de las representaciones dramáticas ha obrado durante siglos para excitar las pasiones y glorificar el vicio. La ópera con sus exhibiciones fascinadoras y su música embelesadora, los disfraces, los bailes y los juegos de naipes, son cosas que usa Satanás para quebrantar las vallas de los principios sanos y abrir la puerta a la sensualidad. En toda reunión de placer donde se fomente el orgullo o se dé rienda suelta al apetito, donde se le induzca a uno a olvidarse de Dios y a perder de vista los intereses eternos, allí está Satanás rodeando las almas con sus cadenas.

"Sobre toda cosa guardada, guarda tu corazón —es el consejo del sabio—; porque de él mana la vida". "Cual es su pensamiento [del hombre] en su corazón, tal es él" (Proverbios 4: 23; 23: 7). El corazón debe ser renovado por la gracia divina, o en vano se buscará pureza en la vida. El que procura desarrollar un carácter noble y virtuoso, sin la ayuda de la gracia de Cristo, edifica su casa sobre las arenas movedizas. La verá derribarse en las fieras tempestades de la tentación. La oración de David debiera ser la petición de toda alma: "Crea en mí, oh Dios, un corazón limpio, y renueva un espíritu recto dentro de mí" (Salmo 51: 10). Y habiendo sido hechos partícipes del don celestial, debemos proseguir hacia la perfección, siendo "guardados por el poder de Dios mediante la fe" (1 S. Pedro 1: 5).

Tenemos, sin embargo, algo que hacer para resistir a la tentación. Los que no quieren ser víctimas de los ardides de Satanás deben custodiar cuidadosamente las avenidas del alma; deben abstenerse de leer, ver u oír cuanto sugiera pensamientos impuros. No se debe dejar que la mente se espacie al azar en todos los temas que sugiera el adversario de las almas. Dice el apóstol Pedro: "Por tanto, ceñid los lomos de vuestro entendimiento…; no os conforméis a los deseos que antes teníais estando en vuestra ignorancia; sino, como aquel que os llamó es santo, sed también vosotros santos en toda vuestra manera de vivir" (1 S. Pedro 1: 13-15). Pablo dice: "Todo lo que es verdadero, todo lo honesto, todo lo justo, todo lo puro, todo lo amable, todo lo que es de buen nombre; si hay virtud alguna, si algo digno de alabanza, en esto pensad" (Filipenses 4: 8). Esto requerirá ferviente oración y vigilancia incesante. Habrá de ayudarnos la influencia permanente del Espíritu Santo, que atraerá la mente hacia arriba y la habituará a pensar sólo en cosas santas y puras. Debemos estudiar diligentemente la Palabra de Dios. "¿Con qué limpiará el joven su camino? Con guardar tu palabra", dice el salmista y añade: "En mi corazón he guardado tus dichos, para no pecar contra ti" (Salmo 119: 9, 11).

Los pecados que cometió Israel en Bet-peor atrajeron los juicios de Dios sobre la nación, y aunque ahora no se castiguen los mismos pecados con idéntica presteza, recibirán su retribución tan seguramente como la recibieron entonces. "Si alguno destruyere el templo de Dios, Dios le destruirá a él" (1 Corintios 3: 17). La naturaleza ha vinculado a estos crímenes terribles castigos que, tarde o temprano, se aplicarán a todos los transgresores. Estos pecados, en mayor medida que cualesquiera otros, son los que han causado la terrible degeneración de nuestra raza y la carga de enfermedades y miseria que afligen al mundo. Podrán los hombres ocultar sus transgresiones a los ojos de sus semejantes, pero no por eso dejarán de segar las consecuencias, en forma de padecimientos, enfermedades, degeneración mental, o muerte. Y más allá de esta vida les aguarda el tribunal del juicio, con su galardón de consecuencias eternas. "Los que practican tales cosas no heredarán el reino de Dios", sino que con Satanás y los malos ángeles, recibirán su parte en aquel "lago de fuego" que es "la muerte segunda" (Gálatas 5: 21; Apocalipsis 20: 14).

"Los labios de la mujer extraña destilan miel, y su paladar es más blando que el aceite; mas su fin es amargo como el ajenjo, agudo como espada de dos filos". "Aleja de ella tu camino, y no te acerques a la puerta de su casa; para que no des a los extraños tu honor, y tus años al cruel; no sea que extraños se sacien de tu fuerza, y tus trabajos estén en casa del extraño; y gimas al final, cuando se consuma tu carne y tu cuerpo". "Su casa está inclinada a la muerte". "Todos los que a ella se lleguen, no volverán". "Sus convidados están en lo profundo del Seol" (Proverbios 5: 3, 4, 8-11; 2: 18, 19; 9: 18).

CAPITULO 42

La Repetición de la Ley

EL SEÑOR anunció a Moisés que se acercaba el tiempo señalado para que Israel tomara posesión de Canaán; y mientras el anciano profeta se hallaba en las alturas que dominaban el río Jordán y la tierra prometida, miró con profundo interés la herencia de su pueblo. ¿No podría revocarse la sentencia pronunciada contra él a causa de su pecado en Cades? Con hondo fervor imploró: "Señor Jehová, tú has comenzado a mostrar a tu siervo tu grandeza, y tu mano poderosa; porque ¿qué dios hay en el cielo ni en la tierra que haga obras y proezas como las tuyas? Pase yo, te ruego, y vea aquella tierra buena que está más allá del Jordán, aquel buen monte, y el Líbano" (Deuteronomio 3: 24, 25).

La contestación que recibió fue: "Basta, no me hables más de este asunto. Sube a la cumbre del Pisga y alza tus ojos al oeste, y al norte, y al sur, y al este, y mira con tus propios ojos; porque no pasarás el Jordán" (vers. 26, 27).

Sin murmurar, Moisés se sometió a lo decretado por Dios. Y su preocupación se concentró en el pueblo de Israel. ¿Quién sentiría el interés que él había sentido por el bienestar de ese pueblo? Con el corazón desbordante de emoción exhaló esta oración: "Ponga Jehová, Dios de los espíritus de toda carne, un varón sobre la congregación, que salga delante de ellos y que entre delante de ellos, que los saque y los introduzca, para que la congregación de Jehová no sea como ovejas sin pastor" (Números 27: 16, 17).

El Señor oyó la oración de su siervo; y la contestación fue: "Toma a Josué hijo de Nun, varón en el cual hay espíritu, y pondrás tu mano sobre él; y lo pondrás delante del sacerdote Eleazar, y delante de toda la congregación; y le darás el cargo en presencia de ellos. Y pondrás de tu dignidad sobre él, para que toda la congregación de los hijos de Israel le obedezca" (vers. 18-20). Josué había sido asistente de Moisés por mucho tiempo; y siendo hombre de sabiduría, capacidad y fe, se lo escogió para que le sucediera.

Por la imposición de las manos de que le hizo objeto Moisés al mismo tiempo que le hacía recomendaciones impresionantes, Josué fue consagrado solemnemente caudillo de Israel. También se le admitió entonces a participar en el gobierno. Moisés transmitió al pueblo las palabras del Señor relativas a Josué: "El se pondrá delante del sacerdote Eleazar, y le consultará por el juicio del Urim delante de Jehová; por el dicho de él saldrán, y por el dicho de él entrarán, él y todos los hijos de Israel con él, y toda la congregación" (vers. 21).

Antes de abandonar su puesto como jefe visible de Israel, Moisés recibió la orden de repetirle la historia de su libramiento de Egipto y de sus peregrinaciones a través de los desiertos, como también de darle una recapitulación de la ley promulgada desde el Sinaí. Cuando se dio la ley, eran pocos los miembros de la congregación presente que tenían suficiente edad para comprender la terrible y grandiosa solemnidad de la ocasión. Como pronto iban a cruzar el Jordán y tomar posesión de la tierra prometida, Dios quería presentarles las exigencias de su ley, e imponerles la obediencia como condición previa para obtener prosperidad.

Moisés se presentó ante el pueblo con el objeto de repetirle sus últimas advertencias y amonestaciones. Una santa luz iluminaba su rostro. La edad había encanecido su cabello; pero su cuerpo se mantenía erguido, su fisonomía expresaba el vigor robusto de la salud, y tenía los ojos claros y penetrantes. Era aquélla una ocasión importante y solemne, y con profunda emoción describió al pueblo el amor y la misericordia de su Protector todopoderoso:

"Pregunta ahora si en los tiempos pasados que han sido antes de ti, desde el día que creó Dios al hombre sobre la tierra, si desde un extremo del cielo al otro se ha hecho cosa semejante a esta gran cosa, o se haya oído otra como ella. ¿Ha oído pueblo alguno la voz de Dios, hablando de en medio del fuego, como tú la has oído, sin perecer? ¿O ha intentado Dios venir a tomar para sí una nación de en medio de otra nación, con pruebas, con señales, con milagros y con guerra, y mano poderosa y brazo extendido, y hechos aterradores como todo lo que hizo con vosotros Jehová vuestro Dios en Egipto ante tus ojos? A ti te fue mostrado, para que supieses que Jehová es Dios, y no hay otro fuera de él" (Deuteronomio 4: 32-35).

"No por ser vosotros más que todos los pueblos os ha querido Jehová y os ha escogido, pues vosotros erais el más insignificante de todos los pueblos; sino por cuanto Jehová os amó, y quiso guardar el juramento que juró a vuestros padres, os ha sacado Jehová con mano poderosa, y os ha rescatado de servidumbre, de la mano de Faraón rey de Egipto. Conoce, pues, que Jehová tu Dios es Dios, Dios fiel, que guarda el pacto y la misericordia a los que le aman y guardan sus mandamientos, hasta mil generaciones" (Deuteronomio 7: 7-9).

Los israelitas habían estado dispuestos a culpar a Moisés por todas sus dificultades; pero ahora se habían eliminado todas las sospechas que tenían de que él estuviera dominado por el orgullo, la ambición o el egoísmo, y escucharon sus palabras con toda confianza. Moisés les presentó fielmente todos sus errores, y las transgresiones de sus padres. A menudo habían sentido impaciencia y rebeldía por causa de su larga peregrinación en el desierto; pero no podía acusarse al Señor por esta demora en tomar posesión de Canaán; él lamentaba más que ellos el no haber podido ponerlos inmediatamente en posesión de la tierra prometida, y así demostrar a todas las naciones cuán grande era su poder para librar a su pueblo. Debido a su falta de confianza en Dios, a su orgullo y a su incredulidad, no habían estado preparados para entrar en la tierra de Canaán. En manera alguna representaban a aquel pueblo cuyo Dios era Jehová; porque no tenían su carácter de pureza, bondad y benevolencia. Si sus padres hubieran acatado con fe la dirección de Dios, dejándose gobernar por sus juicios y andando en sus estatutos, se habrían establecido en Canaán mucho tiempo antes como un pueblo próspero, santo y feliz. Su tardanza en entrar en la buena tierra deshonró a Dios, y menoscabó su gloria ante los ojos de las naciones circundantes.

Moisés, que entendía perfectamente el carácter y el valor de la ley de Dios, le aseguró al pueblo que ninguna otra nación tenía leyes tan santas, justas y misericordiosas como las que se habían dado a los hebreos. "Mirad —dijo—, yo os he enseñado estatutos y decretos, como Jehová mi Dios me mandó, para que hagáis así en medio de la tierra en la cual entráis para tomar posesión de ella. Guardadlos, pues, y ponedlos por obra; porque esta es vuestra sabiduría y vuestra inteligencia ante los ojos de los pueblos, los cuales oirán todos estos estatutos, y dirán: Ciertamente pueblo sabio y entendido, nación grande es ésta" (Deuteronomio 4: 5, 6).

Moisés recordó al pueblo el "día que estuviste delante de Jehová tu Dios en Horeb". Y le desafió así: "¿Qué nación grande hay que tenga dioses tan cercanos a ellos como lo está Jehová nuestro Dios en todo cuanto le pedimos? Y ¿qué nación grande hay que tenga estatutos y juicios justos como es toda esta ley que yo pongo hoy delante de vosotros?" (Deuteronomio 4: 10, 7, 8). Muy bien podría repetirse hoy el reto lanzado a Israel. Las leyes que Dios dio antaño a su pueblo eran más sabias, mejores y más humanas que las de las naciones más civilizadas de la tierra. Las leyes de las naciones tienen las características de las debilidades y pasiones del corazón irregenerado, mientras que la ley de Dios lleva el sello divino.

"Jehová os tomó, y os ha sacado del horno de hierro, de Egipto, para que seáis el pueblo de su heredad como en este día" (vers. 20), declaró Moisés. La tierra en la cual estaban por entrar, y que había de pertenecerles con tal que obedeciesen estrictamente a la ley de Dios, les fue descrita en estas palabras que debieron enternecer los corazones de los israelitas, cuando recordaban que quien tan brillantemente les pintaba las bendiciones de la buena tierra, había sido, por causa del pecado de ellos, excluido de la herencia de su pueblo:

"Jehová tu Dios te introduce en la buena tierra", "no es como la tierra de Egipto de donde habéis salido, donde sembrabas tu semilla, y regabas con tu pie, como huerto de hortaliza. La tierra a la cual pasáis para tomarla es tierra de montes y de vegas, que bebe las aguas de la lluvia del cielo"; "tierra de arroyos, de aguas, de fuentes y de manantiales, que brotan en vegas y montes; tierra de trigo y cebada, de vides, higueras y granados; tierra de olivos, de aceite y de miel; tierra en la cual no comerás el pan con escasez, ni te faltará nada en ella; tierra cuyas piedras son hierro, y de cuyos montes sacarás cobre", "tierra de la cual Jehová tu Dios cuida; siempre están sobre ella los ojos de Jehová tu Dios, desde el principio del año hasta el fin" (Deuteronomio 8: 7-9; 11: 10-12).

"Cuando Jehová tu Dios te haya introducido en la tierra que juró a tus padres Abraham, Isaac y Jacob que te daría, en ciudades grandes y buenas que tú no edificaste, y casas llenas de todo bien, que tú no llenaste, y cisternas cavadas que tú no cavaste, viñas y olivares que no plantaste, y luego que comas y te sacies, cuídate de no olvidarte de Jehová". "Guardaos, no os olvidéis del pacto de Jehová vuestro Dios, ... porque Jehová tu Dios es fuego consumidor, Dios celoso". En caso de que hicieran lo malo ante los ojos del Señor, entonces, dijo Moisés: "Pronto pereceréis totalmente de la tierra hacia la cual pasáis el Jordán para tomar posesión de ella" (Deuteronomio 6: 10-12; 4: 23-26).

Después de la repetición pública de la ley, Moisés completó el trabajo de escribir todas las leyes, los estatutos y los juicios que Dios le había dado a él y todos los reglamentos referentes al sistema de sacrificios. El libro que los contenía fue confiado a los dignatarios correspondientes, y para su custodia se lo colocó al lado del arca. Aun así el gran jefe temía mucho que el pueblo se apartara de Dios. En un discurso sublime y conmovedor les presentó las bendiciones que tendrían si obedecían y las maldiciones que les alcanzarían si violaban la ley:

"Si oyeres atentamente la voz de Jehová tu Dios, para guardar y poner por obra todos sus mandamientos que yo te prescribo hoy, ... bendito serás tú en la ciudad, y bendito tú en el campo. Bendito el fruto de tu vientre, ... el fruto de tus bestias, ... benditas serán tu canasta y tu artesa de amasar. Bendito serás en tu entrar, y bendito en tu salir. Jehová derrotará a tus enemigos que se levantaren contra ti... Jehová te enviará su bendición sobre tus graneros, y sobre todo aquello en que pusieres tu mano" (véase Deuteronomio 28).

"Pero acontecerá, si no oyeres la voz de Jehová tu Dios, para procurar cumplir todos sus mandamientos y sus estatutos que yo te intimo hoy, que vendrán sobre ti todas estas maldiciones, y te alcanzarán".

"Y serás motivo de horror, y servirás de refrán y de burla a todos los pueblos a los cuales te llevará Jehová". "Y Jehová te esparcirá por todos los pueblos, desde un extremo de la tierra hasta el otro extremo; y allí servirás a dioses ajenos que no conociste tú ni tus padres, al leño y a la piedra. Y ni aun entre estas naciones descansarás, ni la planta de tu pie tendrá reposo; pues allí te dará Jehová corazón temeroso, y desfallecimiento de ojos, y tristeza de alma; y tendrás tu vida como algo que pende delante de ti, y estarás temeroso de noche y de día, y no tendrás seguridad de tu vida. Por la mañana dirás: ¡Quién diera que fuese la tarde! y a la tarde dirás: ¡Quién diera que fuese la mañana! por el miedo de tu corazón con que estarás amedrentado, y por lo que verán tus ojos".

Por el Espíritu de la inspiración, Moisés, mirando a través de lejanas edades, describió las terribles escenas del derrocamiento final de Israel como nación, y la destrucción de Jerusalén por los ejércitos de Roma: "Jehová traerá contra ti una nación de lejos, del extremo de la tierra, que vuele como águila, nación cuya lengua no entiendas; gente fiera de rostro, que no tendrá respeto al anciano, ni perdonará al niño".

El asolamiento completo de la tierra y los horribles sufrimientos que el pueblo habría de soportar durante el sitio de Jerusalén por los ejércitos de Tito, muchos siglos más tarde, fueron pintados vívidamente: "Comerá el fruto de tu bestia y el fruto de tu tierra, hasta que perezcas... Pondrá sitio a todas tus ciudades, hasta que caigan tus muros altos y fortificados en que tú confías, en toda tu tierra... Comerás el fruto de tu vientre, la carne de tus hijos y de tus hijas que Jehová tu Dios te dio, en el sitio y en el apuro con que te angustiará tu enemigo". "La tierna y la delicada entre vosotros, que nunca la planta de su pie intentaría sentar sobre la tierra, de pura delicadeza y ternura, mirará con malos ojos al marido de su seno, ... y a sus hijos que diere a luz; pues los comerá ocultamente, por la carencia de todo, en el asedio y en el apuro con que tu enemigo te oprimirá en tus ciudades".

Moisés cerró su discurso con estas palabras conmovedoras: "A los cielos y a la tierra llamo por testigos hoy contra vosotros, que os he puesto delante la vida y la muerte, la bendición y la maldición; escoge, pues, la vida, para que vivas tú y tu descendencia; amando a Jehová tu Dios, atendiendo a su voz, y siguiéndole a él; porque él es vida para ti, y prolongación de tus días; a fin de que habites sobre la tierra que juró Jehová a tus padres, Abraham, Isaac y Jacob, que les había de dar" (Deuteronomio 30: 19, 20).

Para grabar más profundamente estas verdades en la mente de todos, el gran caudillo las puso en versos sagrados. Ese canto fue no sólo histórico, sino también profético. Al paso que narraba cuán maravillosamente Dios había obrado con su pueblo en lo pasado, predecía los grandes acontecimientos futuros, la victoria final de los fieles cuando Cristo vuelva con poder y gloria. Se le mandó al pueblo que aprendiera de memoria este poema histórico y lo enseñara a sus hijos y a los hijos de sus hijos. Debía cantarlo la congregación cuando se reunía para el culto, y debían repetirlo sus miembros individuales mientras se ocupaban en sus tareas cotidianas. Tenían los padres la obligación de grabar estas palabras en la mente susceptible de sus hijos de tal manera que jamás las olvidaran.

Puesto que los israelitas habían de ser, en un sentido especial, los guardianes y depositarios de la ley de Dios, era necesario que el significado de sus preceptos y la importancia de la obediencia les fuesen inculcados en forma especial a ellos y por su medio a sus hijos y a los hijos de sus hijos. El Señor mandó con respecto a las palabras de sus estatutos: "Las repetirás a tus hijos, y hablarás de ellas estando en tu casa, y andando por el camino, y al acostarte, y cuando te levantes...; y las escribirás en los postes de tu casa, y en tus puertas" (Deuteronomio 6: 7-9).

Cuando sus hijos les preguntasen en el futuro: "¿Qué significan los testimonios y estatutos y decretos que Jehová nuestro Dios os mandó?"

debían los padres repetirles la historia de cuán bondadosamente Dios los había tratado, de cómo el Señor había obrado para librarlos a fin de que ellos pudieran obedecer su ley, y debían declararles: "Nos mandó Jehová que cumplamos todos estos estatutos, y que temamos a Jehová nuestro Dios, para que nos vaya bien todos los días, y para que nos conserve la vida, como hasta hoy. Y tendremos justicia cuando cuidemos de poner por obra todos estos mandamientos delante de Jehová nuestro Dios, como él nos ha mandado" (vers. 20-25).

John Steel

CAPITULO 43

La Muerte de Moisés

EN TODO el trato que Dios tuvo con su pueblo, se nota, entremezclada con su amor y misericordia, la evidencia más sorprendente de su justicia estricta e imparcial. Esto es evidente en la historia del pueblo hebreo. Dios había otorgado grandes bendiciones a Israel. Su amor bondadoso hacia él se describe de la siguiente manera conmovedora: "Como el águila que excita su nidada, revolotea sobre sus pollos, extiende sus alas, los toma, los lleva sobre sus plumas, Jehová solo le guió" (Deuteronomio 32: 11, 12). ¡Y sin embargo, cuán presta y severa retribución les infligía por sus transgresiones!

El amor infinito de Dios se manifestó en la dádiva de su Hijo unigénito para redimir la familia humana perdida. Cristo vino a la tierra con el objeto de revelar al hombre el carácter de su Padre, y su vida rebosó de actos de ternura y de compasión divinas. Sin embargo, Cristo mismo declara: "Hasta que pasen el cielo y la tierra, ni una jota ni una tilde pasará de la ley" (S. Mateo 5: 18). La misma voz que suplica con paciencia y amor al pecador para que venga a él y encuentre perdón y paz, ordenará, en el juicio, a quienes rechazaron su misericordia: "Apartaos de mí, malditos" (S. Mateo 25: 41). En toda la Biblia, se representa a

Antes de morir solo en el monte Nebo,
Moisés contempló panorámicamente la tierra
que Dios había prometido a Israel.

JOHN STEEL © PPPA

Dios, no sólo como un padre tierno, sino también como un juez justo. Aunque se deleita en manifestar misericordia, y "perdona la iniquidad, la rebelión y el pecado, ... de ningún modo tendrá por inocente al malvado" (Exodo 34: 7).

El gran Soberano de todas las naciones había declarado que Moisés no habría de introducir a la congregación de Israel en la buena tierra, y la súplica fervorosa del siervo de Dios no pudo conseguir que su sentencia se revocara. El sabía que había de morir. Sin embargo, no había vacilado un solo momento en su cuidado de Israel. Con toda fidelidad, había procurado preparar a la congregación para su entrada en la herencia prometida. A la orden divina, Moisés y Josué fueron al tabernáculo, mientras que la columna de nube descendía y se asentaba sobre la puerta. Allí el pueblo le fue encargado solemnemente a Josué. La obra de Moisés como jefe de Israel había terminado. Y a pesar de esto, se olvidó de sí mismo en su interés por su pueblo. En presencia de la multitud congregada, Moisés, en nombre de Dios, dirigió a su sucesor estas palabras de aliento santo: "Esfuérzate y anímate, pues tú introducirás a los hijos de Israel en la tierra que les juré, y yo estaré contigo" (Deuteronomio 31: 23). Luego se volvió hacia los ancianos y príncipes del pueblo, y les encargó solemnemente que acatasen fielmente las instrucciones de Dios que él les había comunicado.

Mientras el pueblo miraba a aquel anciano, que pronto le sería quitado, recordó con nuevo y profundo aprecio su ternura paternal, sus sabios consejos y labores incansables. ¡Cuán a menudo, cuando sus pecados habían merecido los justos castigos de Dios, las oraciones de Moisés habían prevalecido para salvarlos! La tristeza que sentían era intensificada por el remordimiento. Recordaban con amargura que su propia iniquidad había inducido a Moisés al pecado por el cual tenía que morir.

La remoción de su amado jefe iba a ser para Israel un castigo mucho más severo que cualquier otro que pudieran haber recibido sobreviviendo él y continuando su misión. Dios quería hacerles sentir que no debían hacer la vida de su futuro jefe tan difícil como se la habían hecho a Moisés. Dios habla a su pueblo mediante las bendiciones que le otorga, y cuando éstas no son apreciadas, le habla suprimiendo las bendiciones, para inducirlo a ver sus pecados, y volverse hacia él de todo corazón.

Aquel mismo día Moisés recibió la siguiente orden: "Sube ... al monte Nebo, ... y mira la tierra de Canaán, que yo doy por heredad a los hijos de Israel; y muere en el monte al cual subes, y sé unido a tu pueblo" (Deuteronomio 32: 49, 50). A menudo había abandonado Moisés el campamento, en acatamiento de las órdenes divinas, con el objeto de tener comunión con Dios; pero ahora había de partir en una nueva y misteriosa misión. Tenía que salir y entregar su vida en las manos de su Creador. Moisés sabía que había de morir solo; a ningún amigo terrenal se le permitiría asistirle en sus últimas horas. La escena que le esperaba tenía un carácter misterioso y pavoroso que le oprimía el corazón. La prueba más severa consistió en separarse del pueblo que estaba bajo su cuidado y al cual amaba, el pueblo con el cual había identificado todo su interés durante tanto tiempo. Pero había aprendido a confiar en Dios, y con fe incondicional se encomendó a sí mismo y a su pueblo al amor y la misericordia de Dios.

Por última vez, Moisés se presentó en la asamblea de su pueblo. Nuevamente el Espíritu de Dios se posó sobre él, y en el lenguaje más sublime y conmovedor pronunció una bienaventuranza sobre cada una de las tribus, concluyendo con una bendición general:

> "Ninguno hay como el Dios de Jesurún,
> el que viene cabalgando sobre los cielos en tu auxilio,
> y en su majestad sobre las nubes.
> Tu refugio es el Dios de los siglos,
> y por debajo tienes los brazos sempiternos:
> y él mismo echa delante de ti al enemigo, y dice: ¡Destruye!
> Mas Israel habita confiado;
> la fuente de Jacob habitará sola,
> en una tierra de trigo y de vino;
> tus cielos también destilarán el rocío.
> ¡Dichoso eres, oh Israel! ¡quién como tú,
> oh pueblo salvado en Jehová,
> el escudo de tu auxilio!" (Deuteronomio 33: 26-29, VM).

529

Moisés se apartó de la congregación, y se encaminó silencioso y solitario hacia la ladera del monte para subir "al monte Nebo, a la cumbre del Pisga" (Deuteronomio 34: 1). De pie en aquella cumbre solitaria, contempló con ojos claros y penetrantes el panorama que se extendía ante él. Allá a lo lejos, al occidente, se extendían las aguas azules del mar Grande; al norte, el monte Hermón se destacaba contra el cielo; al este, estaba la planicie de Moab, y más allá se extendía Basán, escenario del triunfo de Israel; y muy lejos hacia el sur, se veía el desierto de sus largas peregrinaciones.

En completa soledad, Moisés repasó las vicisitudes y penurias de su vida desde que se apartó de los honores cortesanos y de su posible reinado en Egipto, para echar su suerte con el pueblo escogido de Dios. Evocó aquellos largos años que pasó en el desierto cuidando los rebaños de Jetro; la aparición del Angel en la zarza ardiente y la invitación que se le diera de librar a Israel. Volvió a presenciar, por el recuerdo, los grandes milagros que el poder de Dios realizó en favor del pueblo escogido, y la misericordia longánime que manifestó el Señor durante los años de peregrinaje y rebelión. A pesar de todo lo que Dios había hecho en favor del pueblo, a pesar de sus propias oraciones y labores, solamente dos de todos los adultos que componían el vasto ejército que salió de Egipto, fueron hallados bastante fieles para entrar en la tierra prometida. Mientras Moisés examinaba el resultado de sus arduas labores, casi le pareció haber vivido en vano su vida de pruebas y sacrificios. No se arrepentía, sin embargo, de haber llevado tal carga. Sabía que Dios mismo le había asignado su misión y su obra. Cuando se le llamó por primera vez para que acaudillara a Israel y lo sacara de la servidumbre, quiso eludir la responsabilidad; pero desde que inició la obra, nunca depuso la carga. Aun cuando Dios propuso relevarle a él, y destruir al rebelde Israel, Moisés no pudo consentir en ello. Aunque sus pruebas habían sido grandes, había recibido demostraciones especiales del favor de Dios; había obtenido gran experiencia durante la estada en el desierto, al presenciar las manifestaciones del poder y la gloria de Dios y al sentir la comunión de su amor; comprendía que había decidido con prudencia al preferir sufrir aflicciones con el pueblo de Dios más bien que gozar de los placeres del pecado durante algún tiempo.

Mientras repasaba lo que había experimentado como jefe del pueblo de Dios, veía que un solo acto malo manchaba su foja de servicios. Sentía que si tan sólo se pudiera borrar esa transgresión, ya no rehuiría la muerte. Se le aseguró que todo lo que Dios pedía era arrepentimiento y fe en el sacrificio prometido, y nuevamente Moisés confesó su pecado e imploró perdón en el nombre de Jesús.

Se le presentó luego una visión panorámica de la tierra de promisión. Cada parte del país quedó desplegada ante sus ojos, no en realce débil e incierto en la vaga lejanía, sino en lineamientos claros y bellos que se destacaban ante sus ojos encantados. En esta escena se le presentó esa tierra, no con el aspecto que tenía entonces sino como había de llegar a ser bajo la bendición de Dios cuando estuviese en posesión de Israel. Le pareció estar contemplando un segundo Edén. Había allí montañas cubiertas de cedros del Líbano, colinas que asumían el color gris de sus olivares y la fragancia agradable de la viña, anchurosas y verdes planicies esmaltadas de flores y fructíferas; aquí se veían las palmeras de los trópicos, allá los undosos campos de trigo y cebada, valles asoleados en los que se oía la música del murmullo armonioso de los arroyos y los dulces trinos de las aves, buenas ciudades y bellos jardines, lagos ricos en "la abundancia de los mares", rebaños que pacían en las laderas de las colinas, y hasta entre las rocas los dulces tesoros de las abejas silvestres. Era ciertamente una tierra semejante a la que Moisés, inspirado por el Espíritu de Dios, le había descrito a Israel: "Bendita de Jehová sea tu tierra, con lo mejor de los cielos, con el rocío, y con el abismo que está abajo. Con los más escogidos frutos del sol, ... con el fruto más fino de los montes antiguos, ... y con las mejores dádivas de la tierra y su plenitud" (Deuteronomio 33: 13-16).

Moisés vio al pueblo escogido establecido en Canaán, cada tribu en posesión de su propia heredad. Alcanzó a divisar su historia después que se establecieran en la tierra prometida; la larga y triste historia de su apostasía y castigo se extendió ante él. Vio a esas tribus dispersadas entre los paganos a causa de sus pecados, y a Israel privado de la gloria, con su bella ciudad en ruinas, y su pueblo cautivo en tierras extrañas.

Los vio restablecidos en la tierra de sus mayores, y por último, dominados por Roma.

Se le permitió mirar a través de los tiempos futuros y contemplar el
primer advenimiento de nuestro Salvador. Vio al niño Jesús en Belén.
Oyó las voces de la hueste angélica prorrumpir en alborozada canción de
alabanza a Dios y de paz en la tierra. Divisó en el firmamento la estrella
que guiaba a los magos del oriente hacia Jesús, y un torrente de luz
inundó su mente cuando recordó aquellas palabras proféticas: "Saldrá
Estrella de Jacob, y se levantará cetro de Israel" (Números 24: 17).
Contempló la vida humilde de Cristo en Nazaret; su ministerio de
amor, simpatía y sanidades, y cómo le rechazaba y despreciaba una nación orgullosa e incrédula. Atónito escuchó cómo ensalzaban jactancio-
samente la ley de Dios mientras que menospreciaban y desechaban a
Aquel que había dado la ley. Vio cómo en el monte de los Olivos, Jesús
se despedía llorando de la ciudad de su amor. Mientras Moisés veía
cómo era finalmente rechazado aquel pueblo tan altamente bendecido
del cielo, aquel pueblo en favor del cual él había trabajado, orado y hecho sacrificios, por el cual él había estado dispuesto a que se borrara su
nombre del libro de la vida; mientras oía las tristes palabras: "He aquí
vuestra casa os es dejada desierta" (S. Mateo 23: 38), el corazón se le
oprimió de angustia, y su simpatía con el pesar del Hijo de Dios hizo
caer amargas lágrimas de sus ojos.

Siguió al Salvador a Getsemaní y contempló su agonía en el huerto, y
cómo era entregado, escarnecido, flagelado y crucificado. Moisés vio
que así como él había alzado la serpiente en el desierto, habría de ser
levantado el Hijo de Dios, para que todo aquel que en él creyere "no se
pierda, mas tenga vida eterna" (S. Juan 3: 15). El dolor, la indignación y
el horror embargaron el corazón de Moisés cuando vio la hipocresía y el
odio satánico que la nación judía manifestaba contra su Redentor, el
poderoso Angel que había ido delante de sus mayores. Oyó el grito ago-
nizante de Jesús: "Dios mío, Dios mío, ¿por qué me has desamparado?"
Le vio cuando yacía en la tumba nueva de José de Arimatea. Las tinieblas de la desesperación parecían envolver el mundo, pero miró otra vez,
y le vio salir vencedor de la tumba y ascender a los cielos escoltado por

los ángeles que le adoraban, y encabezando una multitud de cautivos. Vio las relucientes puertas abrirse para recibirle, y la hueste celestial dar en canciones de triunfo la bienvenida a su Jefe supremo. Y allí se le reveló que él mismo sería uno de los que servirían al Salvador y le abriría las puertas eternas. Mientras miraba la escena, su semblante irradiaba un santo resplandor. ¡Cuán insignificantes le parecían las pruebas y los sacrificios de su vida, cuando los comparaba con los del Hijo de Dios! ¡Cuán ligeros en contraste con el "cada vez más excelente y eterno peso de gloria"! (2 Corintios 4: 17). Se regocijó porque se le había permitido participar, aunque fuera en pequeño grado, de los sufrimientos de Cristo.

Vio Moisés cómo los discípulos de Jesús salían a predicar el Evangelio a todo el mundo. Vio que a pesar de que el pueblo de Israel "según la carne" no había alcanzado el alto destino al cual Dios lo había llamado y en su incredulidad no había sido la luz del mundo, y aunque había desechado la misericordia de Dios y perdido todo derecho a sus bendiciones como pueblo escogido, Dios no había desechado, sin embargo, la simiente de Abrahán y habían de cumplirse los propósitos gloriosos cuyo cumplimiento él había emprendido por medio de Israel. Todos los que llegasen a ser por Cristo hijos de la fe habían de ser contados como simiente de Abrahán; serían herederos de las promesas del pacto; como Abrahán serían llamados a cumplir y comunicar al mundo la ley de Dios y el

Evangelio de su Hijo. Moisés vio cómo, por medio de los discípulos de Cristo, la luz del Evangelio irradiaría y alumbraría al "pueblo asentado en tinieblas" (S. Mateo 4: 16), y también cómo miles acudirían de las tierras de los gentiles al resplandor de su nacimiento. Y al contemplar esto, se regocijó por el crecimiento y la prosperidad de Israel.

Luego pasó otra escena ante sus ojos. Se le había mostrado la obra que iba a hacer Satanás al inducir a los judíos a rechazar a Cristo, mientras profesaban honrar la ley de su Padre. Vio ahora al mundo cristiano dominado por idéntico engaño al profesar que aceptaba a Cristo mientras que, por otro lado, rechazaba la ley de Dios. Había oído a los sacerdotes y ancianos clamar frenéticos: "¡Quita, quita, crucifícale!" Oyó luego a los maestros que profesaban el cristianismo gritar: "¡Afuera con la ley!" Vio cómo el sábado era pisoteado y se establecía en su lugar una institución espuria. Nuevamente Moisés se llenó de asombro y horror ¿Cómo podían los que creían en Cristo desechar la ley que había sido pronunciada por su propia voz en el monte sagrado? ¿Cómo podía cualquiera que temiera a Dios hacer a un lado la ley que es el fundamento de su gobierno en el cielo y en la tierra? Con gozo vio Moisés que la ley de Dios seguía siendo honrada y exaltada por un pequeño grupo de fieles. Vio la última gran lucha de las potencias terrenales para destruir a los que guardan la ley de Dios. Miró anticipadamente el momento cuando Dios se levantará para castigar a los habitantes de la tierra por su iniquidad, y cuando los que temieron su nombre serán escudados y ocultados en el día de su ira. Escuchó el pacto de paz que Dios hará con los que hayan guardado su ley, cuando deje oír su voz desde su santa morada y tiemblen los cielos y la tierra. Vio la segunda venida de Cristo en gloria, a los muertos resucitar para recibir la vida eterna, y a los santos vivos trasladados sin ver la muerte, para ascender juntos con cantos de alabanza y alegría a la ciudad eterna de Dios.

Otra escena aún se abre ante sus ojos: la tierra libertada de la maldición, más hermosa que la tierra de promisión cuya belleza fuera desplegada a su vista tan breves momentos antes. Ya no hay pecado, y la muerte no puede entrar en ella. Allí las naciones de los salvos y bienaventurados hallan una patria eterna. Con alborozo indecible, Moisés mira la escena, el cumplimiento de una liberación aun más gloriosa que cuanto hayan imaginado sus esperanzas más halagüeñas. Habiendo terminado para siempre su peregrinación, el Israel de Dios entró por fin en la buena tierra.

Otra vez se desvaneció la visión, y los ojos de Moisés se posaron sobre la tierra de Canaán tal como se extendía en lontananza. Luego, como un guerrero cansado, se acostó para reposar. "Y murió allí Moisés siervo de Jehová, en la tierra de Moab, conforme al dicho de Jehová. Y lo enterró en el valle, en la tierra de Moab, enfrente de Bet-peor; y ninguno conoce el lugar de su sepultura hasta hoy" (Deuteronomio 34: 5, 6). Muchos de los que no habían querido obedecer los consejos de Moisés mientras él estaba con ellos, hubieran estado en peligro de cometer idolatría con respecto a su cuerpo muerto, si hubieran sabido donde estaba sepultado. Por este motivo quedó ese sitio oculto para los hombres. Pero los ángeles de Dios enterraron el cuerpo de su siervo fiel, y vigilaron la tumba solitaria.

"Y nunca más se levantó profeta en Israel como Moisés, a quien haya conocido Jehová cara a cara; nadie como él en todas las señales y prodigios que Jehová le envió a hacer…, y en el gran poder y en los hechos grandiosos y terribles que Moisés hizo a la vista de todo Israel" (vers. 10-12).

Si la vida de Moisés no se hubiera manchado con aquel único pecado que cometió al no dar a Dios la gloria de sacar agua de la roca en Cades, él habría entrado en la tierra prometida y habría sido trasladado al cielo sin ver la muerte. Pero no hubo de permanecer mucho tiempo en la tumba. Cristo mismo, acompañado de los ángeles que enterraron a Moisés, descendió del cielo para llamar al santo que dormía. Satanás se había regocijado por el éxito que obtuviera al inducir a Moisés a pecar contra Dios y a caer bajo el dominio de la muerte. El gran adversario sostenía que la sentencia divina: "Polvo eres, y al polvo volverás" (Génesis 3: 19), le daba posesión de los muertos. Nunca había sido quebrantado el poder de la tumba, y él reclamaba a todos los que estaban en ella como cautivos suyos que nunca serán libertados de su lóbrega prisión.

Por primera vez Cristo iba a dar vida a uno de los muertos. Cuando el Príncipe de la vida y los ángeles resplandecientes se aproximaron a la tumba, Satanás temió perder su hegemonía. Con sus ángeles malos, se aprestó a disputar la invasión del territorio que llamaba suyo. Se jactó de que el siervo de Dios había llegado a ser su prisionero. Declaró que ni siquiera Moisés había podido guardar la ley de Dios; que se había atribuido la gloria que pertenecía a Jehová —es decir que había cometido el mismo pecado que hiciera desterrar a Satanás del cielo—, y por su transgresión había caído bajo el dominio de Satanás. El gran traidor reiteró los cargos originales que había lanzado contra el gobierno divino, y repitió sus quejas de que Dios había sido injusto con él.

Cristo no se rebajó a entrar en controversia con Satanás. Podría haber presentado contra él la obra cruel que sus engaños habían realizado en el cielo, al ocasionar la ruina de un gran número de sus habitantes. Podría haber señalado las mentiras que había dicho en el Edén y que habían hecho pecar a Adán e introducido la muerte entre el género humano. Podría haberle recordado a Satanás que él era quien había inducido a Israel a murmurar y a rebelarse hasta agotar la paciencia longánime de su jefe, y sorprendiéndolo en un momento de descuido, le había arrastrado a cometer el pecado que lo había puesto en las garras de la muerte. Pero Cristo lo confió todo a su Padre, diciendo: "¡El Señor te reprenda!" (S. Judas 9). El Salvador no entró en disputas con su adversario, sino que en ese mismo momento y lugar comenzó a quebrantar el poder del enemigo caído y a dar la vida a los muertos. Satanás tuvo allí una evidencia incontrovertible de la supremacía del Hijo de Dios. La resurrección quedó asegurada para siempre. Satanás fue despojado de su presa; los justos muertos volverían a vivir.

Como consecuencia del pecado, Moisés había caído bajo el dominio de Satanás. Por sus propios méritos era legalmente cautivo de la muerte; pero resucitó para la vida inmortal, por el derecho que tenía a ella en nombre del Redentor. Moisés salió de la tumba glorificado, y ascendió con su Libertador a la ciudad de Dios.

Nunca, hasta que se ejemplificaron en el sacrificio de Cristo, se manifestaron la justicia y el amor de Dios más señaladamente que en sus relaciones con Moisés. Dios le vedó la entrada a Canaán para enseñar una lección que nunca debía olvidarse; a saber, que él exige una obediencia estricta y que los hombres deben cuidar de no atribuirse la gloria que pertenece a su Creador. No podía conceder a Moisés lo que pidiera al rogar que le dejara participar en la herencia de Israel; pero no olvidó ni abandonó a su siervo. El Dios del cielo comprendía los sufrimientos que Moisés había soportado; había observado todos los actos de su fiel servicio a través de los largos años de conflicto y prueba. En la cumbre del Pisga, Dios llamó a Moisés a una herencia infinitamente más gloriosa que la Canaán terrenal.

En el monte de la transfiguración, Moisés estuvo presente con Elías, quien había sido trasladado. Fueron enviados como portadores de la luz y la gloria del Padre para su Hijo. Y así se cumplió por fin la oración que elevara Moisés tantos siglos antes. Estaba en el "buen monte", dentro de la heredad de su pueblo, testificando en favor de Aquel en quien se concentraban todas las promesas de Israel. Tal es la última escena revelada al ojo mortal con referencia a la historia de aquel hombre tan altamente honrado por el cielo.

Moisés fue un tipo o figura de Cristo. El mismo había declarado a Israel: "Profeta de en medio de ti, de tus hermanos, como yo, te levantará Jehová tu Dios; a él oiréis" (Deuteronomio 18: 15). Dios tuvo a bien disciplinar a Moisés en la escuela de la aflicción y la pobreza, antes de que estuviera preparado para conducir las huestes de Israel hacia la Canaán terrenal. El Israel de Dios, que viaja hacia la Canaán celestial, tiene un Capitán que no necesitó enseñanzas humanas que le prepararan para su misión de conductor divino; no obstante fue perfeccionado por el sufrimiento; "pues en cuanto él mismo padeció siendo tentado, es poderoso para socorrer a los que son tentados" (Hebreos 2: 10, 18). Nuestro Redentor no manifestó las imperfecciones ni las debilidades humanas; pero murió a fin de obtener nuestro derecho a entrar en la tierra prometida.

"Moisés a la verdad fue fiel en toda la casa de Dios, como siervo, para testimonio de lo que se iba a decir; pero Cristo como hijo sobre su casa, la cual casa somos nosotros, si retenemos firme hasta el fin la confianza y el gloriarnos en la esperanza" (Hebreos 3: 5, 6).

CAPITULO 44

El Cruce del Jordán

LOS israelitas lloraron profundamente la partida de su jefe, y dedicaron treinta días de servicios especiales a honrar su memoria. Nunca, hasta que les fue quitado, habían comprendido tan cabalmente el valor de sus sabios consejos, su ternura paternal y su fe constante. Con un aprecio nuevo y más profundo, recordaron las lecciones preciosas que les había dado mientras estaba con ellos.

Moisés había muerto, pero su influencia no murió con él. Ella había de sobrevivir, reproduciéndose en el corazón de su pueblo. El recuerdo de aquella vida santa y desinteresada se conservaría por mucho tiempo con amor, y con poder silencioso y persuasivo amoldaría la vida hasta de los que habían descuidado sus palabras cuando vivía. Como el resplandor del sol poniente sigue iluminando las cumbres de las montañas mucho después que el sol se ha hundido detrás de las colinas, así las obras de los puros, santos y justos derramarán su luz sobre el mundo mucho tiempo después que murieron quienes las hicieron. Sus obras, sus palabras y su ejemplo vivirán para siempre. "En memoria eterna será el justo" (Salmo 112: 6).

Aunque llenos de pesar por su gran pérdida, los israelitas sabían que no quedaban solos. De día, la columna de nube descansaba sobre el

Los sacerdotes que cargaban el arca avanzaron, y Dios dividió las aguas del Jordán para que pasaran.

JOE MANISCALCO © PPPA

tabernáculo, y de noche la columna de fuego, como garantía de que Dios seguiría guiándoles y ayudándoles si querían andar en el camino de sus mandamientos.

Josué era ahora el jefe reconocido de Israel. Se había distinguido principalmente como guerrero, y sus dones y virtudes resultaban de un valor especial en esta etapa de la historia de su pueblo. Valeroso, resuelto y perseverante, pronto para actuar, incorruptible, despreocupado de los intereses egoístas en su solicitud por aquellos encomendados a su protección y, sobre todo, inspirado por una viva fe en Dios, tal era el carácter del hombre escogido divinamente para dirigir los ejércitos de Israel en su entrada triunfal en la tierra prometida. Durante la estada en el desierto, había actuado como primer ministro de Moisés, y por su fidelidad serena y humilde, su perseverancia cuando otros flaqueaban, su firmeza para sostener la verdad en medio del peligro, había dado evidencias de su capacidad para suceder a Moisés aun antes de ser llamado a ese puesto por la voz de Dios.

Con gran ansiedad y desconfianza de sí mismo, Josué había mirado la obra que le esperaba; pero Dios eliminó sus temores al asegurarle: "Como estuve con Moisés, estaré contigo; no te dejaré, ni te desampararé... Tú repartirás a este pueblo por heredad la tierra de la cual juré a sus padres que la daría a ellos". "Yo os he entregado, como lo había dicho a Moisés, todo lugar que pisare la planta de vuestro pie" (véase Josué 1: 3, 5, 6). Había de ser suya toda la tierra que se extendía hasta las alturas del Líbano en la lejanía, hasta las playas de la gran mar, y hasta las orillas del Eufrates en el este.

A esta promesa se agregó el mandamiento: "Solamente esfuérzate y sé muy valiente, para cuidar de hacer conforme a toda la ley que mi siervo Moisés te mandó". Además le ordenó el Señor: "Nunca se apartará de tu boca este libro de la ley, sino que de día y de noche meditarás en él, para que guardes y hagas conforme a todo lo que en él está escrito; porque entonces harás prosperar tu camino, y todo te saldrá bien".

Los israelitas seguían acampados en la margen oriental del Jordán, y este río presentaba la primera barrera para la ocupación de Canaán. "Levántate", había sido el primer mensaje de Dios a Josué, "y pasa este

540

Jordán, tú y todo este pueblo, a la tierra que yo les doy a los hijos de Israel". No se les dio ninguna instrucción acerca de cómo habían de cruzar el río. Josué sabía, sin embargo, que el Señor haría posible para su pueblo la ejecución de cualquier cosa por él ordenada, y con esta fe el intrépido caudillo inició inmediatamente los arreglos pertinentes para avanzar.

A pocas millas más allá del río, exactamente frente al sitio donde los israelitas estaban acampados, se hallaba la grande y muy fortificada ciudad de Jericó. Era virtualmente la llave de todo el país, y representaba un obstáculo formidable para el éxito de Israel. Josué envió, por lo tanto, a dos jóvenes como espías para que visitaran la ciudad, y para que averiguaran algo acerca de su población, sus recursos y la solidez de sus fortificaciones. Los habitantes de la ciudad, aterrorizados y suspicaces, se mantenían en constante alerta y los mensajeros corrieron gran peligro. Fueron, sin embargo, salvados por Rahab, mujer de Jericó que arriesgó con ello su propia vida. En retribución de su bondad, ellos le hicieron una promesa de protección para cuando la ciudad fuese conquistada.

Los espías regresaron sin novedad, con las siguientes noticias: "Jehová ha entregado toda la tierra en nuestras manos; y también todos los moradores del país desmayan delante de nosotros". Se les había dicho en Jericó: "Hemos oído que Jehová hizo secar las aguas del Mar Rojo delante de vosotros cuando salisteis de Egipto, y lo que habéis hecho a los dos reyes de los amorreos que estaban al otro lado del Jordán, a Sehón y a Og, a los cuales habéis destruido. Oyendo esto, ha desmayado nuestro corazón; ni ha quedado más aliento en hombre alguno por causa de vosotros, porque Jehová vuestro Dios es Dios arriba en los cielos y abajo en la tierra".

Se ordenó entonces que se hiciesen los preparativos para el avance. El pueblo había de abastecerse de alimentos para tres días, y el ejército había de ponerse en pie de guerra para la batalla. Todos aceptaron de corazón los planes de su jefe y le aseguraron su confianza y su apoyo: "Nosotros haremos todas las cosas que nos has mandado, e iremos adondequiera que nos mandes. De la manera que obedecimos a Moisés en todas las cosas, así te obedeceremos a ti; solamente que Jehová tu Dios esté contigo, como estuvo con Moisés".

Abandonando su campamento en los bosques de acacias de Sitim, el ejército descendió a la orilla del Jordán. Todos sabían, sin embargo, que sin la ayuda divina no podían esperar cruzar el río. Durante esa época del año, la primavera, las nieves derretidas de las montañas habían hecho crecer tanto el Jordán que el río se había desbordado, y era imposible cruzarlo en los vados acostumbrados. Dios quería que el cruce del Jordán por Israel fuese milagroso. Por orden divina, Josué mandó al pueblo que se santificase; debía poner a un lado sus pecados y librarse de toda impureza exterior; "porque —dijo— Jehová hará mañana maravillas entre vosotros". El "arca del pacto" había de encabezar el ejército y abrirle paso. Para cuando vieran ese distintivo de la presencia de Jehová, cargado por los sacerdotes, moverse de su sitio en el centro del campamento y avanzar hacia el río, la orden era: "Vosotros saldréis de vuestro lugar y marcharéis en pos de ella". Las circunstancias del cruce del río fueron predichas minuciosamente; y Josué dijo: "En esto conoceréis que el Dios viviente está en medio de vosotros, y que él echará de delante de vosotros al cananeo... He aquí, el arca del pacto del Señor de toda la tierra pasará delante de vosotros en medio del Jordán".

A la hora señalada comenzó el avance. El arca, llevada en hombros de los sacerdotes, encabezaba la vanguardia. Se le había ordenado al pueblo que se retrasara un poco, de manera que había un espacio de más de media milla entre ellos y el arca. Todos observaron con profundo interés cómo los sacerdotes bajaban hacia la orilla del Jordán. Los vieron avanzar firmemente con el arca santa en dirección a la corriente airada y turbulenta, hasta que los pies de los portadores del arca tocaron el agua. Entonces, las aguas que venían de arriba fueron rechazadas de repente, mientras que las de abajo siguieron su curso, y se vació el lecho del río.

Obedeciendo el mandamiento divino, los sacerdotes avanzaron hacia el centro del cauce, y se quedaron detenidos allí, mientras todo el ejército descendía y cruzaba al otro lado. Así se grabó en la mente de todo Israel el hecho de que el poder que había contenido las aguas del Jordán,

542

era el mismo que había abierto el mar Rojo para sus padres cuarenta años antes. Cuando todo el pueblo hubo pasado, se llevó el arca a la orilla occidental. En cuanto llegó a un sitio seguro, "y las plantas de los pies de los sacerdotes estuvieron en lugar seco", las aguas aprisionadas, quedando libres, se precipitaron hacia abajo por el cauce natural del río en un torrente irresistible.

Las generaciones venideras no debían carecer de testimonio con referencia a este gran milagro. Mientras los sacerdotes que llevaban el arca estaban aún en medio del Jordán, doce hombres escogidos con anticipación, uno de cada tribu, tomaron cada uno una piedra del cauce del río donde estaban los sacerdotes, y las llevaron a la orilla occidental. Estas piedras habían de acomodarse en forma de monumento en el primer sitio donde acampara Israel después de cruzar el río. El pueblo recibió la orden de repetir a sus hijos y a los hijos de sus hijos la historia del libramiento que Dios había obrado en su favor, como dijo Josué: "Para que todos los pueblos de la tierra conozcan que la mano de Jehová es poderosa; para que temáis a Jehová vuestro Dios todos los días".

Este milagro ejerció gran influencia, tanto sobre los hebreos como sobre sus enemigos. Por él Dios daba a Israel una garantía de su continua presencia y protección, una evidencia de que obraría en su favor por medio de Josué como lo había hecho por medio de Moisés. Esta seguridad era necesaria para fortalecer su corazón en el momento de emprender la conquista de la tierra, tarea estupenda que había hecho tambalear la fe de sus padres cuarenta años atrás. Antes que se cruzara el río, el Señor había declarado a Josué: "Desde este día comenzaré a engrandecerte delante de los ojos de todo Israel, para que entiendan que como estuve con Moisés, así estaré contigo". Y el resultado cumplió la promesa. "En aquel día Jehová engrandeció a Josué a los ojos de todo Israel; y le temieron, como habían temido a Moisés, todos los días de su vida".

Este ejercicio del poder divino en favor de Israel estaba destinado también a aumentar el temor con que lo consideraban las naciones circunvecinas y a ayudarle así a obtener un triunfo más fácil y más completo. Cuando las nuevas de que Dios había detenido las aguas del Jordán ante los hijos de Israel llegaron a oídos de los reyes de los amorreos y de los cananeos, sintieron gran temor en su corazón. Los hebreos ya habían dado muerte a cinco reyes de Madián, al poderoso Sehón, rey de los amorreos y a Og de Basán, y luego el cruce del impetuoso y crecido río Jordán había llenado de terror a todas las naciones vecinas. Tanto a los cananeos como a todo Israel y al mismo Josué, se les habían dado evidencias inequívocas de que el Dios viviente, el Rey del cielo y de la tierra, estaba entre su pueblo y no los dejaría ni los desampararía.

A corta distancia del Jordán, los hebreos levantaron su primer campamento en Canaán. Allí Josué "circuncidó a los hijos de Israel", "y los hijos de Israel acamparon en Gilgal, y celebraron la pascua" (Josué 5: 3, 10). La suspensión del rito de la circuncisión desde la rebelión ocurrida en Cades había sido para Israel un testimonio constante de que había sido quebrantado su pacto con Dios, del cual la circuncisión era el símbolo señalado. Y la suspensión de la pascua, ceremonia conmemorativa del libramiento de la servidumbre egipcia, había evidenciado el desagrado que causara al Señor el deseo de Israel de volver a esa servidumbre. Pero habían terminado los años de repudiación. Dios reconocía nuevamente a Israel como su pueblo, y se restablecía la señal de su pacto. El rito de la circuncisión se aplicó a todo el pueblo que había nacido en el desierto. Y el Señor le declaró a Josué: "Hoy he hecho rodar de sobre vosotros el oprobio de Egipto" (Josué 5: 9, VM), y en alusión a este gran acontecimiento llamaron el lugar de su campamento Gilgal, o sea "rodadura".

Las naciones paganas habían mirado con oprobio al Señor y a su pueblo porque los hebreos no habían tomado posesión de Canaán, como lo esperaban, poco después de haber abandonado Egipto. Sus enemigos se habían regocijado porque Israel había errado tanto tiempo en el desierto, y habían declarado en son de burla que el Dios de los hebreos no podía introducirlos en la tierra prometida. Ahora el Señor había manifestado señaladamente su poder y favor al abrir el Jordán ante su pueblo, y sus enemigos ya no podían tenerlos en oprobio.

"A los catorce días del mes, por la tarde", se celebró la pascua en las llanuras de Jericó. "Al otro día de la pascua comieron del fruto de la tierra, los panes sin levadura, y en el mismo día espigas nuevas tostadas. Y el maná cesó el día siguiente, desde que comenzaron a comer del fruto de la tierra; y los hijos de Israel nunca más tuvieron maná, sino que comieron de los frutos de la tierra de Canaán aquel año" (Josué 5: 10-12). Los largos años de peregrinación por el desierto habían tocado a su fin. Los pies de Israel pisaban por último la tierra prometida.

CAPITULO 45

Este capítulo está basado en Josué 5: 13-15; 6 y 7.

La Caída de Jericó

LOS hebreos habían entrado en la tierra de Canaán, pero no la habían subyugado; y a juzgar por las apariencias humanas, habría de ser larga y difícil la lucha para apoderarse de la tierra. La habitaba una raza poderosa, dispuesta a oponerse a la invasión de su territorio. Las varias tribus estaban unidas por su temor a un peligro común. Sus caballos y sus carros de guerra construidos de hierro, su conocimiento del terreno y su preparación bélica les daban una gran ventaja. Además, la tierra estaba resguardada por fortalezas, por "ciudades grandes y amuralladas hasta el cielo" (Deuteronomio 9: 1). Sólo con la garantía de una fuerza que no era la suya, podían alentar los israelitas la esperanza de obtener éxito en el conflicto inminente.

Una de las mayores fortalezas de la tierra, la grande y rica ciudad de Jericó, se hallaba frente a ellos, a poca distancia de su campamento de Gilgal. Situada en la margen de una llanura feraz en que abundaban los ricos y diversos productos de los trópicos, esta ciudad orgullosa, cuyos palacios y templos eran morada del lujo y del vicio, desafiaba al Dios de Israel desde sus macizos baluartes. Jericó era una de las sedes principales de la idolatría, y se dedicaba especialmente al culto de Astarté, diosa de la luna. Allí se concentraban todos los ritos más viles y degradantes

Los soldados de Israel avanzaron cuando cayeron las murallas de Jericó, y destruyeron completamente al enemigo.

JOHN STEEL © PPPA

de la religión de los cananeos. El pueblo de Israel que tenía aún fresco el recuerdo de las consecuencias terribles del pecado que cometiera en Bet-peor, no podía contemplar esta ciudad pagana sino con repugnancia y horror.

Josué veía que la toma de Jericó debía ser el primer paso en la conquista de Canaán. Pero ante todo buscó una garantía de la dirección divina; y ella le fue concedida. Habiéndose retirado del campamento para meditar y pedir en oración que el Dios de Israel fuera delante de su pueblo, vio a un guerrero armado, de alta estatura y aspecto imponente, "el cual tenía una espada desenvainada en su mano". A la pregunta desafiante de Josué: "¿Eres de los nuestros, o de nuestros enemigos?" contestó: "No; mas como Príncipe del ejército de Jehová he venido ahora" (véase Josué 5: 13, 14). La misma orden que se había dado a Moisés en Horeb: "Quita tu calzado de tus pies, porque el lugar en que tú estás, tierra santa es", reveló el carácter verdadero del misterioso forastero. Era Cristo, el Sublime, quien estaba delante del jefe de Israel. Dominado por santo temor, Josué cayó sobre su rostro, adoró, y tras oír la promesa: "Mira, yo he entregado en tu mano a Jericó y a su rey, con sus varones de guerra", recibió instrucciones para tomar la ciudad.

En obediencia al mandamiento divino, Josué reunió los ejércitos de Israel. No debían emprender asalto alguno. Sólo debían marchar alrededor de la ciudad, llevando el arca de Dios y tocando las bocinas. En primer lugar, venían los guerreros, o sea un cuerpo de varones escogidos, no para vencer con su propia habilidad y valentía, sino por obediencia a las instrucciones dadas por Dios. Seguían siete sacerdotes con trompetas. Luego el arca de Dios, rodeada de una aureola de gloria divina, era llevada por sacerdotes ataviados con las vestiduras de su santo cargo. Seguía el ejército de Israel, con cada tribu bajo su estandarte. Tal era la procesión que rodeaba la ciudad condenada. No se oía otro sonido que el de los pasos de aquella hueste numerosa, y el solemne tañido de las trompetas que repercutía entre las colinas y resonaba por las calles de Jericó. Una vez dada la vuelta, el ejército volvía silenciosamente a sus tiendas, y el arca se colocaba nuevamente en su sitio en el tabernáculo.

Con asombro y alarma, los centinelas de la ciudad observaban cada movimiento, y lo referían a las autoridades. No comprendían el significado de todo este despliegue; pero al ver a aquella hueste numerosa marchar cada día alrededor de su ciudad, con el arca santa y los sacerdotes que la acompañaban, el misterio de la escena infundió terror en el corazón tanto de los sacerdotes como del pueblo. Volvieron a inspeccionar sus fuertes defensas, seguros de que podrían resistir con éxito el ataque más vigoroso. Muchos se burlaban de la idea de que estas demostraciones singulares pudieran hacerles daño. Otros eran presa de pavor al ver la procesión que cada día cercaba la ciudad. Recordaban que una vez las aguas del mar Rojo se habían dividido ante este pueblo, y que acababa de abrírseles el paso a través del Jordán. No sabían qué otros milagros podría hacer Dios por ellos.

Durante seis días, la hueste de Israel dio una vuelta por día alrededor de la ciudad. Llegó el séptimo día, y al primer rayo del sol naciente, Josué movilizó los ejércitos del Señor. Les dio la orden de marchar siete veces alrededor de Jericó, y cuando oyesen el fuerte tañido de las trompetas, gritasen en alta voz, porque Dios les había dado la ciudad.

Solemnemente el inmenso ejército marchó alrededor de las murallas condenadas. Reinaba el silencio; sólo se oía el paso lento y uniforme de muchos pies y el sonido ocasional de las trompetas, que perturbaba la tranquilidad de la madrugada.

Las murallas macizas de piedra sólida parecían desafiar el asedio de los hombres. Los que vigilaban en las murallas observaron con temor creciente, que cuando terminó la primera vuelta, se realizó la segunda, y luego la tercera, la cuarta, la quinta y la sexta. ¿Qué objeto podrían tener estos movimientos misteriosos? ¿Qué gran acontecimiento estaría a punto de producirse? No tuvieron que esperar mucho tiempo. Cuando acabó la séptima vuelta, la larga procesión hizo alto. Las trompetas, que por algún tiempo habían callado, prorrumpieron ahora en un ruido atronador que hizo temblar la tierra misma. Las paredes de piedra sólida, con sus torres y almenas macizas, se estremecieron y se levantaron de sus cimientos, y con gran estruendo cayeron desplomadas a tierra en ruinas. Los habitantes de Jericó quedaron paralizados de terror, y los ejércitos de Israel penetraron en la ciudad y tomaron posesión de ella.

Los israelitas no habían ganado la victoria por sus propias fuerzas; la victoria había sido totalmente del Señor; y como primicias de la tierra, la ciudad, con todo lo que ella contenía, debía dedicarse como sacrificio a Dios. Debía recalcarse en la mente de los israelitas que en la conquista de Canaán ellos no habían de pelear por sí mismos, sino como simples instrumentos para ejecutar la voluntad de Dios; no habían de procurar riquezas o exaltación personal, sino la gloria de Jehová su Rey. Antes de la toma de Jericó se les había dado la orden: "Y será la ciudad anatema a Jehová, con todas las cosas que están en ella". "Vosotros guardaos del anatema; ni toquéis, ni toméis alguna cosa del anatema, no sea que hagáis anatema el campamento de Israel, y lo turbéis".

Todos los habitantes de la ciudad, con toda alma viviente que contenía, "hombres y mujeres, jóvenes y viejos, hasta los bueyes, las ovejas, y los asnos" fueron pasados a cuchillo. Sólo la fiel Rahab, con todos los de su casa, se salvó, en cumplimiento de la promesa hecha por los espías. La ciudad misma fue incendiada; sus palacios y sus templos, sus magníficas moradas, con todo su moblaje de lujo, las ricas cortinas y la costosa indumentaria, todo fue entregado a las llamas. Lo que no pudo ser destruido por el fuego, "la plata y el oro, y los utensilios de bronce y de hierro", había de dedicarse al servicio del tabernáculo. El sitio mismo de la ciudad fue maldito; jamás se había de construir a Jericó como fortaleza; una amenaza de severos castigos pesaba sobre cualquiera que intentase restaurar las murallas destruidas por el poder divino. Se hizo la solemne declaración en presencia de todo Israel: "Maldito delante de Jehová el hombre que se levantare y reedificare esta ciudad de Jericó. Sobre su primogénito eche los cimientos de ella, y sobre su hijo menor asiente sus puertas".

La destrucción total de los habitantes de Jericó no fue sino el cumplimiento de las órdenes dadas previamente por medio de Moisés con respecto a los habitantes de Canaán: "Las destruirás del todo". "De las ciudades de estos pueblos…, ninguna persona dejarás con vida" (Deuteronomio 7: 2; 20: 16). Muchos consideran estos mandamientos como contrarios al espíritu de amor y de misericordia ordenado en otras partes de la Biblia; pero eran en verdad dictados por la sabiduría y bondad infinitas. Dios estaba por establecer a Israel en Canaán, para desarrollarlo en una nación y un gobierno que fuesen una manifestación de su reino en la tierra. No sólo habían de ser los israelitas herederos de la religión verdadera, sino que habían de difundir sus principios por todos los ámbitos del mundo. Los cananeos se habían entregado al paganismo más vil y degradante; y era necesario limpiar la tierra de lo que con toda seguridad habría de impedir que se cumplieran los bondadosos propósitos de Dios.

A los habitantes de Canaán se les habían otorgado amplias oportunidades de arrepentirse. Cuarenta años antes, la apertura del mar Rojo y los juicios caídos sobre Egipto habían atestiguado el poder supremo del Dios de Israel. Y ahora la derrota de los reyes de Madián, Galaad y Basán, había recalcado aún más que Jehová superaba a todos los dioses. Los juicios que cayeron sobre Israel a causa de su participación en los ritos abominables de Baal-peor, habían demostrado cuán santo es el carácter de Jehová y cuánto aborrece la impureza. Los habitantes de Jericó conocían todos estos acontecimientos, y eran muchos los que, aunque se negaban a obedecerlo, participaban de la convicción de Rahab, de que Jehová, el Dios de Israel, era "Dios arriba en los cielos y abajo en la tierra". Como los antediluvianos, los cananeos vivían sólo para blasfemar contra el cielo y corromper la tierra. Tanto el amor como la justicia exigía la pronta ejecución de estos rebeldes contra Dios y enemigos del hombre.

¡Cuán fácilmente derribaron los ejércitos celestiales las murallas de Jericó, orgullosa ciudad cuyos baluartes, cuarenta años antes, habían aterrado a los espías incrédulos! El Poderoso de Israel había dicho: "He entregado en tu mano a Jericó". Y contra esa palabra fueron impotentes las fuerzas humanas.

"Por la fe cayeron los muros de Jericó" (Hebreos 11: 30). El Capitán de las huestes del Señor se comunicaba únicamente con Josué; no se revelaba a toda la congregación, y a ésta le tocaba creer o no creer en las palabras de Josué, obedecer los mandamientos que daba en el nombre del Señor, o negar su autoridad. No podían ver el ejército de ángeles que los asistían a ellos bajo la jefatura del Hijo de Dios. Hubieran podido discurrir: "¡Cuán poco sentido tienen estos movimientos y cuán ridículo es dar diariamente la vuelta alrededor de las murallas de la ciudad y tocar las bocinas de cuernos de carneros! Esto no puede tener efecto alguno sobre estas altas fortificaciones". Pero el plan mismo de continuar con esta ceremonia durante tanto tiempo antes de la caída final de las murallas, dio a los israelitas ocasión para desarrollar su fe. Había de hacerles comprender que su fuerza no dependía de la sabiduría del hombre, ni de su poder, sino únicamente del Dios de su salvación. Debían acostumbrarse así a confiar enteramente en su Jefe divino.

Dios hará cosas maravillosas por los que confían en él. El motivo porque los que profesan ser sus hijos no tienen más fuerza consiste en que confían demasiado en su propia sabiduría, y no le dan al Señor ocasión de revelar su poder en favor de ellos. El ayudará a sus hijos creyentes en toda emergencia, si ponen toda su confianza en él y le obedecen fielmente.

Poco después de la caída de Jericó, Josué decidió atacar a Hai, ciudad pequeña situada entre las hondonadas a pocos kilómetros al oeste del valle del Jordán. Los espías que se enviaron a este sitio trajeron el informe de que los habitantes eran pocos, y que bastaría una fuerza pequeña para conquistarla.

La gran victoria que Dios había ganado por ellos había llenado de confianza propia a los israelitas. Por el hecho de que les había prometido la tierra de Canaán, se sentían seguros y perdieron de vista que sólo la

divina ayuda podía darles éxito. Aun Josué hizo sus planes para la conquista de Hai sin pedir el consejo de Dios.

Los israelitas habían comenzado a ensalzar su propia fuerza y a mirar despectivamente a sus enemigos. Esperaban obtener la victoria con facilidad, y creyeron que bastarían tres mil hombres para tomar el lugar. Estos se precipitaron al ataque sin tener la seguridad de que Dios estaría con ellos. Avanzaron hasta muy cerca de las puertas de la ciudad, tan sólo para encontrarse con la más resuelta resistencia. Dominados por el pánico que les infundieron el crecido número y la preparación esmerada de sus enemigos, huyeron confusamente por la escarpada bajada. Los cananeos los persiguieron vivamente; "y los siguieron desde la puerta ... y los derrotaron en la bajada". Aunque la pérdida fue pequeña en cuanto al número de hombres, pues sólo treinta y seis hombres perecieron, la derrota descorazonó a toda la congregación. "Por lo cual el corazón del pueblo desfalleció y vino a ser como agua". Era la primera vez que se habían encontrado con los cananeos en batalla campal, y si habían huido ante los defensores de esa ciudad pequeña, ¿cuál sería el resultado de las grandes batallas que les esperaban? Josué consideró su fracaso como una expresión del desagrado de Dios, y con angustia y aprensión "rompió sus vestidos, y se postró en tierra sobre su rostro delante del arca de Jehová hasta caer la tarde, él y los ancianos de Israel; y echaron polvo sobre sus cabezas".

"¡Ah, Señor Jehová! —exclamaba—. ¿Por qué hiciste pasar a este pueblo el Jordán, para entregarnos en las manos de los amorreos, para que nos destruyan?... ¡Ay, Señor! ¿qué diré, ya que Israel ha vuelto la espalda delante de sus enemigos? Porque los cananeos y todos los moradores de la tierra oirán, y nos rodearán, y borrarán nuestro nombre de sobre la tierra; y entonces, ¿qué harás tú a tu grande nombre?"

La contestación que recibió de Jehová fue: "Levántate; ¿por qué te postras así sobre tu rostro? Israel ha ... quebrantado mi pacto que yo les mandé". El momento requería medidas rápidas y resueltas, y no desesperación y lamentos. Había un pecado secreto en el campamento, y era preciso buscarlo y eliminarlo antes que la presencia y la bendición del Señor pudieran acompañar a su pueblo. "No estaré más con vosotros, si

no destruyereis el anatema de en medio de vosotros".

Uno de los designados para ejecutar los juicios de Dios había desobedecido su mandamiento y toda la nación era responsable de la culpa del transgresor: "También han tomado del anatema, y hasta han hurtado, han mentido". Se le indicó a Josué cómo había de descubrir y castigar al criminal. Este se había de determinar por medio de la suerte. No se señaló directamente al pecador, sino que el asunto permaneció en duda por algún tiempo, a fin de que el pueblo se percatase de su responsabilidad por los pecados que existían en su medio, y se sintiese inducido a escudriñar sus corazones y a humillarse delante de Dios.

Temprano por la mañana Josué reunió al pueblo "por sus tribus", y comenzó la solemne e impresionante ceremonia. Paso a paso proseguía la investigación. La temible prueba se estrechaba cada vez más. Primero la tribu, luego la familia, después la casa, y por fin se consideró al hombre, y Acán, hijo de Carmi, de la tribu de Judá, fue señalado por el dedo de Dios como perturbador de Israel.

Para establecer su culpabilidad en forma indisputable, que no dejase motivo alguno para pensar que se lo había condenado injustamente, Josué exhortó solemnemente a Acán para que reconociera la verdad. El miserable culpable hizo una confesión completa de su falta: "Verdaderamente yo he pecado contra Jehová el Dios de Israel... Vi entre los despojos un manto babilónico muy bueno, y doscientos siclos de plata, y un lingote de oro de peso de cincuenta siclos, lo cual codicié y tomé; y he aquí que está escondido bajo tierra en medio de mi tienda". Se enviaron en seguida a su tienda mensajeros que cavaron la tierra en el sitio indicado, y "he aquí estaba escondido en su tienda, y el dinero debajo de ello. Y tomándolo de en medio de la tienda, lo trajeron a Josué y a todos los hijos de Israel, y lo pusieron delante de Jehová".

La sentencia fue pronunciada y ejecutada inmediatamente. "¿Por qué nos has turbado? —dijo Josué—. Túrbete Jehová en este día". Como el pueblo había sido hecho responsable del pecado de Acán y había sufrido en consecuencia, debía ahora, por medio de sus representantes, tomar parte en el castigo. "Y todo Israel le mató a pedradas" (VM).

Después se levantó sobre él un enorme montón de piedras, como

Después de una minuciosa investigación,
Acán fue señalado por Dios como el
perturbador de Israel.

JOHN STEEL © PPPA

testimonio del pecado y su castigo. "Por esto aquel lugar se llama el Valle de Acor", lo que quiere decir "turbación". En el libro de las Crónicas se asentó así su recuerdo: "Acar, el perturbador de Israel" (1 Crónicas 2: 7, VM).

Acán cometió su pecado en desafío de las advertencias más directas y solemnes y de las manifestaciones más poderosas de la omnipotencia de Dios. Se había proclamado a todo Israel: "Vosotros guardaos del anatema; ... no sea que hagáis anatema el campamento de Israel". Se le dio este mandamiento inmediatamente después del milagroso cruce del Jordán, después que el pacto de Dios fuera reconocido mediante la circuncisión del pueblo, y después que se observara la pascua y apareciera el Angel del pacto, el Capitán de la hueste del Señor. Se había producido luego la caída de Jericó, evidencia de la destrucción que sobrevendrá infaliblemente a todos los transgresores de la ley de Dios. El hecho de que el poder divino era lo único que había dado la victoria a Israel y éste no había alcanzado, por lo tanto, la posesión de Jericó por sus propias fuerzas, daba un peso solemne al mandamiento que prohibía tomar despojos. Por el poder de su palabra, Dios había derrocado esta fortaleza; la conquista era suya, y sólo a él debía dedicarse la ciudad con todo lo que contenía.

Entre los millones de Israel, sólo hubo un hombre que, en aquella hora solemne de triunfo y castigo, osó violar el mandamiento de Dios. El aspecto de aquel costoso manto babilónico despertó la codicia de Acán; y aun frente a la muerte que por su causa arrostraba, lo llamó "manto babilónico *muy bueno*". Un pecado le había llevado a cometer otro, y se adueñó del oro y la plata dedicados al tesoro del Señor; le robó a Dios parte de las primicias de la tierra de Canaán.

El pecado mortal que condujo a Acán a la ruina tuvo su origen en la codicia, que es, entre todos los pecados, el más común y el que se considera con más liviandad. Mientras que otros pecados se averiguan y se castigan, ¡cuán raro es que se censure siquiera la violación del décimo mandamiento! La historia de Acán nos enseña la enormidad de ese pecado y cuáles son sus terribles consecuencias.

La codicia es un mal que se desarrolla gradualmente. Acán albergó avaricia en su corazón hasta que ella se hizo hábito en él y le ató con cadenas casi imposibles de romper. Aunque fomentaba este mal, le habría horrorizado el pensamiento de que pudiera acarrear un desastre para Israel; pero el pecado embotó su percepción, y cuando le sobrevino la tentación cayó fácilmente.

¿No se cometen aun hoy pecados semejantes a ése, y frente a advertencias tan solemnes y explícitas como las dirigidas a los israelitas? Se nos prohíbe tan expresamente albergar la codicia como se le prohibió a Acán que tomara despojos en Jericó. Dios declara que la codicia o avaricia es idolatría. Se nos amonesta: "No podéis servir a Dios y a las riquezas". "Mirad, y guardaos de toda avaricia". "Ni aun se nombre entre vosotros" (Colosenses 3: 5; S. Mateo 6: 24; S. Lucas 12: 15; Efesios 5: 3). Tenemos ante nosotros la terrible suerte que corrieron Acán, Judas, Ananías y Safira. Y aun antes de estos casos tenemos el de Lucifer, aquel "hijo de la mañana" que, codiciando una posición más elevada, perdió para siempre el resplandor y la felicidad del cielo. Y no obstante, a pesar de todas estas advertencias, la codicia reina por todas partes.

Por doquiera se ve su viscosa huella. Crea descontento y disensión en las familias; despierta en los pobres envidia y odio contra los ricos; e induce a éstos a tratar cruelmente a los pobres. Es un mal que existe no sólo en las esferas seglares del mundo, sino también en la iglesia. ¡Cuán común es encontrar entre sus miembros egoísmo, avaricia, ambición, descuido de la caridad y retención de los "diezmos y las primicias"! Entre los miembros de la iglesia que gozan del respeto y la consideración de los demás hay, desgraciadamente, muchos Acanes. Más de un hombre asiste ostentosamente al culto y se sienta a la mesa del Señor, mientras que entre sus bienes se ocultan ganancias ilícitas, cosas que Dios maldijo. A cambio de un buen manto babilónico, muchos sacrifican la aprobación de la conciencia y su esperanza del cielo. Muchos truecan su integridad y su capacidad para ser útiles, por un saco de monedas de plata. Los clamores de los pobres que sufren son desoídos; se le ponen obstáculos a la luz del Evangelio; existen prácticas que provocan el desprecio de los mundanos y desmienten la profesión cristiana; y sin embargo, el codicioso continúa amontonando tesoros. "¿Robará el hombre a Dios?

Pues vosotros me habéis robado" (Malaquías 3: 8), dice el Señor.

El pecado de Acán atrajo el desastre sobre toda la nación. Por el pecado de un hombre, el desagrado de Dios descansará sobre toda su iglesia hasta que la transgresión sea buscada, descubierta y eliminada. La influencia que más ha de temer la iglesia no es la de aquellos que se le oponen abiertamente, ni la de los incrédulos y blasfemadores, sino la de los cristianos profesos e inconsecuentes. Estos son los que impiden que bajen las bendiciones del Dios de Israel y acarrean debilidad entre su pueblo.

Cuando la iglesia se encuentra en dificultades, cuando existen frialdad y decadencia espiritual, y se da lugar a que triunfen los enemigos de Dios, traten entonces sus miembros de averiguar si hay o no un Acán en el campamento, en vez de cruzarse de brazos y lamentarse de su triste situación. Con humillación y con escudriñamiento de corazón, procure cada uno descubrir los pecados ocultos que vedan la presencia de Dios.

Acán reconoció su culpabilidad, pero lo hizo cuando ya era muy tarde para que su confesión le beneficiara. Había visto los ejércitos de Israel regresar de Hai derrotados y desalentados; pero no se había adelantado a confesar su pecado. Había visto a Josué y a los ancianos de Israel postrarse en tierra con indecible congoja. Si hubiera hecho su confesión entonces, habría dado cierta prueba de verdadero arrepentimiento; pero siguió guardando silencio. Había escuchado la proclamación de que se había cometido un gran delito, y hasta había oído definir claramente su carácter. Pero sus labios quedaron sellados. Luego se realizó la solemne investigación. ¡Cómo se estremeció de terror su alma cuando vio que se señalaba a su tribu, luego su familia y finalmente su casa! Pero ni aun entonces dejó oír su confesión, hasta que el dedo de Dios le tocó, por así decirlo. Entonces, cuando su pecado ya no pudo ocultarse, reconoció la verdad. ¡Cuán a menudo se hacen semejantes confesiones! Hay una enorme diferencia entre admitir los hechos una vez probados, y confesar los pecados que sólo nosotros y Dios conocemos. Acán no hubiera confesado su pecado si con ello no hubiera esperado evitar las consecuencias.

Pero su confesión sólo sirvió para demostrar que su castigo era justo.

No se había arrepentido en verdad de su pecado; no había sentido contrición, ni cambiado de propósito, ni aborrecía lo malo. Así también formularán sus confesiones los culpables cuando estén delante del tribunal de Dios, después que cada caso haya sido decidido para la vida o para la muerte. Las consecuencias que incumban a cada pecador le arrancarán un reconocimiento de su pecado. Lo impondrá a su alma el espantoso sentido de condenación y la horrenda expectativa del juicio. Pero las tales confesiones no pueden salvar al pecador.

Como Acán, muchos se sienten seguros mientras pueden ocultar sus transgresiones a sus semejantes, y se lisonjean de que Dios no es tan estricto que note la iniquidad. Demasiado tarde, sus pecados los denunciarán en aquel día cuando ya no podrán ser expiados con sacrificio ni ofrenda. Cuando se abran los registros del cielo, el Juez no declarará con palabras su culpa a los hombres, sino que le bastará con lanzar una mirada penetrante, que evocará vívidamente toda acción y toda transacción de la vida, en la memoria del obrador de iniquidad. La persona no tendrá que ser buscada por su tribu y luego su familia, como en tiempo de Josué, sino que sus propios labios confesarán su vergüenza. Los pecados ocultos al conocimiento de los hombres serán entonces proclamados al mundo entero.

CAPITULO 46

Las Bendiciones
y las Maldiciones

UNA vez ejecutada la sentencia dictada contra Acán, Josué recibió la orden de convocar a todos los guerreros, y nuevamente avanzar contra Hai. El poder de Dios estaba con su pueblo, y pronto estuvieron en posesión de la ciudad.

Se suspendieron entonces las operaciones militares, para que todo Israel participara en un servicio religioso solemne. El pueblo anhelaba establecerse en Canaán; aún no tenían casas ni tierras para sus familiares, y para lograrlas tenían que desalojar a los cananeos; pero esta obra importante había de postergarse, pues un deber superior exigía su atención inmediata.

Antes de tomar posesión de su herencia, debían renovar su pacto de lealtad con Dios. En las últimas instrucciones dadas a Moisés, se ordenó dos veces que se realizase una convocación de todas las tribus en los montes de Ebal y Gerizim para reconocer solemnemente la ley de Dios. En acatamiento de estas órdenes, todos los de la congregación, no solamente los hombres, sino también "las mujeres, ... los niños, y ... los extranjeros que moraban entre ellos" (Josué 8: 30-35), dejaron su campamento de Gilgal, y atravesaron la tierra de sus enemigos hasta el valle de Siquem, casi al centro del país. Aunque rodeados de enemigos no

560

vencidos todavía, estaban seguros bajo la protección de Dios siempre que le fueran fieles. Entonces, como en los días de Jacob, "el terror de Dios estuvo sobre las ciudades que había en sus alrededores" (Génesis 35: 5), y los hebreos no fueron molestados.

El sitio designado para este solemne servicio les era ya sagrado por su relación con la historia de sus padres. Allí había levantado Abrahán su primer altar a Jehová en la tierra de Canaán. Allí habían hincado sus tiendas tanto Abrahán como Jacob. Allí había comprado este último el campo en el cual las tribus habían de dar sepultura al cuerpo de José. Allí también estaba el pozo que Jacob había cavado, y la encina bajo la cual éste había enterrado los ídolos de su casa.

El punto escogido era uno de los más bellos de Palestina, y muy digno de ser el lugar donde se había de representar esta escena grandiosa e imponente. Entre las colinas áridas se extendía el atrayente y primoroso valle, cuyos campos verdes salpicados de olivares y enjoyados de flores silvestres eran regados por arroyos provenientes de manantiales vivos. Allí el Ebal y el Gerizim, en ambos lados opuestos del valle, parecen acercarse el uno al otro y sus estribaciones forman un púlpito natural, pues las palabras pronunciadas desde uno de ellos se oyen perfectamente en el otro, mientras que las laderas de las montañas ofrecen suficiente espacio para una vasta congregación.

De acuerdo con las indicaciones dadas a Moisés, se erigió un monumento de enormes piedras sobre el monte Ebal. Sobre estas piedras, revocadas previamente con argamasa, se escribió la ley, no solamente los diez preceptos pronunciados desde el Sinaí y esculpidos en las tablas de piedra, sino también las leyes que fueron comunicadas a Moisés y escritas por él en un libro. A un lado de este monumento se construyó un altar de piedra sin labrar, sobre el cual se ofrecieron sacrificios al Señor. El hecho de que se haya construido el altar en Ebal, el monte sobre el cual recayó la maldición, resulta muy significativo, pues daba a entender que por haber violado la ley de Dios, Israel había provocado su ira, y que ésta le alcanzaría de inmediato si no fuera por la expiación de Cristo, representada por el altar del sacrificio.

Seis de las tribus —todas ellas descendientes de Lea y Raquel— se

LA LEY

I

NO HABRA PARA TI OTROS DIOSES DE-
LANTE DE MI.

II

NO TE HARAS ESCULTURA NI IMAGEN AL-
GUNA NI DE LO QUE HAY ARRIBA EN LOS
CIELOS, NI DE LO QUE HAY ABAJO EN LA
TIERRA, NI DE LO QUE HAY EN LAS AGUAS
DEBAJO DE LA TIERRA. NO TE POSTRARAS
ANTE ELLAS NI LES DARAS CULTO, PORQUE
YO YAHVEH, TU DIOS, SOY UN DIOS CELO-
SO, QUE CASTIGO LA INIQUIDAD DE LOS
PADRES EN LOS HIJOS HASTA LA TERCERA
Y CUARTA GENERACION DE LOS QUE ME
ODIAN, Y TENGO MISERICORDIA POR MI-
LLARES CON LOS QUE ME AMAN Y GUAR-
DAN MIS MANDAMIENTOS.

III

NO TOMARAS EN FALSO EL NOMBRE DE
YAHVEH, TU DIOS, PORQUE YAHVEH NO DE-
JARA SIN CASTIGO A QUIEN TOMA SU NOM-
BRE EN FALSO.

IV

RECUERDA EL DIA DEL SABADO PARA
SANTIFICARLO. SEIS DIAS TRABAJARAS Y
HARAS TODOS TUS TRABAJOS, PERO EL
DIA SEPTIMO ES DIA DE DESCANSO PARA
YAHVEH, TU DIOS. NO HARAS NINGUN TRA-
BAJO, NI TU, NI TU HIJO, NI TU HIJA, NI TU
SIERVO, NI TU SIERVA, NI TU GANADO, NI
EL FORASTERO QUE HABITA EN TU CIUDAD.
PUES EN SEIS DIAS HIZO YAHVEH EL CIELO
Y LA TIERRA, EL MAR Y TODO CUANTO
CONTIENEN, Y EL SEPTIMO DESCANSO;
POR ESO BENDIJO YAHVEH EL DIA DEL SA-
BADO Y LO HIZO SAGRADO.

DE DIOS

V

HONRA A TU PADRE Y A TU MADRE,
PARA QUE SE PROLONGUEN TUS DIAS SO-
BRE LA TIERRA QUE YAHVEH, TU DIOS, TE
VA A DAR.

VI

NO MATARAS.

VII

NO COMETERAS ADULTERIO.

VIII

NO ROBARAS.

IX

NO DARAS FALSO TESTIMONIO CONTRA
TU PROJIMO.

X

NO CODICIARAS LA CASA DE TU PROJI-
MO, NI CODICIARAS LA MUJER DE TU PRO-
JIMO, NI SU SIERVO, NI SU SIERVA, NI SU
BUEY, NI SU ASNO, NI NADA QUE SEA DE TU
PROJIMO.

VERSION CATOLICA BIBLIA DE JERUSALEN, 1975.

situaron en el monte de Gerizim; mientras que las tribus descendientes de las siervas, juntamente con las de Rubén y Zabulón, se colocaron en el monte Ebal, y los sacerdotes que llevaban el arca ocuparon el valle que quedaba entre las tribus. Se pidió silencio mediante el toque de la trompeta anunciadora; y luego en la profunda quietud reinante y en presencia de la enorme congregación, Josué, de pie al lado del arca santa, leyó las bendiciones que habían de seguir a la obediencia de la ley de Dios. Todas las tribus del monte Gerizim respondieron: Amén. Leyó después las maldiciones, y las tribus que estaban en el monte Ebal, indicaron de igual manera su asentimiento, uniéndose miles y miles de voces como una sola en la respuesta solemne. A continuación vino la lectura de la ley de Dios, juntamente con los estatutos y juicios que les habían sido entregados por Moisés.

Israel había recibido la ley directamente de los labios de Dios en el Sinaí; y sus santos preceptos, escritos por su propia mano, se conservaban aún en el arca. Ahora se la había escrito nuevamente donde todos podían leerla. Todos podían ver por sus propios ojos las condiciones del pacto que había de regir su posesión de Canaán. Todos habían de indicar que aceptaban los términos y estipulaciones del pacto, y dar su asentimiento a las bendiciones o maldiciones que entrañaría su observancia o su descuido. La ley no sólo fue escrita sobre las piedras conmemorativas, sino que también fue leída por el mismo Josué en alta voz a oídos de todo Israel. No habían transcurrido muchas semanas desde que Moisés les había dado en discursos todo el libro de Deuteronomio; sin embargo, ahora Josué leyó nuevamente la ley.

No sólo los hombres de Israel, sino también las mujeres y los niños, escucharon la lectura de la ley; pues era importante que todos conocieran su deber y lo cumplieran. Dios había ordenado a Israel en cuanto a su ley: "Pondréis estas mis palabras en vuestro corazón y en vuestra alma, y las ataréis como señal en vuestra mano, y serán por frontales entre vuestros ojos. Y las enseñaréis a vuestros hijos, hablando de ellas...; para que sean vuestros días, y los días de vuestros hijos, tan numerosos sobre la tierra que Jehová juró a vuestros padres que les había de dar, como los días de los cielos sobre la tierra" (Deuteronomio 11: 18-21).

Dios honró a la nación hebrea al entregarle su ley, para que la mantuvieran como un depósito sagrado para todo el mundo.

FOTO DE J. BYRON LOGAN

Cada séptimo año toda la ley había de leerse ante toda la congregación de Israel, tal como Moisés lo había ordenado: "Al fin de cada siete años, en el año de la remisión, en la fiesta de los tabernáculos, cuando viniere todo Israel a presentarse delante de Jehová tu Dios en el lugar que él escogiere, leerás esta ley delante de todo Israel a oídos de ellos. Harás congregar al pueblo, varones y mujeres y niños, y tus extranjeros que estuvieren en tus ciudades, para que oigan y aprendan, y teman a Jehová vuestro Dios, y cuiden de cumplir todas las palabras de esta ley; y los hijos de ellos que no supieron, oigan, y aprendan a temer a Jehová vuestro Dios todos los días que viviereis sobre la tierra adonde vais, pasando el Jordán, para tomar posesión de ella" (Deuteronomio 31: 10-13).

Satanás procura siempre pervertir lo que Dios ha dicho, a fin de cegar la mente y oscurecer el entendimiento, y así inducir a los hombres a pecar. Por esta razón es Dios tan explícito y presenta sus exigencias con tanta claridad que nadie necesita equivocarse. Dios procura constantemente atraer a los hombres a sí mismo y ponerlos bajo su protección, para que Satanás no ejerza sobre ellos su poder cruel y engañoso. Condescendió a hablarles con su propia voz, y a escribir con su propia mano los oráculos vivientes. Y estas palabras bienaventuradas, todas henchidas de vida y luminosas de verdad, son confiadas a los hombres como una guía perfecta. Debido a que Satanás está tan listo para desviar la mente y apartar los afectos de las promesas del Señor y sus exigencias, se necesita la mayor diligencia para grabarlas en la mente y el corazón.

Los maestros religiosos debieran prestar mayor atención a la obra de instruir al pueblo en los hechos y las lecciones de la historia bíblica, y asimismo en las advertencias y los requisitos del Señor. Todas estas cosas deben presentarse en lenguaje sencillo, adaptado a la comprensión de los niños. Cuidar de que los jóvenes reciban instrucción en las Escrituras debe ser parte de la obra de los ministros y de los padres de familia.

Los padres de familia pueden y deben interesar a sus hijos en los variados conocimientos que se encuentran en las sagradas páginas. Pero si quieren interesar a sus hijos e hijas en la Palabra de Dios, ellos mismos deben sentir interés por ella. Deben familiarizarse con sus enseñanzas, y así como Dios lo ordenó a Israel, hablar de ellas, "cuando te sientes en tu casa, cuando andes por el camino, cuando te acuestes, y cuando te levantes" (Deuteronomio 11: 19). Los que quieran que sus hijos amen y reverencien a Dios deben hablar de su bondad, majestad y poder según se revelan en su Palabra y en las obras de la creación.

Cada capítulo y cada versículo de la Biblia es una comunicación directa de Dios a los hombres. Debiéramos atar sus preceptos en nuestras manos como señales y como frontales entre nuestros ojos. Si se los estudia y obedece, conducirán al pueblo de Dios, como fueron conducidos los israelitas por la columna de nube durante el día y la columna de fuego durante la noche.

CAPITULO 47

Este capítulo está basado en Josué 9 y 10.

La Alianza con los Gabaonitas

DE SIQUEM los israelitas volvieron a su campamento de Gilgal. Allí los visitó poco después una embajada extraña, que deseaba pactar un tratado con ellos. Los embajadores manifestaron que venían de tierras lejanas, cosa que parecía confirmar su apariencia. Llevaban ropas viejas y raídas; sus sandalias estaban recosidas; sus provisiones de boca estaban mohosas, y sus odres, rasgados y remendados, como si se los hubiera reparado apresuradamente durante el viaje.

En su lejana tierra, situada, según ellos, más allá de los límites de Palestina, sus conciudadanos habían oído hablar de las maravillas que Dios había obrado por su pueblo, y los habían mandado a hacer alianza con Israel. A los hebreos se les había advertido especialmente que no se aliaran en manera alguna con los idólatras de Canaán, y se despertó una duda en la mente de los jefes acerca de si los extraños decían la verdad o no. "Quizás habitáis en medio de nosotros", dijeron. A esto los embajadores sólo contestaron: "Nosotros somos tus siervos" (véase Josué 9: 7, 8). Pero cuando Josué les preguntó directamente: "¿Quién sois vosotros, y de dónde venís?" ellos repitieron la contestación anterior, y agregaron en prueba de su sinceridad: "Este nuestro pan lo tomamos calien-

Los gabaonitas afirmaron que habían hecho un largo viaje, y los líderes de Israel fueron engañados.

JOHN STEEL © PPPA

te de nuestras casas para el camino el día que salimos para venir a vosotros; y helo aquí ahora ya seco y mohoso. Estos cueros de vino también los llenamos nuevos; helos aquí ya rotos; también estos nuestros vestidos y nuestros zapatos están ya viejos a causa de lo muy largo del camino".

Estas explicaciones prevalecieron. Los hebreos "no consultaron a Jehová. Y Josué hizo paz con ellos, y celebró con ellos alianza concediéndoles la vida; y también lo juraron los príncipes de la congregación". Así se concertó la alianza. Tres días después se descubrió la verdad. "Oyeron que eran sus vecinos, y que habitaban en medio de ellos". Sabiendo que les era imposible resistir a los hebreos, los gabaonitas habían recurrido a esa estratagema para conservar la vida.

Fue grande la indignación de los israelitas cuando supieron que se los había engañado. Y esta indignación aumentó cuando después de tres días de viaje, llegaron a las ciudades de los gabaonitas, cerca del centro del país. "Toda la congregación murmuraba contra los príncipes", pero éstos rehusaron quebrantar la alianza que habían hecho a pesar de que fue lograda por fraude, porque habían "jurado por Jehová Dios de Israel". "Y no los mataron los hijos de Israel". Los gabaonitas se habían comprometido solemnemente a renunciar a la idolatría, y a aceptar el culto de Jehová; y al perdonarles la vida, no se violaba el mandamiento de Dios que ordenaba la destrucción de los cananeos idólatras. De manera que por su juramento los hebreos no se habían comprometido a cometer pecado. Y aunque el juramento se había obtenido por engaño no debía ser violado. La obligación incurrida al empeñar uno su palabra, con tal que no sea para cometer un acto malo o ilícito, debe tenerse por sagrada. Ninguna consideración de ganancia material, venganza o interés personal, puede afectar la inviolabilidad de un juramento o promesa. "Los labios mentirosos son abominación a Jehová". "Subirá al monte de Jehová" y "estará en su lugar santo" el que "aun jurando en daño suyo, no por eso cambia" (Proverbios 12: 22; Salmos 24: 3; 15: 4).

A los gabaonitas se les permitió vivir, pero se los destinó a prestar servidumbre en el santuario, a desempeñar todos los trabajos inferiores. "Y Josué los destinó aquel día a ser leñadores y aguadores para la congregación, y para el altar de Jehová". Ellos aceptaron agradecidos esta imposición, y sabiendo que eran culpables, se conformaron con comprar su vida bajo cualesquiera condiciones. "Henos aquí en tu mano —dijeron a Josué—; lo que te pareciere bueno y recto hacer de nosotros, hazlo". Durante muchos siglos sus descendientes estuvieron vinculados con el servicio del santuario.

El territorio de los gabaonitas comprendía cuatro ciudades. El pueblo no estaba bajo la soberanía de un rey, sino que lo gobernaban ancianos o senadores. Gabaón, la más importante de sus ciudades, "era una gran ciudad, como una de las ciudades reales", "y todos sus hombres eran fuertes". El hecho de que el pueblo de esa ciudad recurriera a una mentira tan humillante para salvar la vida, demuestra cuánto terror inspiraban los israelitas a los habitantes de Canaán.

Pero les hubiera salido mejor a los gabaonitas si hubieran tratado honradamente con Israel. Aunque su sumisión a Jehová les permitió conservar la vida, su engaño sólo les reportó deshonra y servidumbre. Dios había establecido que todos los que renunciaran al paganismo, y se unieran con los israelitas, habían de participar de las bendiciones del pacto. Quedaban incluidos en la expresión "el extranjero que more entre vosotros", y con pocas excepciones esta clase había de gozar iguales favores y privilegios que Israel. El mandamiento de Dios fue:

"Cuando el extranjero morare con vosotros en vuestra tierra, no le oprimiréis. Como a un natural de vosotros tendréis al extranjero que more entre vosotros, y lo amarás como a ti mismo" (Levítico 19: 33, 34). Con respecto a la pascua y al ofrecimiento de sacrificios se había ordenado: "Un mismo estatuto tendréis vosotros de la congregación y el extranjero que con vosotros mora; ... como vosotros, así será el extranjero delante de Jehová" (Números 15: 15).

Tales eran las condiciones en las cuales los gabaonitas podrían haber sido recibidos de no haber mediado el engaño al cual habían recurrido. Ser hechos leñadores y aguadores por todas las generaciones no era poca humillación para aquellos ciudadanos de una ciudad real, donde todos los hombres eran "fuertes". Pero habían adoptado el manto de la pobreza con fines de engaño, y les quedó como insignia de servidumbre perpetua. A través de todas las generaciones, esta servidumbre iba a atestiguar el aborrecimiento en que Dios tiene la mentira.

La sumisión de Gabaón a los israelitas desalentó a los reyes de Canaán. Tomaron inmediatamente medidas para vengarse de los que habían hecho la paz con los invasores. Bajo la dirección de Adonisedec, rey de Jerusalén, cinco de los reyes cananeos se confederaron contra Gabaón. Sus movimientos fueron rápidos. Los gabaonitas no estaban preparados para defenderse y enviaron un mensaje a Josué que estaba en Gilgal: "No niegues ayuda a tus siervos; sube prontamente a nosotros para defendernos y ayudarnos; porque todos los reyes de los amorreos que habitan en las montañas se han unido contra nosotros". El peligro no sólo amenazaba al pueblo de Gabaón, sino también a Israel. La ciudad dominaba los pasos que daban acceso al centro y al sur de Palestina, y había que conservarla si se quería conquistar el país.

Josué se preparó en seguida para acudir en auxilio de Gabaón. Los habitantes de la ciudad sitiada habían temido que a causa del fraude que habían cometido, Josué rechazara su pedido de ayuda. Pero en vista de que se habían sometido al dominio de Israel, y habían aceptado adorar a Dios, Josué se sintió obligado a protegerlos. No obró esta vez sin consultar a Dios, y el Señor lo alentó en la empresa. "No tengas temor de ellos —fue el mensaje divino—; porque yo los he entregado en tu mano, y ninguno de ellos prevalecerá delante de ti". Así que "subió Josué de Gilgal, él y todo el pueblo de guerra con él, y todos los hombres valientes".

Marchando toda la noche, tuvo sus fuerzas frente a Gabaón por la mañana. Apenas habían colocado los príncipes aliados sus ejércitos alrededor de la ciudad cuando Josué cayó sobre ellos. El ataque resultó una derrota total para los sitiadores. El inmenso ejército invasor huyó ante Josué montaña arriba por el desfiladero de Bet-horón; y habiendo ganado las alturas, se precipitaron montaña abajo al otro lado. Allí estalló sobre ellos terrible tempestad de granizo. "Jehová arrojó desde el cielo grandes piedras...; fueron más los que murieron por las piedras del granizo, que los que los hijos de Israel mataron a espada".

Mientras los amorreos continuaban huyendo precipitadamente, procurando hallar refugio en las fortalezas de la montaña, Josué mirando hacia abajo desde la altura, vio que el día iba a resultar corto para completar su obra. Si sus enemigos no quedaban completamente derrotados, se reunirían y reanudarían la lucha. "Entonces Josué habló a Jehová ... y dijo en presencia de los israelitas: Sol, detente en Gabaón; y tú, luna, en el valle de Ajalón. Y el sol se detuvo y la luna se paró, hasta que la gente se hubo vengado de sus enemigos... El sol se paró en medio del cielo, y no se apresuró a ponerse casi un día entero".

Antes de que anocheciera, la promesa que Dios hizo a Josué se había cumplido. Todo el ejército enemigo había sido entregado en sus manos. Israel iba a recordar durante mucho tiempo los acontecimientos de aquel día. "Y no hubo día como aquel, ni antes ni después de él, habiendo atendido Jehová a la voz de un hombre; porque Jehová peleaba por Israel". "El sol y la luna se pararon en su lugar; a la luz de tus saetas anduvieron, y al resplandor de tu fulgente lanza. Con ira hollaste la tierra, con furor trillaste las naciones. Saliste para socorrer a tu pueblo" (Habacuc 3: 11-13).

El Espíritu de Dios inspiró la oración de Josué, para que se manifestara otra vez el poder del Dios de Israel. Por consiguiente, la petición no evidenciaba presunción por parte del gran caudillo. Aunque Josué había recibido la promesa de que Dios derrocaría ciertamente a los enemigos de Israel, realizó un esfuerzo tan ardoroso como si el éxito de la empresa dependiera solamente de los ejércitos de Israel. Hizo todo lo que era posible para la energía humana, y luego pidió con fe la ayuda divina. El secreto del éxito estriba en la unión del poder divino con el esfuerzo humano. Los que logran los mayores resultados son los que confían más implícitamente en el Brazo todopoderoso. El hombre que exclamó: "Sol, detente en Gabaón; y tú, luna, en el valle de Ajalón", es el mismo que durante muchas horas permanecía postrado en tierra, en ferviente oración, en el campamento de Gilgal. Los hombres que oran son los hombres fuertes.

Este gran milagro atestigua que toda la creación está bajo el dominio del Creador. Satanás procura impedir a los hombres que vean la intervención divina en el mundo físico y quiere ocultarles la obra incansable de la gran Causa primera. Este milagro reprende a todos los que ensalzan a la naturaleza sobre el Dios de la naturaleza.

Por su propia voluntad, Dios convoca las fuerzas de la naturaleza y les ordena que exterminen el poderío de sus enemigos; "el fuego y el granizo, la nieve y el vapor, el viento de tempestad que ejecuta su palabra" (Salmo 148: 8). Cuando los paganos amorreos se empecinaron en su oposición a los propósitos de él, Dios intervino y lanzó "del cielo grandes piedras" sobre los enemigos de Israel. Se nos dice que durante las escenas finales de la historia de este mundo, habrá una batalla más grande aún, cuando abrirá "Jehová su armería" y sacará "las armas de su indignación". Pregunta: "¿Has entrado tú en los tesoros de la nieve, o has visto los tesoros del granizo, que tengo reservados para el tiempo de angustia, para el día de la guerra y de la batalla?" (Jeremías 50: 25, VM; Job 38: 22, 23).

El revelador describe la destrucción que se producirá cuando salga "una gran voz del templo del cielo, del trono, diciendo: Hecho está". Dice él: "Y cayó del cielo sobre los hombres un enorme granizo como del peso de un talento" (Apocalipsis 16: 17, 21).

CAPITULO 48

La Repartición de Canaán

A LA victoria de Bet-horón siguió pronto la conquista de la parte meridional de Canaán. "Hirió, pues, Josué toda la región de las montañas, del Neguev, de los llanos y de las laderas... Todos estos reyes y sus tierras los tomó Josué de una vez; porque Jehová el Dios de Israel peleaba por Israel. Y volvió Josué, y todo Israel con él, al campamento en Gilgal" (véase Josué 10: 40, 42, 43).

Las tribus del norte de Palestina, atemorizadas por el éxito de los ejércitos de Israel, formaron entonces una alianza. Encabezaba esa alianza Jabín, rey de Hazor, cuyo territorio se hallaba al oeste del lago Merom. "Estos salieron, y con ellos todos sus ejércitos". Esta hueste era mucho mayor que cualquier otra que hubieran encontrado antes los israelitas en Canaán, "mucha gente, como la arena que está a la orilla del mar en multitud, con muchísimos caballos y carros de guerra. Todos estos reyes se unieron, y vinieron y acamparon unidos junto a las aguas de Merom, para pelear contra Israel". Nuevamente recibió Josué un mensaje alentador: "No tengas temor de ellos, porque mañana a esta hora yo entregaré a todos ellos muertos delante de Israel".

Cerca del lago Merom, Josué cayó sobre el campamento de los aliados, y derrotó totalmente sus fuerzas. "Y los entregó Jehová en manos de Israel, y los hirieron y los siguieron ... hasta que no les dejaron ninguno". Los israelitas no debían apropiarse de los carros y caballos que habían constituido el orgullo y la vanagloria de los cananeos. Por orden divina, los carros fueron quemados, y los caballos desjarretados e inutilizados para la batalla. Los israelitas no habían de depositar su confianza en carros o caballos, sino en el nombre de Jehová su Dios.

Una a una fueron tomadas las ciudades y Hazor, la gran fortaleza de la confederación, fue quemada. La guerra continuó durante varios años, pero cuando terminó Josué se había adueñado de Canaán. "Y la tierra descansó de la guerra".

Pero a pesar de que había sido quebrantado el poderío de los cananeos, éstos no fueron completamente despojados. Hacia el oeste los filisteos seguían poseyendo una llanura fértil a lo largo de la costa, mientras que al norte de ellos estaba el territorio de los sidonios. Estos tenían también el Líbano; y por el sur, hacia Egipto, la tierra seguía ocupada por los enemigos de Israel.

Pero Josué no continuaría la guerra. Había otra obra que el gran jefe debía hacer antes de dejar el mando de Israel. Toda la tierra, tanto las partes ya conquistadas como las aún no subyugadas, debía repartirse entre las tribus. Y a cada tribu le tocaba subyugar completamente su propia heredad. Con tal que el pueblo fuera fiel a Dios, él expulsaría a sus enemigos de delante de ellos; y prometió darles posesiones todavía mayores si tan sólo eran fieles a su pacto. La distribución de la tierra fue encomendada a Josué, a Eleazar, sumo sacerdote, y a los jefes de las tribus, habiéndose de fijar por suertes la situación de cada tribu. Moisés mismo había fijado las fronteras del país según se lo había de dividir entre las tribus cuando entraran en posesión de Canaán, y había designado un príncipe de cada tribu para que diera atención a la distribución. Por estar la tribu de Leví dedicada al servicio del santuario, no se la tomó en cuenta en esta repartición; pero se les asignaron a los levitas cuarenta y ocho ciudades en diferentes partes del país como su herencia.

Antes que comenzara la distribución de la tierra, Caleb, acompañado de los jefes de su tribu, presentó una petición especial. Con excepción de Josué, era Caleb el hombre más anciano de Israel. Ambos habían sido entre los espías los únicos que trajeron un buen informe acer-

574

ca de la tierra de promisión, y animaron al pueblo a que subiera y la poseyera en nombre del Señor. Caleb le recordó ahora a Josué la promesa que se le hizo entonces como galardón por su fidelidad: "¡Ciertamente la tierra en que ha pisado tu pie ha de ser herencia tuya y de tus hijos para siempre! por cuanto has seguido cumplidamente a Jehová mi Dios" (Josué 14: 9, VM). Por consiguiente solicitó que se le diera Hebrón como posesión. Allí habían residido muchos años Abrahán, Isaac y Jacob; allí, en la cueva de Macpela, habían sido sepultados. Hebrón era la capital de los temibles anaceos, cuyo aspecto formidable tanto había amedrentado a los espías y, por su medio, anonadado el valor de todo Israel. Este sitio, sobre todos los demás, era el que Caleb, confiado en el poder de Dios, eligió por heredad.

"Ahora bien —dijo—, Jehová me ha hecho vivir, como él dijo, estos cuarenta y cinco años, desde el tiempo que Jehová habló estas palabras a Moisés…; y ahora, he aquí, hoy soy de edad de ochenta y cinco años. Todavía estoy tan fuerte como el día que Moisés me envió; cual era mi fuerza entonces, tal es ahora mi fuerza para la guerra, y para salir y para entrar. Dame, pues, ahora este monte, del cual habló Jehová aquel día; porque tú oíste en aquel día que los anaceos están allí, y que hay ciudades grandes y fortificadas. Quizá Jehová estará conmigo, y los echaré, como Jehová ha dicho". Esta petición fue apoyada por los principales de Judá. Como Caleb mismo era representante de su tribu, designado para colaborar en la repartición de la tierra, había preferido tener a estos hombres al presentar su pedido, para que no hubiera apariencia siquiera de que se valía de su autoridad para satisfacer fines egoístas.

Lo que pedía le fue otorgado inmediatamente. A ningún otro podía confiarse con más seguridad la conquista de esa fortaleza de gigantes. "Josué entonces le bendijo, y dio a Caleb hijo de Jefone a Hebrón por heredad … por cuanto había seguido cumplidamente a Jehová Dios de Israel". La fe de Caleb era en esa época la misma que tenía cuando su testimonio contradijo el informe desfavorable de los espías. El había creído en la promesa de Dios, de que pondría su pueblo en posesión de la tierra de Canaán, y en esto había seguido fielmente al Señor. Había sobrellevado con su pueblo la larga peregrinación por el desierto, y compartido las desilusiones y las cargas de los culpables; no obstante, no se quejó de esto, sino que ensalzó la misericordia de Dios que le había guardado en el desierto cuando sus hermanos eran eliminados. En medio de las penurias, los peligros y las plagas de las peregrinaciones en el desierto, durante los años de guerra desde que entraron en Canaán, el Señor le había guardado, y ahora que tenía más de ochenta años su vigor no había disminuido. No pidió una tierra ya conquistada, sino el sitio que por sobre todos los demás los espías habían considerado inconquistable. Con la ayuda de Dios, quería arrebatarle aquella fortaleza a los mismos gigantes cuyo poder había hecho tambalear la fe de Israel. La petición de Caleb no la produjo el deseo de conseguir honores o engrandecimiento. El valiente y viejo guerrero deseaba dar al pueblo un ejemplo que honrara a Dios, y alentar a las tribus para que subyugaran completamente la tierra que sus padres habían considerado inconquistable.

Caleb obtuvo la heredad que su corazón había anhelado durante cuarenta años, y confiado en que Dios le acompañaba, "echó de allí a los tres hijos de Anac" (Josué 15: 14). Habiendo obtenido así una posesión para sí y su casa, no por ello disminuyó su celo, ni se instaló a gozar de su heredad, sino que siguió adelante con otras conquistas para beneficio de la nación y gloria de Dios.

Los cobardes rebeldes habían perecido en el desierto; pero los espías íntegros comieron de las uvas de Escol. A cada uno se le dio de acuerdo con su fe. Los incrédulos habían visto sus temores cumplidos. No obstante la promesa de Dios, habían dicho que era imposible heredar la tierra de Canaán, y no la poseyeron. Pero los que confiaron en Dios y no consideraron tanto las dificultades que se habían de encontrar como la fuerza de su Ayudador todopoderoso, entraron en la buena tierra. Por la fe fue como los antiguos notables "conquistaron reinos, ... evitaron filo de espada, sacaron fuerzas de debilidad, se hicieron fuertes en batallas, pusieron en fuga ejércitos extranjeros". "Esta es la victoria que ha vencido al mundo, nuestra fe" (Hebreos 11: 33, 34; 1 S. Juan 5: 4).

Otra reclamación tocante a la repartición de la tierra reveló un espíritu muy diferente al de Caleb. La presentaron los hijos de José, la tribu de Efraín con la media tribu de Manasés. Basándose en la superioridad

Caleb, el fiel espía cuarenta años atrás, pidió la ciudad de Hebrón, como Dios se lo había prometido.

WILLIAM HUTCHINSON © PPPA

de su número, estas tribus exigieron una porción doble de territorio. La que les había tocado en suerte era la más rica de la tierra e incluía la fértil llanura de Sarón; pero muchas de las ciudades principales del valle estaban aún en poder de los cananeos, y las tribus, rehuyendo el trabajo y peligro que significaba conquistar sus posesiones, deseaban una porción adicional del territorio ya conquistado. La tribu de Efraín era una de las más grandes de Israel, y a ella pertenecía el mismo Josué. Por consiguiente sus miembros se creían con derecho a recibir una consideración especial. Dijeron a Josué: "¿Por qué nos has dado por heredad una sola suerte y una sola parte, siendo nosotros un pueblo tan grande?" (Josué 17: 14-18). Pero no lograron que el jefe inflexible se apartara de la estricta justicia.

Su respuesta fue: "Si sois pueblo tan grande, subid al bosque, y haceos desmontes allí en la tierra de los ferezeos y de los refaítas, ya que el monte de Efraín es estrecho para vosotros".

La contestación de ellos demostró el verdadero motivo de su queja: les hacía falta fe y valor para desalojar a los cananeos. "No nos bastará a nosotros este monte —dijeron—; y todos los cananeos que habitan la tierra de la llanura, tienen carros herrados".

El poder del Dios de Israel había sido prometido a su pueblo, y si los efrainitas hubieran tenido el valor y la fe de Caleb, ningún enemigo habría podido oponérseles. Josué encaró firmemente el deseo manifiesto de ellos de evitar los trabajos y peligros. Les dijo: "Tú eres gran pueblo, y tienes grande poder; no tendrás una sola parte, sino que aquel monte será tuyo; pues aunque es bosque, tú lo desmontarás y lo poseerás hasta sus límites más lejanos; porque tú arrojarás al cananeo, aunque tenga carros herrados, y aunque sea fuerte". Así sus propios argumentos fueron esgrimidos contra ellos. Siendo ellos un gran pueblo, como alegaban serlo, tenían plena capacidad para abrirse camino, como sus hermanos. Con la ayuda de Dios, no necesitaban temer los carros herrados.

Hasta entonces, Gilgal había sido cuartel general de la nación y asiento del tabernáculo. Pero ahora el tabernáculo debía ser trasladado al sitio escogido como su lugar permanente: la pequeña ciudad de Silo, en tierra adjudicada a Efraín. Estaba situada cerca del centro del país, y era fácilmente accesible para todas las tribus. Esa parte del país había sido subyugada completamente, y por lo tanto los adoradores no serían molestados. "Toda la congregación de los hijos de Israel se reunió en Silo, y erigieron allí el tabernáculo de reunión" (Josué 18: 1-10). Las tribus que aún estaban acampadas cuando se trasladó el tabernáculo de Gilgal a Silo, lo siguieron y acamparon cerca de esa ciudad hasta que se dispersaron para ocupar sus respectivas heredades.

El arca permaneció en Silo por espacio de trescientos años, hasta que, a causa de los pecados de la casa de Elí, cayó en manos de los filisteos y Silo fue destruida totalmente. Ya no volvió a colocarse el arca en el tabernáculo en ese lugar, pues el servicio del santuario se trasladó por último al templo de Jerusalén, y Silo se convirtió en una localidad insignificante. Sólo quedan algunas ruinas para señalar el sitio que ocupó. Mucho después, la suerte que corrió aquel pueblo sirvió para amonestar a Jerusalén. "Andad ahora a mi lugar en Silo, donde hice morar mi nombre al principio —declaró el Señor por el profeta Jeremías—, y ved lo que le hice por la maldad de mi pueblo Israel... Haré también a esta casa sobre la cual es invocado mi nombre, en la que vosotros confiáis, y a este lugar que di a vosotros y a vuestros padres, como hice a Silo" (Jeremías 7: 12-14).

"Y después que acabaron de repartir la tierra en heredad", y cuando ya todas las tribus habían recibido la heredad que les tocara, Josué presentó su derecho. A él, como a Caleb, se le había prometido una herencia especial; no pidió, sin embargo, una provincia grande, sino una sola ciudad. "Le dieron la ciudad que él pidió...; y él reedificó la ciudad y habitó en ella" (Josué 19: 49, 50). El nombre que se le puso a la ciudad fue Timnat-sera, "la parte que sobra", y atestiguó para siempre el carácter noble y espíritu desinteresado del vencedor que, en vez de ser el primero en apropiarse del botín de la victoria, postergó su derecho hasta que los más humildes de su pueblo habían recibido su parte.

Seis de las ciudades dadas a los levitas, tres a cada lado del Jordán, fueron designadas como ciudades de refugio... La designación de estas ciudades había sido ordenada por Moisés, para que a ellas pudiera huir "el homicida que hiriere a alguno de muerte sin intención. Y os serán aquellas ciudades para refugiarse del vengador —dijo—, y no morirá el homicida hasta que entre en juicio delante de la congregación" (Números 35: 11, 12). Lo que hacía necesaria esta medida misericordiosa era la antigua costumbre de vengarse particularmente, que encomendaba el castigo del homicida al pariente o heredero más cercano al muerto. En los casos en que la culpabilidad era clara y evidente, no era menester esperar que los magistrados juzgaran al homicida. El vengador podía buscarlo y perseguirlo dondequiera que lo encontrara. El Señor no tuvo a bien abolir esa costumbre en aquel entonces; pero tomó medidas para afianzar la seguridad de los que sin intención quitaran la vida a alguien.

Las ciudades de refugio estaban distribuidas de tal manera que había una a medio día de viaje de cualquier parte del país. Los caminos que conducían a ellas habían de conservarse en buen estado; y a lo largo de ellos se habían de poner postes que llevaran en caracteres claros y distintos la inscripción "Refugio" o "Acogimiento" para que el fugitivo no perdiera un solo momento. Cualquiera, ya fuera hebreo, extranjero o peregrino, podía valerse de esta medida. Pero si bien no se debía matar precipitadamente al que no fuera culpable, el que lo fuera no había de escapar al castigo. El caso del fugitivo debía ser examinado con toda equidad por las autoridades competentes, y sólo cuando se comprobaba que era inocente de toda intención homicida podía quedar bajo la protección de las ciudades de asilo. Los culpables eran entregados a los vengadores. Los que tenían derecho a gozar protección podían tenerla tan sólo mientras permanecieran dentro del asilo designado. El que saliera de los límites prescritos y fuera encontrado por el vengador de la sangre, pagaba con su vida la pena que entrañaba el despreciar las medidas del Señor. Pero a la muerte del sumo sacerdote, todos los que habían buscado asilo en las ciudades de refugio quedaban en libertad para volver a sus respectivas propiedades.

En un juicio por homicidio, no se podía condenar al acusado por la declaración de un solo testigo, aunque hubiera graves pruebas circunstanciales contra él. La orden del Señor fue: "Cualquiera que diere muerte a alguno, por dicho de testigos morirá el homicida; mas un solo testigo no hará fe contra una persona para que muera" (Números 35:

30). Fue Cristo quien le dio a Moisés estas instrucciones para Israel; y mientras estaba personalmente con sus discípulos en la tierra, al enseñarles cómo debían tratar a los pecadores, el gran Maestro repitió la lección de que el testimonio de un solo hombre no basta para condenar ni absolver. Las cuestiones en disputa no han de decidirse por las opiniones de un solo hombre. En todos estos asuntos, dos o más han de reunirse y llevar juntos la responsabilidad, "para que en boca de dos o tres testigos conste toda palabra" (S. Mateo 18: 16).

Si el enjuiciado por homicida era reconocido culpable, ninguna expiación ni rescate podía salvarle. "El que derramare sangre de hombre, por el hombre su sangre será derramada". "Y no tomaréis precio por la vida del homicida, porque está condenado a muerte; indefectiblemente morirá"; "de mi altar lo quitarás para que muera", éstas fueron las instrucciones de Dios juntamente con las siguientes: "La tierra no será expiada de la sangre que fue derramada en ella, sino por la sangre del que la derramó" (Génesis 9: 6; Números 35: 31-33; Exodo 21: 14). La seguridad y la pureza de la nación exigía que el pecado de homicidio fuese castigado severamente. La vida humana, que sólo Dios puede dar, debía considerarse sagrada.

Las ciudades de refugio destinadas al antiguo pueblo de Dios eran un símbolo del refugio proporcionado por Cristo. El mismo Salvador misericordioso que designó esas ciudades temporales de refugio proveyó por el derramamiento de su propia sangre un asilo verdadero para los transgresores de la ley de Dios, al cual pueden huir de la segunda muerte y hallar seguridad. No hay poder que pueda arrebatar de sus manos las almas que acuden a él en busca de perdón. "Ahora, pues, ninguna condenación hay para los que están en Cristo Jesús". "¿Quién es el que condenará? Cristo es el que murió; más aún, el que también resucitó, el que además está a la diestra de Dios, el que también intercede por nosotros", "para que ... tengamos un fortísimo consuelo los que hemos acudido para asirnos de la esperanza puesta delante de nosotros" (Romanos 8: 1, 34; Hebreos 6: 18).

El que huía a la ciudad de refugio no podía demorarse. Abandonaba su familia y su ocupación. No tenía tiempo para despedirse de los seres amados. Su vida estaba en juego y debía sacrificar todos los intereses para lograr un solo fin; llegar al lugar seguro. Olvidaba su cansancio, y no le importaban las dificultades. No osaba aminorar el paso un solo momento hasta hallarse dentro de las murallas de la ciudad.

El pecador está expuesto a la muerte eterna hasta que encuentre un escondite en Cristo, y así como la demora y la negligencia podían privar al fugitivo de su única oportunidad de vivir, también pueden las tardanzas y la indiferencia resultar en ruina del alma. Satanás, el gran adversario, sigue los pasos de todo transgresor de la santa ley de Dios, y el que no se percata del peligro en que se halla y no busca fervorosamente abrigo en el refugio eterno, será víctima del destructor.

El prisionero que salía de la ciudad de refugio quedaba a merced del vengador de la sangre. En esa forma se le enseñaba al pueblo a seguir celosamente los métodos que la sabiduría infinita había designado para su seguridad. Asimismo no basta que el pecador *crea* en Cristo para el perdón de sus pecados; debe, mediante la fe y la obediencia, permanecer en él. "Porque si pecáremos voluntariamente después de haber recibido el conocimiento de la verdad, ya no queda más sacrificio por los pecados, sino una horrenda expectación de juicio, y de hervor de fuego que ha de devorar a los adversarios" (Hebreos 10: 26, 27).

Dos de las tribus de Israel, Gad y Rubén, con la mitad de la tribu de Manasés, habían recibido su heredad antes de cruzar el Jordán. Para un pueblo de pastores, las anchas llanuras de las tierras altas y valiosos bosques de Galaad y de Basán, que ofrecían extensos campos de pastoreo para sus rebaños y manadas, tenían atractivos que no podían encontrarse en la propia Canaán; y las dos tribus y media, deseando establecerse en esa región, se habían comprometido a proporcionar su cuota de soldados armados para que acompañaran a sus hermanos al otro lado del Jordán y participaran en todas sus batallas hasta que todos entraran en posesión de sus respectivas heredades. Esta obligación se había cumplido fielmente. Cuando las diez tribus entraron en Canaán, cuarenta mil de "los hijos de Rubén y los hijos de Gad y la media tribu de Manasés ... armados, listos para la guerra, pasaron hacia la llanura de Jericó delante de Jehová" (Josué 4: 12, 13). Durante años habían luchado valientemente al lado de sus hermanos. Ahora había llegado el momento en que habían de entrar en la tierra de su posesión. Mientras acompañaban a sus hermanos en los conflictos, también habían compartido los despojos; y regresaron "con grandes riquezas, con mucho ganado, con plata, con oro, y bronce, y muchos vestidos" (véase Josué 22), todo lo cual debían compartir con los que habían cuidado de las familias y los rebaños.

Iban a morar ahora a cierta distancia del santuario del Señor, y Josué presenció su partida con corazón acongojado, pues sabía cuán fuertemente tentados se verían, en su vida aislada y nómada, a adoptar las costumbres de las tribus paganas que moraban en sus fronteras.

Mientras el ánimo de Josué y de otros jefes estaba aún deprimido por presentimientos angustiosos, les llegaron noticias extrañas. Al lado del Jordán, cerca de donde Israel cruzó milagrosamente el río, las dos tribus y media habían erigido un gran altar, parecido al altar de los holocaustos erigido en Silo. La ley de Dios prohibía, so pena de muerte, el establecimiento de otro culto que el del santuario. Si tal era el objeto de ese altar, y se le permitía subsistir, apartaría al pueblo de la verdadera fe.

Los representantes del pueblo se reunieron en Silo, y en el acaloramiento de su excitación e indignación, propusieron declarar la guerra en seguida a los transgresores. Sin embargo, gracias a la influencia de los más cautos, se envió primero una delegación para que obtuviera de las dos tribus y media una explicación de su comportamiento. Se escogieron diez príncipes, uno de cada tribu. Encabezaba esta delegación Finees, que se había distinguido por su celo en el asunto de Peor.

Las dos tribus y media habían cometido un error al llevar a cabo, sin explicación alguna, un acto susceptible de tan graves sospechas. Los embajadores, dando por sentado que sus hermanos eran culpables, les dirigieron reproches mordaces. Los acusaron de rebelarse contra Dios, y los invitaron a recordar cómo habían caído castigos sobre Israel por haberse juntado con Baal-peor. En nombre de todo Israel, Finees manifestó a los hijos de Gad y de Rubén que si no querían vivir en aquella tierra sin altar para el sacrificio, se les daba la bienvenida para que participaran en los bienes y privilegios de sus hermanos al otro lado del río.

En contestación, los acusados explicaron que el altar que habían erigido no era para ofrecer sacrificios, sino sencillamente para atestiguar que, a pesar de estar separados por el río, tenían la misma fe que sus hermanos de Canaán. Habían temido que en algún tiempo futuro podría suceder que sus hijos fuesen excluidos del tabernáculo, como quienes no tuviesen parte en Israel. Entonces este altar, erigido de conformidad con el modelo del altar de Jehová en Silo, atestiguaría que los fundadores y constructores de él adoraban también al Dios viviente.

Con gran regocijo los embajadores aceptaron esta explicación, y en seguida se volvieron para llevar las buenas noticias a los que los habían enviado. Toda idea de guerra fue desechada, y el pueblo unido se regocijó y alabó a Dios.

Los hijos de Gad y de Rubén grabaron entonces en su altar una inscripción que indicaba el objeto para el cual había sido erigido; y dijeron: "Porque testimonio es entre nosotros que Jehová es Dios". Así procuraron evitar futuras interpretaciones erróneas y eliminar cuanto pudiera ser causa de tentación.

¡Cuán a menudo provienen serias dificultades de una simple interpretación errónea, hasta entre aquellos que son guiados por los móviles más dignos! Y sin el ejercicio de la cortesía y la paciencia, ¡qué resultados tan graves y aun fatales pueden sobrevenir! Las diez tribus recordaban cómo, en el caso de Acán, Dios había reprendido la falta de vigilancia para descubrir los pecados que existían entre ellas. Ahora habían decidido obrar rápida y seriamente; pero al tratar de evitar su primer error, habían llegado al extremo opuesto. En vez de hacer una investigación cortés para averiguar los hechos del caso, se habían presentado a sus hermanos con censuras y condenación. Si los hombres de Gad y de Rubén hubieran respondido animados del mismo espíritu, la guerra habría sido el resultado. Si bien es importante, por un lado, que se evite la indiferencia al tratar con el pecado, es igualmente importante, por otro lado, que se eviten los juicios duros y las sospechas infundadas.

Muchos que son muy sensibles a la menor crítica dirigida contra su propio comportamiento, dan, sin embargo, un trato excesivamente severo a las personas a quienes consideran en el error. La censura y el oprobio no lograron jamás rescatar a nadie de una opinión falsa, sino que más bien han contribuido a alejar a muchos del camino recto, por haberlos inducido a endurecer su corazón para no dejarse convencer. Un espíritu bondadoso y un comportamiento cortés, afable y paciente pueden salvar a los descarriados y ocultar una multitud de pecados.

La prudencia de los hijos de Rubén y sus compañeros es digna de imitación. En tanto que se esforzaban sinceramente por hacer progresar la causa de la verdadera religión, fueron juzgados erróneamente y censurados con severidad; pero no manifestaron resentimiento. Escucharon con toda cortesía y paciencia los cargos que sus hermanos les hacían, antes de tratar de defenderse, y luego les explicaron ampliamente sus móviles y demostraron su inocencia. Así se arregló amigablemente la dificultad que amenazaba tener tan graves consecuencias.

Aun cuando se los acuse falsamente, los que están en lo justo pueden permitirse tener calma y ser considerados. Dios conoce todo lo que los hombres no entienden o interpretan mal, y con confianza podemos entregarle nuestro caso. El defenderá la causa de los que confían en él, así como reveló la culpa de Acán. Los que son movidos por el espíritu de Cristo poseerán la caridad, que todo lo soporta y es benigna.

Dios quiere que haya unión y amor fraternal entre su pueblo. En la oración que elevó Cristo precisamente antes de su crucifixión pidió que sus discípulos fueran uno como él era uno con el Padre, para que el mundo creyera que Dios le había enviado. Esta oración conmovedora y admirable llegaba a través de los siglos hasta nuestros días, pues sus palabras fueron: "Mas no ruego solamente por éstos, sino también por los que han de creer en mí por la palabra de ellos" (S. Juan 17: 20). Aunque no hemos de sacrificar un solo principio de la verdad, debemos procurar constantemente ese estado de unidad. Es la evidencia de nuestro carácter de discípulos de Jesús, pues él dijo: "En esto conocerán todos que sois mis discípulos, si tuviereis amor los unos con los otros" (S. Juan 13: 35). El apóstol Pedro exhorta a la iglesia así: "Sed todos de un mismo sentir, compasivos, amándoos fraternalmente, misericordiosos, amigables; no devolviendo mal por mal, ni maldición por maldición, sino por el contrario, bendiciendo, sabiendo que fuisteis llamados para que heredaseis bendición" (1 S. Pedro 3: 8, 9).

CAPITULO 49

Este capítulo está basado en Josué 23 y 24.

Las Ultimas Palabras de Josué

ACABADAS las guerras de la conquista, Josué se había retirado a la apacible vida de su hogar en Timnat-sera. "Aconteció, muchos días después que Jehová diera reposo a Israel de todos sus enemigos alrededor, que Josué, ... llamó a todo Israel, a sus ancianos, sus príncipes, sus jueces y a sus oficiales" (véase Josué 23, 24).

Habían pasado algunos años desde que el pueblo se había establecido definitivamente en sus posesiones, y ya se podían ver brotar los mismos males que hasta entonces habían atraído castigos sobre Israel. Al percatarse Josué de que los achaques de la vejez le invadían sigilosamente y que pronto su obra terminaría, se llenó de ansiedad por el futuro de su pueblo. Con interés más que paternal se dirigió a ellos cuando estuvieron reunidos una vez más alrededor de su anciano jefe.

Les dijo: "Habéis visto todo lo que Jehová vuestro Dios ha hecho con todas estas naciones por vuestra causa; porque Jehová vuestro Dios es quien ha peleado por vosotros". Aunque los cananeos habían sido subyugados, seguían poseyendo una porción considerable de la tierra prometida a Israel, y Josué exhortó a su pueblo a no establecerse cómoda-

Josué dirigió a los hombres para que levantaran un monumento de piedra como testigo de la promesa de servir sólo a Dios.

JOE MANISCALCO © PPPA

mente y a no olvidar el mandamiento del Señor de desalojar totalmente a aquellas naciones idólatras.

El pueblo en general tardaba mucho en completar la obra de expulsar a los paganos. Las tribus se habían dispersado para ocupar sus posesiones, el ejército había sido disuelto, y se miraba como empresa difícil y dudosa el reanudar la guerra. Pero Josué declaró: "Jehová vuestro Dios las echará de delante de vosotros, y las arrojará de vuestra presencia; y vosotros poseeréis sus tierras, como Jehová vuestro Dios os ha dicho. Esforzaos, pues, mucho en guardar y hacer todo lo que está escrito en el libro de la ley de Moisés, sin apartaros de ello ni a diestra ni a siniestra".

Josué puso al mismo pueblo como testigo de que, siempre que ellos habían cumplido con las condiciones, Dios había cumplido fielmente las promesas que les hiciera. "Reconoced, pues, con todo vuestro corazón y con toda vuestra alma, que no ha faltado una palabra de todas las buenas palabras que Jehová vuestro Dios había dicho de vosotros", les dijo. Les declaró, además, que así como el Señor había cumplido sus promesas, así cumpliría sus amenazas. "Pero así como ha venido sobre vosotros toda palabra buena que Jehová vuestro Dios os había dicho, también traerá Jehová sobre vosotros toda palabra mala… Si traspasareis el pacto de Jehová … la ira de Jehová se encenderá contra vosotros, y pereceréis prontamente de esta buena tierra que él os ha dado".

Satanás engaña a muchos con la plausible teoría de que el amor de Dios hacia sus hijos es tan grande que excusará el pecado de ellos; asevera que si bien las amenazas de la Palabra de Dios tienden a servir ciertos fines en su gobierno moral, no se cumplirán literalmente. Pero en todo su trato con los seres que creó, Dios ha mantenido los principios de la justicia mediante la revelación del pecado en su verdadero carácter, y ha demostrado que sus verdaderas consecuencias son la desgracia y la muerte. Nunca existió el perdón incondicional del pecado, ni existirá jamás. Un perdón de esta naturaleza sería el abandono de los principios de justicia que constituyen los fundamentos mismos del gobierno de Dios. Llenaría de consternación al universo inmaculado. Dios ha indicado fielmente los resultados del pecado, y si estas advertencias no fuesen la verdad, ¿cómo podríamos estar seguros de que sus promesas se cumplirán? La así llamada benevolencia que quisiera hacer a un lado la justicia, no es benevolencia, sino debilidad.

Dios es quien da la vida. Desde el principio, todas sus leyes fueron ordenadas para favorecer la vida. Pero el pecado destruyó sorpresivamente el orden que Dios había establecido, y como consecuencia, vino la discordia. Mientras exista el pecado, los sufrimientos y la muerte serán inevitables. Unicamente porque el Redentor llevó en nuestro lugar la maldición del pecado puede el hombre esperar escapar en su propia persona a sus funestos resultados.

Antes de la muerte de Josué, los jefes y representantes de las tribus, obedeciendo a su convocación, se reunieron otra vez en Siquem. Ningún otro lugar del país evocaba tantos recuerdos sagrados, pues les hacía rememorar el pacto de Dios con Abrahán y Jacob, así como los votos solemnes que ellos mismos habían pronunciado al entrar en Canaán. Allí estaban los montes Ebal y Gerizim, testigos silenciosos de aquellos votos que ahora venían a renovar en presencia de su jefe moribundo. Por doquiera había evidencias de lo que Dios había hecho por ellos; de cómo les había dado una tierra por la cual no habían tenido que trabajar, ciudades que no habían edificado, viñedos y olivares que ellos no habían plantado. Josué repasó nuevamente la historia de Israel y relató las obras maravillosas de Dios, para que todos comprendieran su amor y misericordia, y le sirvieran "con integridad y en verdad".

Por indicación de Josué, se había traído el arca de Silo. Era una ocasión muy solemne, y este símbolo de la presencia de Dios iba a profundizar la impresión que él deseaba hacer sobre el pueblo. Después de exponer la bondad de Dios hacia Israel, los invitó en el nombre de Jehová a que decidieran a quién querían servir. El culto de los ídolos seguía practicándose hasta cierto punto, en secreto, y Josué trató ahora de inducirlos a hacer una decisión que desterrara este pecado de Israel. "Y si mal os parece servir a Jehová —dijo él—, escogeos hoy a quién sirváis". Josué deseaba lograr que sirvieran a Dios, no a la fuerza, sino voluntariamente. El amor a Dios es el fundamento mismo de la religión. De nada valdría dedicarse a su servicio meramente por la esperanza del galardón o por el temor al castigo. Una franca apostasía no ofendería más a

Dios que la hipocresía y un culto de mero formalismo.

El anciano jefe exhortó a los israelitas a que consideraran en todos sus aspectos lo que les había expuesto y a que decidieran si realmente querían vivir como vivían las naciones idólatras y degradadas que habitaban alrededor de ellos. Si les parecía mal servir a Jehová, fuente de todo poder y de toda bendición, podían en ese día escoger a quién querían servir, "a los dioses a quienes sirvieron vuestros padres", de los que Abrahán fue llamado a apartarse, o "a los dioses de los amorreos en cuya tierra habitáis".

Estas últimas palabras eran una severa reprensión para Israel. Los dioses de los amorreos no habían podido proteger a sus adoradores. A causa de sus pecados abominables y degradantes, aquella nación impía había sido destruida, y la buena tierra que una vez poseyera había sido dada al pueblo de Dios. ¡Qué insensatez sería la de Israel si escogiera las divinidades por cuyo culto habían sido destruidos los amorreos!

"Pero yo y mi casa —dijo Josué— serviremos a Jehová". El mismo santo celo que inspiraba el corazón del jefe se comunicó al pueblo. Sus exhortaciones le arrancaron esta respuesta espontánea: "Nunca tal acontezca, que dejemos a Jehová para servir a otros dioses".

"No podréis servir a Jehová —dijo Josué—, porque él es Dios santo…; no sufrirá vuestras rebeliones y vuestros pecados". Antes de que pudiera haber una reforma permanente, era necesario hacerle sentir al pueblo cuán incapaz de obedecer a Dios era de por sí. Habían quebrantado su ley; ésta los condenaba como transgresores, y no les proporcionaba ningún medio de escape. Mientras confiaran en su propia fuerza y justicia, les era imposible lograr perdón de sus pecados; no podían satisfacer las exigencias de la perfecta ley de Dios, y en vano se comprometían a servir a Dios. Sólo por la fe en Cristo podían alcanzar el perdón de sus pecados, y recibir fuerza para obedecer la ley de Dios. Debían dejar de depender de sus propios esfuerzos para salvarse; debían confiar por completo en el poder de los méritos del Salvador prometido, si querían ser aceptados por Dios.

Josué trató de hacer que sus oyentes pesaran muy bien sus palabras, y que desistieran de hacer votos para cuyo cumplimiento no estaban preparados. Con profundo fervor repitieron esta declaración: "No, sino que a Jehová serviremos". Consintiendo solemnemente en atestiguar contra sí mismos que habían escogido a Jehová, una vez más reiteraron su promesa de lealtad: "A Jehová nuestro Dios serviremos, y a su voz obedeceremos".

"Entonces Josué hizo pacto con el pueblo el mismo día, y les dio estatutos y leyes en Siquem". Escribió un relato de este pacto solemne, y lo puso, con el libro de la ley, al lado del arca. Erigió una columna conmemorativa y dijo: "He aquí esta piedra nos servirá de testigo, porque ella ha oído todas las palabras que Jehová nos ha hablado; será, pues, testigo contra vosotros, para que no mintáis contra vuestro Dios. Y envió Josué al pueblo, cada uno a su posesión".

La obra de Josué en favor de Israel había terminado. Había cumplido "siguiendo a Jehová", y en el libro de Dios se lo llamó "siervo de Jehová". El testimonio más noble que se da acerca de su carácter como caudillo del pueblo es la historia de la generación que disfrutó de sus labores. "Y sirvió Israel a Jehová todo el tiempo de Josué, y todo el tiempo de los ancianos que sobrevivieron a Josué".

CAPITULO 50

Los Diezmos y las Ofrendas

EN LA economía hebrea, una décima parte de las rentas del pueblo se reservaba para sufragar los gastos del culto público de Dios. Por esto Moisés declaró a Israel: "Y el diezmo de la tierra, así de la simiente de la tierra como del fruto de los árboles, de Jehová es; es cosa dedicada a Jehová". "Y todo diezmo de vacas o de ovejas, ... el diezmo será consagrado a Jehová" (Levítico 27: 30, 32).

Pero el origen del sistema de los diezmos es anterior a los hebreos. Desde los primeros tiempos el Señor exigió el diezmo como cosa suya; y este requerimiento fue reconocido y cumplido. Abrahán pagó diezmos a Melquisedec, sumo sacerdote del Altísimo (Génesis 14: 20). Pasando por Bet-el, desterrado y fugitivo, Jacob prometió al Señor: "De todo lo que me dieres, el diezmo apartaré para ti" (Génesis 28: 22). Cuando los israelitas estaban por establecerse como nación, la ley del diezmo fue confirmada, como uno de los estatutos ordenados divinamente de cuya obediencia dependía su prosperidad.

El sistema de los diezmos y de las ofrendas tenía por objeto grabar en las mentes humanas una gran verdad, a saber, que Dios es la fuente de toda bendición para sus criaturas, y que se le debe gratitud por los preciosos dones de su providencia.

"El es quien da a todos vida y aliento y todas las cosas" (Hechos 17: 25). El Señor dice: "Mía es toda bestia del bosque, y los millares de animales en los collados". "Mía es la plata, y mío es el oro". "El te da el poder para hacer las riquezas" (Salmo 50: 10; Hageo 2: 8; Deuteronomio 8: 18). En reconocimiento de que todas estas cosas procedían de él, Jehová mandó que una porción de su abundancia le fuese devuelta en donativos y ofrendas para sostener su culto.

"El diezmo … de Jehová es". En este pasaje se halla la misma forma de expresarse que en la ley del sábado. "El séptimo día *es* reposo [sábado] para Jehová tu Dios" (Exodo 20: 10). Dios reservó para sí una porción específica del tiempo y de los recursos pecuniarios del hombre, y nadie podía dedicar sin culpa cualquiera de esas cosas a sus propios intereses.

El diezmo debía consagrarse única y exclusivamente al uso de los levitas, la tribu que había sido apartada para el servicio del santuario. Pero de ningún modo era éste el límite de sus contribuciones para fines religiosos. El tabernáculo, como después el templo, se erigió totalmente con ofrendas voluntarias; y para sufragar los gastos de las reparaciones necesarias y otros desembolsos, Moisés mandó que en ocasión de cada censo del pueblo, cada uno diera medio siclo para el servicio del santuario (véase Exodo 30: 12-16; 2 Reyes 12: 4, 5; 2 Crónicas 24: 4, 13). En el tiempo de Nehemías se hacía una contribución anual para estos fines (Nehemías 10: 32, 33). De vez en cuando se ofrecían sacrificios expiatorios y de agradecimiento a Dios. Estos eran traídos en grandes cantidades durante las fiestas anuales. Y se proveía generosamente para el cuidado de los pobres.

Aun antes de que se pudiera reservar el diezmo, había que reconocer los derechos de Dios. Se le consagraban los primeros frutos que maduraban entre todos los productos de la tierra. Se apartaban para Dios las primicias de la lana cuando se trasquilaban las ovejas, del trigo cuando se trillaba, del aceite y del vino. De idéntica manera se apartaban los primogénitos de los animales; y se pagaba rescate por el hijo primogénito. Las primicias debían presentarse ante el Señor en el santuario, y luego se dedicaban al uso de los sacerdotes.

En esta forma se le recordaba constantemente al pueblo que Dios era el verdadero propietario de todos sus campos, rebaños y manadas; que él les enviaba la luz del sol y la lluvia para la siembra y para la siega, y que todo lo que poseían era creación de Aquel que los había hecho administradores de sus bienes.

Cuando los hombres de Israel, cargados con las primicias del campo, de las huertas y los viñedos, se congregaban en el tabernáculo, reconocían públicamente la bondad de Dios. Cuando los sacerdotes aceptaban el regalo, el que lo ofrecía, hablando como si estuviera en presencia de Jehová, decía: "Un arameo a punto de perecer fue mi padre" (Deuteronomio 26: 5-11); y describía la estada en Egipto, las aflicciones y angustias de las cuales Dios había librado a Israel "con mano fuerte, con brazo extendido, con grande espanto, y con señales y con milagros". Añadía: "Y nos trajo a este lugar, y nos dio esta tierra, tierra que fluye leche y miel. Y ahora, he aquí he traído las primicias del fruto de la tierra que me diste, oh Jehová".

Las contribuciones que se les exigían a los hebreos para fines religiosos y de caridad representaban por lo menos la cuarta parte de su renta o entradas. Parecería que tan ingente leva de los recursos del pueblo hubiera de empobrecerlo; pero, muy al contrario, la fiel observancia de estos reglamentos era uno de los requisitos que se les imponía para tener prosperidad. A condición de que le obedecieran, Dios les hizo esta promesa: "Reprenderé también por vosotros al devorador, y no os destruirá el fruto de la tierra, ni vuestra vid en el campo será estéril... Y todas las naciones os dirán bienaventurados; porque seréis tierra deseable, dice Jehová de los ejércitos" (Malaquías 3: 11, 12).

En los días del profeta Hageo se vio una sorprendente ilustración de los resultados que produce el privar egoístamente la causa de Dios aun de las ofrendas voluntarias. Después de regresar del cautiverio de Babilonia, los judíos emprendieron la reconstrucción del templo de Jehová; pero al tropezar con una resistencia obstinada de parte de sus enemigos, abandonaron la obra; y una severa sequía que los redujo a una escasez verdadera los convenció de que era imposible terminar la construcción del templo. Dijeron: "No ha llegado aún el tiempo, el tiempo de que la casa de Jehová sea reedificada" (véase Hageo 1, 2).

Pero el profeta del Señor les envió un mensaje: "¿Es para vosotros tiempo, para vosotros, de habitar en vuestras casas artesonadas, y esta casa está desierta? Pues así ha dicho Jehová de los ejércitos: Meditad bien sobre vuestros caminos. Sembráis mucho, y recogéis poco; coméis, y no os saciáis; bebéis, y no quedáis satisfechos; os vestís, y no os calentáis; y el que trabaja a jornal recibe su jornal en saco roto". Y luego se daba la razón de todo esto: "Buscáis mucho, y halláis poco; y encerráis en casa, y yo lo disiparé en un soplo. ¿Por qué? dice Jehová de los ejércitos. Por cuanto mi casa está desierta, y cada uno de vosotros corre a su propia casa. Por eso se detuvo de los cielos sobre vosotros la lluvia, y la tierra detuvo sus frutos. Y llamé la sequía sobre esta tierra, y sobre los montes, sobre el trigo, sobre el vino, sobre el aceite, sobre todo lo que la tierra produce, sobre los hombres y sobre las bestias, y sobre todo trabajo de manos". "Antes que sucediesen estas cosas, venían al montón de veinte efas, y había diez; venían al lagar para sacar cincuenta cántaros, y había veinte. Os herí con viento solano, con tizoncillo y con granizo en toda obra de vuestras manos".

Conmovido por estas advertencias, el pueblo se dedicó a construir la casa de Dios. Entonces la palabra del Señor les llegó: "Meditad, pues,

en vuestro corazón, desde este día en adelante, desde el día veinticuatro del noveno mes, desde el día que se echó el cimiento del templo de Jehová; ... mas desde este día os bendeciré".

El sabio dice: "Hay quienes reparten, y les es añadido más; y hay quienes retienen más de lo que es justo, pero vienen a pobreza" (Proverbios 11: 24). Y la misma lección enseñan en el Nuevo Testamento las palabras del apóstol Pablo: "El que siembra escasamente, también segará escasamente; y el que siembra generosamente, generosamente también segará". "Poderoso es Dios para hacer que abunde en vosotros toda gracia, a fin de que, teniendo siempre en todas las cosas todo lo suficiente, abundéis para toda buena obra" (2 Corintios 9: 6, 8).

Dios quería que sus hijos, los israelitas, transmitieran luz a todos los habitantes de la tierra. Al sostener su culto público, atestiguaban la existencia y la soberanía del Dios viviente. Y era privilegio de ellos sostener este culto, como una expresión franca de su lealtad y su amor hacia él. El Señor ordenó que la difusión de la luz y la verdad en la tierra dependa de los esfuerzos y las ofrendas de quienes participan del don celestial. Hubiera podido hacer a los ángeles embajadores de la verdad; hubiera podido dar a conocer su voluntad, como proclamó la ley del Sinaí, con su propia voz; pero en su amor y sabiduría infinitos llamó a los hombres para que fueran sus colaboradores, y los eligió para que hicieran su obra.

En tiempos de Israel se necesitaban los diezmos y las ofrendas voluntarias para cumplir los ritos del servicio divino. ¿Debiera el pueblo de Dios dar menos hoy? El principio fijado por Cristo es que nuestras ofrendas a Dios han de ser proporcionales a la luz y a los privilegios disfrutados. "A todo aquel a quien se haya dado mucho, mucho se le demandará" (S. Lucas 12: 48). Cuando el Salvador envió a sus discípulos, les dijo: "De gracia recibisteis, dad de gracia" (S. Mateo 10: 8). A medida que nuestras bendiciones y nuestros privilegios aumentan, y sobre todo al tener presente el sacrificio sin par del glorioso Hijo de Dios, ¿no debiera expresarse nuestra gratitud en donativos más abundantes para comunicar a otros el mensaje de la salvación? A medida que se amplía la obra del Evangelio, exige para sostenerse mayores recursos que los que se necesitaban anteriormente; y este hecho hace que la ley de los diezmos y las ofrendas sea aun más urgentemente necesaria hoy día que bajo la economía hebrea. Si el pueblo de Dios sostuviera liberalmente su causa mediante las ofrendas voluntarias, en lugar de recurrir a métodos anticristianos y profanos para llenar la tesorería, ello honraría al Señor y muchas más almas serían ganadas para Cristo.

El plan trazado por Moisés para reunir los medios necesarios para construir el tabernáculo tuvo muchísimo éxito. No fue menester instar a nadie. Ni empleó tampoco uno solo de los ardides a los cuales las iglesias recurren tan a menudo hoy. No ofreció un grandioso festín. No convidó al pueblo a participar en escenas de alegría animada, bailes y diversiones generales; ni tampoco estableció loterías, ni cosa alguna de este orden profano, para obtener medios con que erigir el tabernáculo de Dios. El Señor indicó a Moisés que invitara a los hijos de Israel a que trajeran sus ofrendas. El había de aceptar los donativos de cuantos los ofrecieran voluntariamente, de todo corazón. Y las ofrendas llegaron en tan enorme abundancia que Moisés mandó al pueblo que no trajera más, pues ya había suplido más de lo que se podía usar.

Dios ha hecho a los hombres administradores suyos. Las propiedades que él puso en sus manos son los medios provistos por él para la difusión del Evangelio. A los que demuestren ser fieles administradores, les encomendará responsabilidades mayores. Dijo el Señor: "Yo honraré a los que me honran". "Dios ama al dador alegre", y cuando su pueblo le traiga sus donativos y ofrendas con corazón agradecido "no con tristeza, ni por necesidad", lo acompañará con sus bendiciones, tal como prometió: "Traed todos los diezmos al alfolí y haya alimento en mi casa; y probadme ahora en esto, dice Jehová de los ejércitos, si no os abriré las ventanas de los cielos, y derramaré sobre vosotros bendición hasta que sobreabunde" (1 Samuel 2: 30; 2 Corintios 9: 7; Malaquías 3: 10).

CAPITULO 51

Dios Cuida de los Pobres

A FIN de fomentar las reuniones del pueblo para los servicios religiosos y también para suplir las necesidades de los pobres, se le pedía a Israel que diera un segundo diezmo de todas sus ganancias. Con respecto al primer diezmo el Señor había dicho: "He aquí yo he dado a los hijos de Leví *todos los diezmos* en Israel" (Números 18: 21). Y acerca del segundo diezmo mandó: "Y comerás delante de Jehová tu Dios en el lugar que él escogiere para poner allí su nombre, el diezmo de tu grano, de tu vino y de tu aceite, y las primicias de tus manadas y de tus ganados, para que aprendas a temer a Jehová tu Dios todos los días" (Deuteronomio 14: 23; véase vers. 29; y 16: 11-14).

Durante dos años debían llevar este diezmo o su equivalente en dinero al sitio donde estaba el santuario. Después de presentar una ofrenda de agradecimiento a Dios y una porción específica para el sacerdote, el ofrendante debía usar el remanente para un festín religioso, en el cual debían participar los levitas, los extranjeros, los huérfanos y las viudas. Se proveía así para las ofrendas de gracias y los festines de las celebraciones anuales, y el pueblo había de frecuentar la compañía de los sacerdotes y levitas, a fin de recibir instrucción y ánimo en el servicio de Dios. Pero cada tercer año este segundo diezmo había de emplearse en

En las fiestas anuales un segundo diezmo era usado parcialmente en una celebración sagrada, en la cual participaban los pobres.

WILLIAM HUTCHINSON © PPPA

casa, para agasajar a los levitas y a los pobres, como dijo Moisés: "Y comerán en tus aldeas, y se saciarán" (Deuteronomio 26: 12). Este diezmo había de proveer un fondo para los fines caritativos y hospitalarios.

Otras medidas aun se tomaban en favor de los pobres. Después del reconocimiento de los requerimientos divinos, nada hay que diferencie tanto las leyes dadas por Moisés de cualesquiera otras como el espíritu generoso y hospitalario que ordenaban hacia los pobres. Aunque Dios había prometido bendecir grandemente a su pueblo, no se proponía que la pobreza fuese totalmente desconocida entre ellos. Declaró que los pobres no dejarían de existir en la tierra. Siempre habría entre su pueblo algunos que le darían oportunidad de ejercer la simpatía, la ternura y la benevolencia. En aquel entonces, como ahora, las personas estaban expuestas al infortunio, la enfermedad y la pérdida de sus propiedades; pero mientras se siguieran estrictamente las instrucciones dadas por Dios, no habrían mendigos en Israel ni quien sufriera por falta de alimentos.

La ley de Dios le daba al pobre derecho sobre cierta porción del producto de la tierra. Cualquiera estaba autorizado para ir, cuando tenía hambre, al sembrado de su vecino, a su huerto o a su viñedo, para comer del grano o de la fruta hasta satisfacerse. Obraron de acuerdo con este permiso los discípulos de Jesús cuando arrancaron espigas y comieron del grano al pasar por un campo cierto sábado.

Todo el rebusco de las mieses, el huerto y el viñedo pertenecían a los pobres. "Cuando siegues tu mies en tu campo —dijo Moisés—, y olvides alguna gavilla en el campo, no volverás para recogerla... Cuando sacudas tus olivos, no recorrerás las ramas que hayas dejado tras de ti... Cuando vendimies tu viña, no rebuscarás tras de ti; será para el extranjero, para el huérfano y para la viuda. Y acuérdate que fuiste siervo en tierra de Egipto" (Deuteronomio 24: 19-22; véase Levítico 19: 9, 10).

Cada séptimo año había una provisión especial para los pobres. El año sabático, como se lo llamaba, comenzaba al fin de la cosecha. En el tiempo de la siembra que seguía al de la siega, el pueblo no debía sembrar; no debía podar ni arreglar los viñedos en la primavera; y no debía contar con una cosecha ni del campo ni de la viña. De lo que la tierra produjera espontáneamente, podían comer cuando estaba fresco, pero no podían guardar ninguna porción de esos productos en sus graneros. La producción de ese año había de dejarse para el consumo gratuito del extranjero, el huérfano, la viuda, y hasta para los animales del campo (véase Exodo 23: 10, 11; Levítico 25: 5).

Pero si la tierra producía ordinariamente tan sólo lo suficiente para suplir las necesidades del pueblo, ¿cómo había de subsistir éste durante el año en que no se recogían cosechas? La promesa de Dios proveía ampliamente para esto, pues Dios había dicho: "Entonces yo os enviaré mi bendición el sexto año, y ella hará que haya fruto por tres años. Y sembraréis el año octavo, y comeréis del fruto añejo; hasta el año noveno, hasta que venga su fruto, comeréis del añejo" (Levítico 25: 21, 22).

La observancia del año sabático había de beneficiar tanto a la tierra como al pueblo. Después de descansar una estación, sin ser cultivada, la tierra iba a producir más copiosamente. El pueblo se veía aliviado de las labores apremiantes del campo; y aunque podía dedicarse a diversas actividades durante ese tiempo, todos tenían más tiempo libre, lo cual les brindaba oportunidad de recuperar las fuerzas físicas para los trabajos de los años subsiguientes. Tenían más tiempo para la meditación y la oración, para familiarizarse con las enseñanzas y exigencias del Señor, y para instruir a sus familias.

Durante el año sabático debía ponerse en libertad a los esclavos hebreos, y no despedirlos con las manos vacías. Las instrucciones del Señor eran: "Y cuando lo despidieres libre, no le enviarás con las manos vacías. Le abastecerás liberalmente de tus ovejas, de tu era y de tu lagar; le darás de aquello en que Jehová te hubiere bendecido" (Deuteronomio 15: 13, 14).

El salario del trabajador debía serle pagado con prontitud: "No oprimirás al jornalero pobre y menesteroso, ya sea de tus hermanos o de los extranjeros que habitan en tu tierra… En su día le darás su jornal, y no se pondrá el sol sin dárselo; pues es pobre, y con él sustenta su vida" (Deuteronomio 24: 14, 15).

También se dieron instrucciones especiales respecto al tratamiento de los que huían de la servidumbre: "No entregarás a su señor el siervo que se huyere a ti de su amo. Morará contigo, en medio de ti, en el lugar que escogiere en alguna de tus ciudades, donde a bien tuviere; no le oprimirás" (Deuteronomio 23: 15, 16).

Para los pobres, el séptimo año era un año de remisión de las deudas. Los hebreos tenían la orden de ayudar siempre a sus hermanos indigentes, con préstamos de dinero sin interés. Se prohibía expresamente recibir usura de un hombre pobre: "Cuando tu hermano empobreciere y se acogiere a ti, tú lo ampararás; como forastero y extranjero vivirá contigo. No tomarás de él usura ni ganancia, sino tendrás temor de tu Dios, y tu hermano vivirá contigo. No le darás tu dinero a usura, ni tus víveres a ganancia" (Levítico 25: 35-37).

Si la deuda quedaba sin pagar hasta el año de remisión, tampoco se podía recobrar el capital. Se le advirtió explícitamente al pueblo que no negara, por este motivo, el auxilio necesario a sus hermanos: "Cuando haya en medio de ti menesteroso de alguno de tus hermanos…, no endurecerás tu corazón, ni cerrarás tu mano contra tu hermano pobre… Guárdate de tener en tu corazón pensamiento perverso, diciendo: Cerca está el año séptimo, el de la remisión, y mires con malos ojos a tu hermano menesteroso para no darle; porque él podrá clamar contra ti a Jehová, y se te contará por pecado". "No faltarán menesterosos en medio de la tierra; por eso yo te mando, diciendo: Abrirás tu mano a tu hermano, al pobre, y al menesteroso en tu tierra", "abrirás a él tu mano liberalmente, y en efecto le prestarás lo que necesite" (Deuteronomio 15: 7-9, 11, 8).

Nadie necesitaba temer que su generosidad le redujera a la miseria. La obediencia a los mandamientos de Dios daría ciertamente por resultado la prosperidad. Se le dijo a Israel: "Prestarás entonces a muchas naciones, mas tú no tomarás prestado; tendrás dominio sobre muchas naciones, pero sobre ti no tendrán dominio" (vers. 6).

Después de "siete semanas de años, siete veces siete años", venía el gran año de la remisión, el año del jubileo. "Entonces harás tocar fuertemente la trompeta… por toda vuestra tierra. Y santificaréis el año cincuenta, y pregonaréis libertad en la tierra a todos sus moradores; ese año os será de jubileo y volveréis cada uno a vuestra posesión, y cada

Las gavillas, las olivas y los frutos dejados cuando se cosechaba, eran para los pobres, los huérfanos, las viudas y los extranjeros.

JOE MANISCALCO Ⓒ PPPA

cual volverá a su familia" (Levítico 25: 8-10).

"En el mes séptimo a los diez días del mes; el día de la expiación", sonaba la trompeta del jubileo. Por todos los ámbitos de la tierra, doquiera habitaran los judíos, se oía el toque que invitaba a todos los hijos de Jacob a que saludaran el año de la remisión. En el gran día de la expiación, se expiaban los pecados de Israel, y con corazones llenos de regocijo el pueblo daba la bienvenida al jubileo.

Como en el año sabático, no se debía sembrar ni segar, y todo lo que produjera la tierra había de considerarse como propiedad legítima de los pobres. Quedaban entonces libres ciertas clases de esclavos hebreos; todos los que no recibían su libertad en el año sabático. Pero lo que distinguía especialmente el año del jubileo era la restitución de toda propiedad inmueble a la familia del poseedor original. Por indicación especial de Dios, las tierras habían sido repartidas por suertes. Después de la repartición, nadie tuvo derecho a cambiar su hacienda por otra. Tampoco debía vender su tierra, a no ser que la pobreza le obligara a hacerlo, y aun en tal caso, en cualquier momento que él o alguno de sus parientes quisiera rescatarla, el comprador no debía negarse a venderla; y si no se redimía la tierra, debía volver a su primer poseedor o a sus herederos en el año de jubileo.

El Señor declaró a Israel: "La tierra no se venderá a perpetuidad, porque la tierra mía es; pues vosotros forasteros y extranjeros sois para conmigo" (Levítico 25: 23). Debía inculcársele al pueblo el hecho de que la tierra que se le permitía poseer por un tiempo pertenecía a Dios, que él era su dueño legítimo, su poseedor original, y que él quería que se le diera al pobre y al menesteroso una consideración especial. Debía hacerse comprender a todos que los pobres tienen tanto derecho como los más ricos a un sitio en el mundo de Dios.

Tales fueron las medidas que nuestro Creador misericordioso tomó para aminorar el sufrimiento e impartir algún rayo de esperanza y alegría en la vida de los indigentes y angustiados.

Dios quería poner freno al amor excesivo a los bienes terrenales y al poder. La acumulación continua de riquezas en manos de una clase, y la pobreza y degradación de otra clase, eran cosas que producían grandes males. El poder desenfrenado de los ricos resultaría en monopolio, y los pobres, aunque en todo sentido tuvieran tanto valor como aquéllos a los ojos de Dios, serían considerados y tratados como inferiores a sus hermanos más afortunados. Al sentir la clase pobre esta opresión se despertarían en ella las pasiones. Habría un sentimiento de desesperación que tendería a desmoralizar la sociedad y a abrir la puerta a crímenes de toda índole. Los reglamentos que Dios estableció tenían por objeto fomentar la igualdad social. Las medidas del año sabático y del año de jubileo habían de corregir mayormente lo que en el intervalo se hubiera desquiciado en la economía social y política de la nación.

Estos reglamentos tenían por objeto beneficiar a los ricos tanto como a los pobres. Habían de refrenar la avaricia y la inclinación a exaltarse uno mismo, y habían de cultivar un noble espíritu de benevolencia; y al fomentar la buena voluntad y la confianza entre todas las clases, habían de favorecer el orden social y la estabilidad del gobierno. Todos nosotros estamos entretejidos en la gran tela de la humanidad, y todo cuanto hagamos para beneficiar y ayudar a nuestros semejantes nos beneficiará también a nosotros mismos. La ley de la dependencia mutua afecta e incluye a todas las clases sociales. Los pobres no dependen más de los ricos, que los ricos de los pobres. Mientras una clase pide una parte de las bendiciones que Dios ha concedido a sus vecinos más ricos, la otra necesita el fiel servicio, la fuerza del cerebro, de los huesos y de los músculos, que constituyen el capital de los pobres.

El Señor prometió grandes bendiciones a Israel con tal que obedeciera a sus instrucciones: "Yo daré vuestra lluvia en su tiempo, y la tierra rendirá sus productos, y el árbol del campo dará su fruto. Vuestra trilla alcanzará a la vendimia, y la vendimia alcanzará a la sementera, y comeréis vuestro pan hasta saciaros, y habitaréis seguros en vuestra tierra. Y yo daré paz en la tierra, y dormiréis, y no habrá quien os espante; y haré quitar de vuestra tierra las malas bestias, y la espada no pasará por vuestro país ... y andaré entre vosotros, y yo seré vuestro Dios, y vosotros seréis mi pueblo... Pero si no me oyereis, ... no ejecutando todos mis mandamientos, e invalidando mi pacto, ... sembraréis en vano vuestra semilla, porque vuestros enemigos la comerán. Pondré mi rostro contra vosotros, y seréis heridos delante de vuestros enemigos; y los que os aborrecen se enseñorearán de vosotros, y huiréis sin que haya quien os persiga" (Levítico 26: 4-17).

Muchos insisten en que todos los hombres deben tener igualmente parte en las bendiciones temporales de Dios. Pero tal no fue el propósito del Creador. La diversidad de condición entre unos y otros es uno de los medios por los cuales Dios se propone probar y desarrollar el carácter. Sin embargo, quiere que quienes posean bienes de este mundo se consideren meramente administradores de sus posesiones, personas a quienes se confiaron los recursos que se han de emplear en pro de los necesitados y de los que sufren.

Cristo dijo que habrá siempre pobres entre nosotros; e identifica su interés con el de su pueblo afligido. El corazón de nuestro Redentor se compadece de los más pobres y humildes de sus hijos terrenales. Nos dice que son sus representantes. Los colocó entre nosotros para despertar en nuestro corazón el amor que él siente hacia los afligidos y los oprimidos. Cristo acepta la misericordia y la benevolencia que se les muestre como si fuese manifestada para con él. Considera como dirigido contra él mismo cualquier acto de crueldad o de negligencia hacia ellos.

Si la ley dada por Dios en beneficio de los pobres se hubiera observado y ejecutado siempre, ¡cuán diferente sería el estado actual del mundo, espiritual y materialmente! El egoísmo y la vanidad no se manifestarían como ahora se manifiestan, sino que cada uno de los hombres respetaría benévolamente la felicidad y el bienestar de los demás, y no existiría la indigencia hoy tan generalizada en tantas tierras.

Los principios que Dios prescribió impedirían los terribles males que en todos los siglos resultaron de la opresión de los pobres a manos de los ricos. Al paso que impedirían la acumulación de grandes riquezas y la gratificación del deseo ilimitado de lujo, impedirían también la consiguiente ignorancia y degradación de millares cuya mal recompensada servidumbre es indispensable para acumular esas fortunas colosales. Representarían la solución pacífica de aquellos problemas que en nuestros días amenazan con llenar el mundo de anarquía y derramamiento de sangre.

CAPITULO 52

Este capítulo está basado en Levítico 23.

Las Fiestas Anuales

HABIA tres asambleas anuales de todo Israel para rendir culto en el santuario (Exodo 23: 14-16). Por algún tiempo fue Silo el lugar de reunión; pero más tarde Jerusalén llegó a ser el centro del culto de la nación, y allí se congregaban las tribus para las fiestas solemnes.

El pueblo estaba rodeado de tribus feroces y belicosas, ansiosas de apoderarse de sus tierras; y sin embargo, tres veces al año todos los hombres robustos y fuertes para la guerra, y toda la gente que podía soportar el viaje, tenían orden de dejar sus casas para dirigirse al lugar de reunión, cerca del centro del país. ¿Qué había de impedir a sus enemigos que se precipitasen sobre aquellas moradas y familias sin protección y destruirlas a sangre y fuego? ¿Qué había de estorbar una invasión de la tierra, que reduciría a Israel al cautiverio bajo el dominio de algún enemigo extraño? Dios había prometido ser el protector de su pueblo. "El ángel de Jehová acampa alrededor de los que le temen, y los defiende" (Salmo 34: 7). Mientras los israelitas subieran para adorar, el poder divino refrenaría a sus enemigos. Dios había prometido: "Yo arrojaré a las naciones de tu presencia, y ensancharé tu territorio; y ninguno codi-

607

ciará tu tierra, cuando subas para presentarte delante de Jehová tu Dios tres veces en el año" (Exodo 34: 24).

La primera de estas fiestas, la pascua, o fiesta de los panes ázimos o sin levadura, se celebraba en Abib, el primer mes del año judío, que correspondía a fines de marzo y principios de abril. Entonces el frío del invierno había pasado, como también la lluvia tardía, y toda la naturaleza se regocijaba en la frescura y hermosura de la primavera. La hierba reverdecía en las colinas y los valles, y por doquiera las flores silvestres adornaban los campos. La luna, ya casi llena, embellecía las noches. Era la estación tan bien descrita por el santo poeta que cantó:

"He aquí ha pasado el invierno,
se ha mudado, la lluvia se fue;
se han mostrado las flores en la tierra,
el tiempo de la canción ha venido,
y en nuestro país se ha oído la voz de la tórtola.
La higuera ha echado sus higos,
y las vides en cierne dieron olor" (Cantares 2: 11-13).

Por todo el país, grupos de peregrinos se dirigían hacia Jerusalén. Los pastores que habían dejado por el momento sus rebaños y sus montes, así como los pescadores del mar de Galilea, los labradores de los campos y los hijos de los profetas que acudían de las escuelas sagradas, todos dirigían sus pasos hacia el sitio donde se revelaba la presencia de Dios. Viajaban en cortas etapas, pues muchos iban a pie. Las caravanas veían continuamente aumentar sus filas, y a menudo se hacían muy numerosas antes de llegar a la santa ciudad.

La alegría de la naturaleza despertaba alborozo en el corazón de Israel y gratitud hacia el Dador de todas las cosas buenas. Se cantaban los grandiosos salmos hebreos que ensalzaban la gloria y la majestad de Jehová. A la señal de la trompeta, con acompañamien'o de címbalos, se elevaba el coro de agradecimiento, entonado por ce itenares de voces:

"Yo me alegré con los que me decían:
A la casa de Jehová iremos.
Nuestros pies estuvieron

dentro de tus puertas, oh Jerusalén...
Y allá subieron las tribus, las tribus de JAH...
Para alabar el nombre de Jehová...
Pedid por la paz de Jerusalén;
sean prosperados los que te aman" (Salmo 122: 1-6).

Cuando veían en derredor suyo las colinas donde los paganos solían encender antaño los fuegos de sus altares, los hijos de Israel cantaban:

"Alzaré mis ojos a los montes;
¿de dónde vendrá mi socorro?
Mi socorro viene de Jehová,
que hizo los cielos y la tierra" (Salmo 121: 1, 2).

"Los que confían en Jehová son como el monte de Sión,
que no se mueve, sino que permanece para siempre.
Como Jerusalén tiene montes alrededor de ella,
así Jehová está alrededor de su pueblo
desde ahora y para siempre" (Salmo 125: 1, 2).

Al llegar a la cumbre de las colinas que dominaban la santa ciudad, miraban con asombro y reverencia las multitudes de adoradores que se dirigían hacia el templo. Veían ascender el humo del incienso, y al oír las trompetas de los levitas que anunciaban el servicio sagrado, sentían la inspiración de la hora sagrada, y cantaban:

"Grande es Jehová, y digno de ser en gran manera
      alabado
en la ciudad de nuestro Dios, en su monte santo.
Hermosa provincia, el gozo de toda la tierra,
la ciudad del gran Rey" (Salmo 48: 1, 2).
"Sea la paz dentro de tus muros,
y el descanso dentro de tus palacios".
"Abridme las puertas de la justicia;
entraré por ellas, alabaré a JAH".
"A Jehová pagaré ahora mis votos
delante de todo su pueblo,

en los atrios de la casa de Jehová,
en medio de ti, oh Jerusalén.
Aleluya" (Salmos 122: 7; 118: 19; 116: 18, 19).

Todas las casas de Jerusalén se abrían para recibir a los peregrinos, y se les proporcionaba alojamiento gratuito; pero esto no bastaba para la vasta asamblea, y se levantaban tiendas en todos los sitios disponibles de la ciudad y de las colinas circundantes.

El día catorce del mes, por la noche, se celebraba la pascua cuyas ceremonias solemnes e imponentes conmemoraban la liberación de la esclavitud en Egipto y señalaban hacia adelante, al sacrificio que los había de librar de la servidumbre del pecado. Cuando el Salvador dio su vida en el Calvario, cesó el significado de la pascua, y quedó instituida la santa cena para conmemorar el acontecimiento que había sido prefigurado por la pascua.

La pascua seguía por siete días como fiesta de los panes ázimos. El primero y el último eran días de santa convocación, durante los cuales no debía hacerse trabajo servil alguno. El segundo día de la fiesta se presentaban a Dios las primicias de la mies del año. La cebada era el primer cereal que se cosechaba en Palestina, y al principio de la fiesta empezaba a madurar. El sacerdote agitaba una gavilla de este cereal ante el altar de Dios en reconocimiento de que todo era suyo. No se había de recoger la cosecha antes que se cumpliera este rito.

Cincuenta días después de la ofrenda de las primicias, venía la fiesta de Pentecostés, también llamada fiesta de la mies o de las semanas. Como expresión de gratitud por el cereal que servía de alimento, se ofrecían al Señor dos panes cocidos con levadura. La fiesta duraba un solo día que se dedicaba al culto.

En el séptimo mes venía la fiesta de las cabañas, o de la recolección. Esta fiesta reconocía la bondad de Dios en los productos de la huerta, del olivar, y del viñedo. Así se completaba la serie de reuniones festivas del año. La tierra había dado su abundancia, la mies había sido recogida en los graneros, los frutos, el aceite y el vino habían sido almacenados y las primicias se habían puesto en reserva, y ahora acudía el pueblo con los tributos de agradecimiento al Dios que le había bendecido.

Los peregrinos en caravanas, unas pequeñas, otras grandes, viajaban desde todas partes para asistir a la pascua en Jerusalén.

JOHN STEEL © PPPA

Esta fiesta debía ser ante todo una ocasión de regocijo. Se celebraba poco después del gran día de la expiación, en el cual se había dado la seguridad de que no sería ya recordada la iniquidad del pueblo. Este, ahora reconciliado con Dios, se presentaba ante él para reconocer su bondad, y para alabar su misericordia. Terminados los trabajos de la siega, y no habiendo empezado aún las labores del año nuevo, el pueblo estaba libre de cuidados y podía someterse a las influencias sagradas y placenteras de la hora. Aunque se les mandaba solamente a los padres y a los hijos que acudieran a las fiestas, siempre que fuera posible las familias debían asistir también a ellas, y de su hospitalidad debían participar los siervos, los levitas, los extranjeros y los pobres.

Como la pascua, la fiesta de los tabernáculos era conmemorativa. En recuerdo de su peregrinación por el desierto, el pueblo debía dejar sus casas y morar en cabañas o enramadas hechas con "ramas... de árbol hermoso, ramas de palmeras, ramas de árboles frondosos, y sauces de los arroyos" (Levítico 23: 40; ver vers. 42 y 43). El primer día era una santa convocación, y a los siete días de la fiesta se añadía otro octavo que se observaba de la misma manera.

En estas asambleas anuales, los corazones de jóvenes y ancianos recibían aliento para servir a Dios, al mismo tiempo que el trato amistoso de los habitantes de las diferentes partes de la tierra reforzaba los vínculos que los unían a Dios y unos a otros. También hoy sería bueno que el pueblo de Dios tuviera una fiesta de las cabañas, una alegre conmemoración de las bendiciones que Dios le ha otorgado. Como los hijos de Israel celebraban el libramiento que Dios había concedido a sus padres, y también cómo los había protegido milagrosamente a ellos mismos durante sus peregrinaciones después de la salida de Egipto, así debiéramos recordar con gratitud los diferentes medios que él ideó para apartarnos del mundo y de las tinieblas del error y para llevarnos a la luz preciosa de su gracia y de su verdad.

A los que vivían lejos del tabernáculo la asistencia a las fiestas anuales les requería más de un mes de cada año. Este ejemplo de devoción a Dios debe recalcar la importancia de los servicios religiosos y la necesidad de subordinar nuestros intereses egoístas y mundanos a los que son espirituales y eternos. Sufrimos una pérdida si hacemos caso omiso del privilegio de reunirnos para fortalecernos y alentarnos los unos a los otros en el servicio de Dios. Las verdades de su palabra pierden entonces para nuestra mente su vigor e importancia. Nuestro corazón deja de sentirse iluminado e inspirado por la influencia santificadora, y decae nuestra espiritualidad. En nuestro trato mutuo como cristianos perdemos mucho por carecer de simpatía unos hacia otros. El que se encierra en sí mismo no desempeña bien la misión que Dios le ha encargado. Somos todos hijos de un solo Padre y dependemos unos de otros para ser felices. Somos objeto de los requerimientos de Dios y la humanidad. Al cultivar debidamente los elementos sociales de nuestra naturaleza simpatizamos con nuestros hermanos y los esfuerzos que hacemos por beneficiar a nuestros semejantes, nos proporcionan felicidad.

La fiesta de las cabañas no era sólo una conmemoración, sino también un tipo o figura. No solamente señalaba algo pasado: la estada en el desierto, sino que, además, como la fiesta de la mies, celebraba la recolección de los frutos de la tierra, y apuntaba hacia algo futuro: el gran día de la siega final, cuando el Señor de la mies mandará a sus segadores a recoger la cizaña en manojos destinados al fuego y a juntar el trigo en su granero. En aquel tiempo todos los impíos serán destruidos. "Serán como si no hubieran sido" (Abdías 16). Y todas las voces del universo entero se unirán para elevar alegres alabanzas a Dios. Dice el revelador: "Y a todo lo creado que está en el cielo, y sobre la tierra, y debajo de la tierra, y en el mar, y a todas las cosas que en ellos hay, oí decir: Al que está sentado en el trono, y al Cordero, sea la alabanza, la honra, la gloria y el poder, por los siglos de los siglos" (Apocalipsis 5: 13).

En la fiesta de las cabañas, el pueblo de Dios alababa a Dios porque recordaba la misericordia que le manifestara al librarle de la servidumbre de Egipto, y el tierno cuidado del que le hiciera objeto durante su peregrinación en el desierto. Se regocijaba también por saber que le había perdonado y aceptado gracias al reciente servicio del día de expiación. Pero cuando los redimidos de Jehová estén a salvo en la Canaán celestial, para siempre libertados del yugo de la maldición bajo el cual "toda la creación gime a una, y a una está con dolores de parto hasta ahora" (Romanos 8: 22), se regocijarán con un deleite indecible y glorioso. Entonces concluirá la gran obra expiatoria de Cristo para redimir a los hombres, y sus pecados habrán sido borrados para siempre.

"Se alegrarán el desierto y la soledad;
el yermo se gozará y florecerá como la rosa.
Florecerá profusamente, y también se alegrará y cantará
con júbilo;
la gloria del Líbano le será dada,
la hermosura del Carmelo y de Sarón.
Ellos verán la gloria de Jehová, la hermosura del Dios
nuestro...
Entonces los ojos de los ciegos serán abiertos,
y los oídos de los sordos se abrirán.
Entonces el cojo saltará como un ciervo,
y cantará la lengua del mudo;
porque aguas serán cavadas en el desierto,
y torrentes en la soledad.
El lugar seco se convertirá en estanque,
y el sequedal en manaderos de aguas...
Y habrá allí calzada y camino,
y será llamado Camino de Santidad;
no pasará inmundo por él,
sino que él mismo estará con ellos;
el que anduviere en este camino, por torpe que sea,
no se extraviará.
No habrá allí león,
ni fiera subirá por él,
ni allí se hallará,
para que caminen los redimidos.
Y los redimidos de Jehová volverán,
y vendrán a Sión con alegría;
y gozo perpetuo será sobre sus cabezas;
y tendrán gozo y alegría,
y huirán la tristeza y el gemido" (Isaías 35: 1, 2, 5-10).

CAPITULO 53

Este capítulo está basado en Jueces 6 a 8; 10.

Los Primeros Jueces

DESPUES de haberse establecido en Canaán las tribus no hicieron ningún esfuerzo vigoroso para completar la conquista de la tierra. Satisfechas con el territorio que ya habían ganado, dejaron que su celo disminuyera y suspendieron la guerra. "Pero cuando Israel se sintió fuerte hizo al cananeo tributario, mas no lo arrojó" (Jueces 1: 28).

El Señor había cumplido fielmente, por su parte, la promesa hecha a Israel; Josué había quebrantado el poderío de los cananeos y había distribuido la tierra entre las tribus. A éstas sólo les quedaba confiar en la seguridad de la ayuda divina y completar la obra de desalojar a los habitantes de la tierra. Pero no lo hicieron. Aliándose con los cananeos, violaron abiertamente el mandamiento de Dios, y así dejaron de cumplir la condición bajo la cual les había prometido ponerlos en posesión de Canaán.

Desde la primera comunicación que Dios les diera en el Sinaí, habían recibido advertencias contra la idolatría. Inmediatamente después de la proclamación de la ley, se les mandó por medio de Moisés el siguiente mensaje con respecto a las naciones de Canaán: "No te inclina-

615

rás a sus dioses, ni los servirás, ni harás como ellos hacen; antes los destruirás del todo, y quebrarás totalmente sus estatuas. Mas a Jehová vuestro Dios serviréis, y él bendecirá tu pan y tus aguas; y yo quitaré toda enfermedad de en medio de ti" (Exodo 23: 24, 25).

Se les aseguró que mientras permanecieran obedientes Dios subyugaría a sus enemigos delante de ellos: "Yo enviaré mi terror delante de ti, y consternaré a todo pueblo donde entres, y te daré la cerviz de todos tus enemigos. Enviaré delante de ti la avispa, que eche fuera al heveo, al cananeo y al heteo, de delante de ti. No los echaré de delante de ti en un año, para que no quede la tierra desierta, y se aumenten contra ti las fieras del campo. Poco a poco los echaré de delante de ti, hasta que te multipliques y tomes posesión de la tierra... Pondré en tus manos a los moradores de la tierra, y tú los echarás de delante de ti. No harás alianza con ellos, ni con sus dioses. En tu tierra no habitarán, no sea que te hagan pecar contra mí sirviendo a sus dioses; porque te será tropiezo" (vers. 27-33). Estas instrucciones fueron reiteradas de la manera más solemne por Moisés antes de su muerte, y fueron repetidas también por Josué.

Dios había puesto a su pueblo en Canaán como un poderoso valladar para contener la ola de la inmoralidad, a fin de que no inundara al mundo. Si Israel le era fiel, Dios quería que fuera de conquista en conquista. Entregaría en sus manos naciones aún más grandes y más poderosas que las de los cananeos. Les prometió: "Porque si guardareis cuidadosamente todos estos mandamientos que yo os prescribo..., Jehová también echará de delante de vosotros a todas estas naciones, y desposeeréis naciones grandes y más poderosas que vosotros. Todo lugar que pisare la planta de vuestro pie será vuestro; desde el desierto hasta el Líbano, desde el río Eufrates hasta el mar occidental será vuestro territorio. Nadie se sostendrá delante de vosotros; miedo y temor de vosotros pondrá Jehová vuestro Dios sobre toda la tierra que pisareis, como él os ha dicho" (Deuteronomio 11: 22-25).

Pero, despreciando su elevado destino, escogieron el camino del ocio y de la complacencia, dejaron pasar las oportunidades de completar la conquista de la tierra; y por consiguiente, durante muchas generaciones

616

fueron afligidos y molestados por un residuo de estos idólatras, que fue, según antaño lo predijera el profeta, como "aguijones" en sus ojos, y como "espinas" en sus "costados" (Números 33: 55).

Los israelitas "se mezclaron con las naciones, y aprendieron sus obras". Se aliaron en matrimonio con los cananeos, y la idolatría se difundió como una plaga por todos los ámbitos de la tierra. "Sirvieron a sus ídolos, los cuales fueron causa de su ruina. Sacrificaron sus hijos y sus hijas a los demonios... Y la tierra fue contaminada con sangre". "Se encendió, por tanto, el furor de Jehová sobre su pueblo, y abominó su heredad" (Salmo 106: 35-38, 40).

Mientras no se extinguió la generación que había recibido instrucción de Josué, la idolatría hizo poco progreso; pero los padres habían preparado el terreno para la apostasía de sus hijos. La desobediencia y el menosprecio que tuvieron por las restricciones del Señor los que habían entrado en posesión de Canaán sembraron malas semillas que continuaron produciendo su amargo fruto durante muchas generaciones. Los hábitos sencillos de los hebreos los habían dotado de buena salud física; pero sus relaciones con los paganos los indujeron a dar rienda suelta al apetito y las pasiones, lo cual redujo gradualmente su fuerza física y debilitó sus facultades mentales y morales. Por sus pecados fueron los israelitas separados de Dios; su fuerza les fue quitada y no pudieron ya prevalecer contra sus enemigos. Así fueron sometidos a las mismas naciones que ellos pudieron haber subyugado con la ayuda de Dios.

"Dejaron a Jehová el Dios de sus padres, que los había sacado de la tierra de Egipto", "y los llevó por el desierto como un rebaño... Le enojaron con sus lugares altos, y le provocaron a celo con sus imágenes... Dejó, por tanto, el tabernáculo de Silo, la tienda en que habitó entre los hombres; y entregó a cautiverio su poderío, y su gloria en mano del enemigo" (Jueces 2: 12; Salmo 78: 52, 58, 60, 61).

No obstante, Dios no abandonó por completo a su pueblo. Siempre hubo un remanente que permanecía fiel a Jehová; y de vez en cuando el Señor suscitaba hombres fieles y valientes para que destruyeran la idolatría y libraran a los israelitas de sus enemigos. Pero cuando el libertador moría, y el pueblo quedaba libre de su autoridad, volvía gradualmente a sus ídolos. Y así esa historia de apostasía y castigo, de confesión y liberación, se repitió una y otra vez.

El rey de Mesopotamia y el de Moab, y después de éstos, los filisteos y los cananeos de Hazor, encabezados por Sísara, oprimieron sucesivamente a Israel. Otoniel, Aod, Samgar, Débora y Barac se destacaron como libertadores de su pueblo. Pero nuevamente "los hijos de Israel hicieron lo malo ante los ojos de Jehová; y Jehová los entregó en manos de Madián" (véase Jueces 6-8). Hasta entonces la mano del opresor no se había hecho sentir sino ligeramente sobre las tribus que moraban al este del Jordán, pero en las nuevas calamidades ellas fueron las primeras que sufrieron.

Los amalecitas que habitaban el sur de Canaán, así como también los madianitas que moraban allende el límite oriental y en los desiertos, seguían siendo enemigos implacables de Israel. Aquella nación había sido casi destruida por los israelitas en los días de Moisés, pero desde entonces había aumentado mucho, y se había hecho populosa y poderosa. Anhelaba vengarse; y ahora que la mano protectora de Dios se había retirado de Israel, la oportunidad era propicia. No sólo sufrieron sus estragos las tribus del este del Jordán, sino todo el país. Los feroces y salvajes habitantes del desierto invadían la tierra con sus rebaños y manadas, "en grande multitud como langosta". Como plaga devoradora se desparramaban por toda la tierra, desde el río Jordán hasta las llanuras

filisteas. Llegaban tan pronto como las cosechas principiaban a madurar y permanecían allí hasta que se habían recogido los últimos frutos de la tierra. Despojaban los campos de su abundancia; saqueaban y maltrataban a los habitantes, y luego se volvían a los desiertos.

Los israelitas que vivían en el campo abierto se veían así obligados a abandonar sus hogares, y a congregarse en pueblos amurallados, para buscar asilo en las fortalezas y hasta refugiarse en cuevas y entre los baluartes rocosos de las montañas. Durante siete años continuó esta opresión, y entonces, como el pueblo en su angustia prestó oído a los reproches del Señor y confesó sus pecados, Dios nuevamente suscitó un hombre que le ayudara.

Era Gedeón, hijo de Joás, de la tribu de Manasés. La rama a la cual pertenecía esta familia no desempeñaba ningún cargo destacado, pero la casa de Joás se distinguía por su valor y su integridad. Se dice de sus valientes hijos: "Cada uno semejaba los hijos de un rey". Cayeron todos víctimas de las luchas contra los madianitas, menos uno cuyo nombre llegó a ser temido por los invasores. A Gedeón llamó, pues, el Señor para libertar a su pueblo. Estaba entonces ocupado en trillar su trigo. Había ocultado una pequeña cantidad de cereal, y no atreviéndose a trillarlo en la era ordinaria, había recurrido a un sitio cercano al lagar, pues como faltaba mucho para que las uvas estuviesen maduras, los viñedos recibían poca atención. Mientras Gedeón trabajaba en secreto y en silencio, pensaba con tristeza en las condiciones de Israel, y consideraba cómo se podría hacer para sacudir el yugo del opresor de su pueblo.

De repente "el ángel de Jehová se le apareció" y le dirigió estas palabras: "Jehová está contigo, varón esforzado".

"Ah, Señor mío —fue su respuesta—, si Jehová está con nosotros, ¿por qué nos ha sobrevenido todo esto? ¿Y dónde están todas sus maravillas, que nuestros padres nos han contado, diciendo: ¿No nos sacó Jehová de Egipto? Y ahora Jehová nos ha desamparado, y nos ha entregado en mano de los madianitas".

El Mensajero celestial le respondió: "Ve con esta tu fuerza, y salvarás a Israel de la mano de los madianitas. ¿No te envío yo?"

Gedeón deseaba alguna señal de que el que ahora le hablaba era el

Angel del Pacto, el cual en lo pasado había obrado en favor de Israel. Los ángeles del Señor, que conversaron con Abrahán, se habían detenido una vez para gozar de su hospitalidad; y Gedeón rogó al Mensajero divino que permaneciese con él como huésped. Dirigiéndose apresuradamente a su tienda, preparó de sus escasas provisiones un cabrito y panes sin levadura, todo lo cual trajo luego y lo puso ante él. Pero el Angel le mandó: "Toma la carne y los panes sin levadura, y ponlos sobre esta peña, y vierte el caldo". Gedeón lo hizo, y entonces recibió la señal que había deseado; con el cayado que tenía en la mano, el Angel tocó la carne y los panes ázimos, y una llama de fuego que brotó de la roca consumió el sacrificio. Luego el Angel desapareció de su vista.

El padre de Gedeón, Joás, quien participaba de la apostasía de sus conciudadanos, había erigido en Ofra, donde moraba, un gran altar dedicado a Baal, y ante él adoraba la gente del pueblo. Gedeón recibió orden de destruir ese altar, y de erigir otro a Jehová, sobre la roca en la cual el sacrificio había sido consumido, para presentar allí un sacrificio al Señor.

El ofrecimiento de sacrificios a Dios había sido encomendado solamente a los sacerdotes, y debía limitarse al altar de Silo; pero Aquel que había establecido el servicio ritual, y a quien señalaban todos estos sacrificios, tenía poder para cambiar sus requerimientos. La liberación de Israel debía ser precedida por una solemne protesta contra el culto a Baal. Gedeón debía declarar la guerra a la idolatría, antes de salir a batallar con los enemigos de su pueblo.

La orden divina se ejecutó fielmente. Sabiendo que encontraría resistencia si intentaba hacerlo públicamente, Gedeón realizó su obra en secreto y con la ayuda de sus siervos la completó en una noche.

Grande fue la ira de los habitantes de Ofra cuando llegaron a la siguiente mañana para rendir culto a Baal. Habrían quitado la vida a Gedeón si Joás, a quien se le había contado lo de la visión del ángel, no hubiese salido en defensa de su hijo. "¿Contenderéis vosotros por Baal? —dijo Joás— ¿Defenderéis su causa? Cualquiera que contienda por él, que muera esta mañana. Si es un dios, contienda por sí mismo con el que derribó su altar". Si Baal no había podido defender su propio altar,

¿cómo podía creerse que protegería a sus adoradores?

Todo pensamiento de violencia contra Gedeón quedó olvidado; y cuando él hizo tocar la trompeta para ir a la guerra, los hombres de Ofra fueron de los primeros que se congregaron alrededor de su estandarte. Envió heraldos a su propia tribu de Manasés, y también a Aser, Zabulón y Neftalí; y todos respondieron a la convocación.

Gedeón no se atrevió a encabezar el ejército sin tener evidencias adicionales de que Dios le había llamado para esta obra, y de que estaría con él. Le rogó así: "Si has de salvar a Israel por mi mano, como has dicho, he aquí que yo pondré un vellón de lana en la era; y si el rocío estuviere en el vellón solamente, quedando seca toda la otra tierra, entonces entenderé que salvarás a Israel por mi mano, como lo has dicho". Por la mañana el vellón estaba mojado, en tanto que la tierra estaba seca. Sintió, sin embargo, una duda, puesto que la lana absorbe naturalmente la humedad cuando la hay en el aire; la prueba no era tal vez decisiva. Por consiguiente, rogando que su extrema cautela no desagradase al Señor, pidió que la señal se invirtiera. Le fue otorgado lo que pidió.

Así animado, Gedeón sacó sus fuerzas a pelear con los invasores. "Todos los madianitas y amalecitas y los del oriente se juntaron a una, y pasando acamparon en el valle de Jezreel". La hueste que iba al mando de Gedeón no pasaba de treinta y dos mil hombres; pero mientras estaba el inmenso ejército enemigo desplegado delante de él, le dirigió el Señor las siguientes palabras: "El pueblo que está contigo es mucho para que yo entregue a los madianitas en su mano, no sea que se alabe Israel contra mí, diciendo: Mi mano me ha salvado. Ahora, pues, haz pregonar en oídos del pueblo, diciendo: Quien tema y se estremezca, madrugue y devuélvase desde el monte de Galaad". Los que estaban dispuestos a arrostrar peligros y penurias, o cuyos intereses mundanos desviaban su corazón de la obra de Dios, no fortalecían en modo alguno a los ejércitos de Israel. Su presencia no podía ser sino causa de debilidad.

Se había hecho ley en Israel que antes de que el ejército saliera a la batalla, se le hiciese la siguiente proclamación: "¿Quién ha edificado casa nueva, y no la ha estrenado? Vaya, y vuélvase a su casa, no sea que

muera en la batalla, y algún otro la estrene. ¿Y quién ha plantado viña, y no ha disfrutado de ella? Vaya, y vuélvase a su casa, no sea que muera en la batalla, y algún otro la disfrute. ¿Y quién se ha desposado con mujer, y no la ha tomado? Vaya, y vuélvase a su casa, no sea que muera en la batalla, y algún otro la tome". Y además los oficiales debían decir al pueblo: "¿Quién es hombre medroso y pusilánime? Vaya, y vuélvase a su casa, y no apoque el corazón de sus hermanos, como el corazón suyo" (Deuteronomio 20: 5-8).

Debido a que el número de sus soldados era muy pequeño en comparación con los del enemigo, Gedeón se había abstenido de hacer la proclamación de costumbre. Se llenó de asombro al oír que su ejército era demasiado grande. Pero el Señor veía el orgullo y la incredulidad que había en el corazón de su pueblo. Incitado por las conmovedoras exhortaciones de Gedeón, se había alistado de buena gana; pero muchos se llenaron de temor al ver las multitudes de los madianitas. No obstante, si Israel hubiera triunfado, aquellos mismos miedosos se habrían atribuido la gloria en vez de adjudicarle la victoria a Dios.

Gedeón obedeció las instrucciones del Señor, y con el corazón oprimido vio marcharse para sus hogares a veintidós mil hombres, o sea más de las dos terceras partes de su ejército. Nuevamente oyó la voz de Dios decirle: "Aún es mucho el pueblo; llévalos a las aguas, y allí te los probaré; y del que yo te diga: Vaya éste contigo, irá contigo; mas de cualquiera que yo te diga: Este no vaya contigo, el tal no irá".

El pueblo, esperando atacar inmediatamente al enemigo, fue conducido a la orilla del agua. Algunos tomaron apresuradamente un poco de agua en la mano, y la sorbieron mientras caminaban; pero casi todos se hincaron, y bebieron a sus anchas de la superficie del arroyo. Aquellos que tomaron el agua en la mano no fueron sino trescientos entre diez mil; no obstante, fueron elegidos, y al resto se le permitió volver a sus hogares.

El carácter se prueba a menudo por los medios más sencillos. Los que en un momento de peligro se empeñaban en suplir sus propias necesidades, no eran hombres en quienes se podía confiar en una emergencia. El Señor no tiene en su obra cabida para los indolentes y para los

Gedeón se levantó temprano el día siguiente, exprimió el vellón y sacó un tazón de agua. Su oración fue contestada.

JOHN STEEL © PPPA

que suelen complacer el apetito. Escogió a los hombres que no permitieron que sus propias necesidades les hicieran demorar el cumplimiento del deber. No sólo poseían valor y dominio de sí mismos los trescientos hombres elegidos, sino que eran también hombres de fe. No los había contaminado la idolatría. Dios podía dirigirlos, y por su medio librar a Israel. El éxito no depende del número. Tanto puede Dios libertar por medio de pocos como de muchos. No le honra tanto el gran número como el carácter de quienes le sirven.

Los israelitas se apostaron en la cumbre de una colina que dominaba el valle donde acampaban los invasores. "Y los madianitas, los amalecitas y los hijos del oriente, estaban tendidos en el valle como langostas en multitud, y sus camellos eran innumerables como la arena que está a la ribera del mar en multitud".

Gedeón tembló cuando pensó en la lid del día siguiente. Pero Dios le habló durante las horas de la noche, y mandándole bajar con Fura, su asistente, al campamento de los madianitas, le dio a entender que allí oiría algo que le alentaría. Fue, y mientras esperaba en la oscuridad y el silencio de la noche, oyó a un soldado relatar un sueño a su compañero: "He aquí yo soñé un sueño: Veía un pan de cebada que rodaba hasta el campamento de Madián, y llegó a la tienda, y la golpeó de tal manera que cayó, y la trastornó de arriba abajo, y la tienda cayó". El otro le contestó en palabras que conmovieron el corazón de aquel oyente invisible: "Esto no es otra cosa sino la espada de Gedeón hijo de Joás, varón de Israel. Dios ha entregado en sus manos a los madianitas con todo el campamento". Gedeón reconoció la voz de Dios que le hablaba por medio de aquellos forasteros madianitas. Volviéndose al sitio donde estaban los pocos hombres que mandaba, les dijo: "Levantaos, porque Jehová ha entregado el campamento de Madián en vuestras manos".

Por indicación divina, le fue sugerido un plan de ataque y lo puso inmediatamente en ejecución. Los trescientos hombres fueron divididos en tres compañías. A cada hombre se le dio una trompeta y una antorcha escondida en un cántaro de barro. Los hombres se distribuyeron en tal forma que llegaron al campamento madianita de distintas direcciones. En medio de la noche, al toque del cuerno de guerra de Gedeón, las tres compañías tocaron sus trompetas; y luego, rompiendo sus cántaros, sacaron a relucir las antorchas encendidas y se precipitaron contra el enemigo lanzando el terrible grito de guerra: "¡Por la espada de Jehová y de Gedeón!"

El ejército que dormía se despertó de repente. Por todos lados, se veía la luz de las antorchas encendidas. En toda dirección se oía el sonido de las trompetas, y el clamor de los asaltantes. Creyéndose a la merced de una fuerza abrumadora, los madianitas se volvieron presa del pánico. Con frenéticos gritos de alarma, huían para salvar la vida, y tomando a sus propios compañeros como enemigos se mataban unos a otros.

Cuando cundieron las nuevas de la victoria, volvieron miles de los hombres de Israel que habían sido despachados a sus hogares, y participaron en la persecución del enemigo que huía. Los madianitas se dirigían hacia el Jordán, con la esperanza de llegar a su territorio, allende el río. Gedeón envió mensajeros a los de la tribu de Efraín, para incitarlos a que interceptaran el paso a los fugitivos en los vados meridionales. Entretanto, con sus trescientos hombres, "cansados, pero siguiendo el alcance de los fugitivos" (Jueces 8: 4, VM), Gedeón cruzó el río, en busca de los que ya habían ganado la ribera opuesta. Los dos reyes, Zeba y Zalmuna, quienes encabezaban toda la hueste, y habían escapado con un ejército de quince mil hombres, fueron alcanzados por Gedeón, quien dispersó completamente su fuerza, y capturó a sus jefes y les dio muerte.

En esta derrota decisiva, no menos de ciento veinte mil de los invasores perecieron. Fue quebrantado el dominio de los madianitas, de modo que nunca más pudieron guerrear contra Israel. Cundió rápidamente por todas partes la noticia de que nuevamente el Dios de Israel había peleado por su pueblo. Fue indescriptible el terror que experimentaron las naciones vecinas al saber cuán sencillos habían sido los medios que prevalecieron contra el poderío de un pueblo audaz y belicoso.

El jefe a quien Dios había escogido para derrotar a los madianitas no ocupaba un puesto eminente en Israel. No era príncipe, ni sacerdote, ni levita. Se consideraba como el menor en la casa de su padre, pero Dios

625

vio en él a un hombre valiente y sincero. No confiaba en sí mismo, y estaba dispuesto a seguir la dirección del Señor. Dios no escoge siempre, para su obra, a los hombres de talentos más destacados sino a los que mejor puede utilizar. "A la honra precede la humildad" (Proverbios 15: 33). El Señor puede obrar más eficazmente por medio de los que mejor comprenden su propia insuficiencia, y quieran confiar en él como su jefe y la fuente de su poder. Los hará fuertes mediante la unión de su debilidad con su propio poder, y sabios al relacionar la ignorancia de ellos con su sabiduría.

Si su pueblo cultivara la verdadera humildad, el Señor podría hacer mucho más en su favor; pero son muy pocos aquellos a quienes se les puede confiar alguna responsabilidad importante o darles éxito sin que confíen demasiado en sí mismos y se olviden de que dependen en absoluto de Dios. Este es el motivo por el cual, al escoger los instrumentos para su obra, el Señor pasa por alto a los que el mundo honra como grandes, talentosos y brillantes. Con demasiada frecuencia son orgullosos y presumidos. Se creen competentes para actuar sin consejo de Dios.

El simple acto de tocar la trompeta, de parte del ejército de Josué alrededor de Jericó y de parte del pequeño grupo de Gedeón entre las huestes de Madián, resultó eficaz, por el poder de Dios, para anonadar el poderío de sus enemigos. El sistema más completo que los hombres hayan concebido jamás, si está privado del poder y de la sabiduría de Dios, resultará en un fracaso, mientras que tendrán éxito los métodos menos promisorios cuando sean divinamente ordenados, y ejecutados con humildad y fe. La confianza en Dios y la obediencia a su voluntad, son tan esenciales para el cristiano en la guerra espiritual como lo fueron para Gedeón y Josué en sus batallas contra los cananeos. Mediante las repetidas manifestaciones de su poder en favor de Israel, Dios quería inducirle a tener fe en él, a buscar con confianza su ayuda en toda emergencia. Está igualmente dispuesto a obrar en cooperación con los esfuerzos de su pueblo hoy y a lograr grandes cosas por medio de instrumentos débiles. Todo el cielo espera que pidamos sabiduría y fortaleza. Dios "es poderoso para hacer todas las cosas mucho más abundantemen-

Los soldados quebraron sus cántaros para que las antorchas y el sonido de las trompetas aterrorizaran al enemigo.

JOHN STEEL © PPPA

te de lo que pedimos o entendemos" (Efesios 3: 20).

Al volver Gedeón de perseguir a los enemigos de la nación, hubo de arrostrar las censuras y acusaciones de sus conciudadanos. Cuando convocó a los hombres de Israel contra los madianitas, la tribu de Efraín se quedó atrás. Consideraban este esfuerzo como una empresa peligrosa; y como Gedeón no les mandó un llamamiento especial, se valieron de esta excusa para no unirse a sus hermanos. Pero cuando recibieron noticias del triunfo de Israel, los hijos de Efraín sintieron envidia porque no habían tenido parte en él. Después de la derrota de los madianitas, los hombres de Efraín habían ocupado los vados del Jordán, por orden de Gedeón, e impedido así que escaparan los fugitivos. Esto permitió dar muerte a muchos enemigos, y entre ellos a los dos príncipes Oreb y Zeeb. En esta forma los hombres de Efraín prolongaron la batalla y ayudaron a completar la victoria. Sin embargo, se llenaron de celos y enojo, como si Gedeón se hubiese guiado por su propia voluntad y juicio. No podían discernir la mano de Dios en el triunfo de Israel ni apreciar el poder y la misericordia de él en su liberación; y este mismo hecho demostraba que eran indignos de ser escogidos como sus instrumentos especiales. Al regresar con los trofeos de la victoria, dirigieron este airado reproche a Gedeón: "¿Qué es esto que has hecho con nosotros, no llamándonos cuando ibas a la guerra contra Madián?"

"¿Qué he hecho yo ahora comparado con vosotros? —dijo Gedeón—. ¿No es el *rebusco* de Efraín mejor que la *vendimia* de Abiezer? *Dios* ha entregado en vuestras manos a Oreb y a Zeeb, príncipes de Madián; ¿y qué he podido yo hacer comparado con vosotros?"

Los celos podrían muy bien haberse exacerbado en riña que habría causado conflicto y derramamiento de sangre; pero la contestación modesta de Gedeón aplacó el enojo de los hombres de Efraín, que regresaron en paz a sus hogares. Aunque firme e intransigente cuando se trataba de los principios, y "varón esforzado en la guerra", Gedeón manifestó un espíritu de cortesía que no se ve a menudo.

En su gratitud porque lo había librado de los madianitas, el pueblo de Israel propuso a Gedeón que se hiciera rey, y que el trono quedara asegurado para sus descendientes. Esta propuesta era una violación categórica de los principios teocráticos. Dios era rey de Israel, y poner a un hombre en el trono sería rechazar a su Soberano divino. Gedeón reconocía este hecho; y su contestación demuestra cuán fieles y nobles eran sus móviles. Declaró: "No seré señor sobre vosotros, ni mi hijo os señoreará: Jehová señoreará sobre vosotros".

Pero Gedeón se dejó extraviar por otro error que acarreó el desastre sobre su casa y sobre todo Israel. Es frecuente que la época de inactividad que sigue a una gran lucha entrañe más riesgos que el propio período de conflicto. A tales peligros se vio expuesto Gedeón. Un espíritu de inquietud se había apoderado de él. Hasta entonces se había contentado con cumplir las instrucciones que Dios le daba; pero ahora, en vez de esperar la dirección divina, empezó a hacer planes por su cuenta. Siempre que los ejércitos del Señor hayan ganado una victoria señalada, Satanás redoblará sus esfuerzos para destruir la obra de Dios. Así que fueron sugeridos a la mente de Gedeón pensamientos y planes por los cuales los israelitas fueron descarriados.

Por el hecho de que se le había mandado que ofreciera un sacrificio sobre la roca donde el ángel se le había aparecido, Gedeón concluyó que se le había designado para que oficiara como sacerdote. Sin esperar la aprobación divina, decidió proveerse de un lugar apropiado e instituir un sistema de culto semejante al que se practicaba en el tabernáculo. Gracias a la intensidad del sentimiento popular, no encontró dificultad alguna para realizar su proyecto. A pedido suyo le fueron entregados como su parte del botín de guerra todos los zarcillos de oro arrebatados a los madianitas. El pueblo también recogió muchos otros materiales valiosos, juntamente con las prendas de vestir ricamente adornadas de los príncipes de Madián. Del material que se obtuvo en esta forma, Gedeón hizo un efod y un pectoral o racional que imitaban los usados por el sumo sacerdote. Su conducta resultó ser un lazo para él y su familia, así como para todo Israel. El culto ilícito indujo finalmente a mucha gente a abandonar por completo al Señor, y a servir a los ídolos. Después de la muerte de Gedeón, muchos, inclusive su propia familia, participaron en esta apostasía. El pueblo fue apartado de Dios por el mismo hombre que una vez había destruido su idolatría.

Son pocos los que se dan cuenta de cuánto abarca la influencia de sus palabras y hechos. ¡Cuán a menudo los errores de los padres producen los efectos más desastrosos sobre sus hijos y sobre los hijos de sus hijos, mucho después de bajar a la tumba los protagonistas mismos! Cada uno ejerce cierta influencia sobre los demás, y se le tendrá por responsable del resultado de esa influencia. Las palabras y los hechos ejercen gran poder y en la dilatada eternidad se verán los efectos de la existencia que vivimos aquí. La impresión causada por nuestras palabras y nuestras acciones redundará seguramente en bendición o maldición para nosotros. Este pensamiento da una pavorosa solemnidad a la vida, y debe impulsarnos a rogar humildemente a Dios que nos guíe por su sabiduría.

Los que ocupan puestos elevados pueden desviar a otros. Aun los más sabios se equivocan; los más fuertes pueden vacilar y tropezar. Es necesario que la luz del cielo se derrame constantemente sobre nuestro sendero. Nuestra única seguridad estriba en confiar implícitamente nuestro camino a Aquel que dijo: "Sígueme".

Después de la muerte de Gedeón, "no se acordaron los hijos de Israel de Jehová su Dios, que los había librado de todos sus enemigos en derredor; ni se mostraron agradecidos con la casa de Jerobaal, el cual es Gedeón, conforme a todo el bien que él había hecho a Israel". Olvidándose de todo lo que debían a Gedeón, su juez y libertador, el pueblo de Israel aceptó por rey a su hijo ilegítimo, Abimelec, quien, para poder sostenerse en el poder, asesinó a todos menos uno de los hijos legítimos de Gedeón. Cuando los hombres desechan el temor de Dios, no tardan en alejarse del honor y la integridad. El aprecio por la misericordia del Señor le inducirá a uno a apreciar a aquellos que, como Gedeón, han sido empleados como instrumentos para beneficiar a su pueblo. El cruel proceder de Israel hacia la casa de Gedeón era lo que podía esperarse de un pueblo que manifestaba tan enorme ingratitud hacia Dios.

Después de la muerte de Abimelec, el gobierno de algunos jueces que temían al Señor mantuvo por un tiempo en jaque a la idolatría; pero antes de mucho el pueblo volvió a practicar las costumbres de las comunidades paganas circundantes. Entre las tribus del norte, los dioses de

Siria y de Sidón tenían muchos adoradores. Al sudoeste, los ídolos de los filisteos, y al este los de Moab y Amón, habían desviado del Dios de sus padres el corazón de Israel. Pero la apostasía acarreó rápidamente su castigo. Los amonitas subyugaron las tribus orientales, y cruzando el Jordán, invadieron el territorio de Judá y el de Efraín. Al occidente, los filisteos, ascendiendo de su llanura a orillas del mar, lo saqueaban y quemaban todo por doquiera. Una vez más Israel parecía haber sido abandonado al poder de enemigos implacables.

Nuevamente el pueblo pidió ayuda a Aquel a quien había abandonado e insultado. "Entonces los hijos de Israel clamaron a Jehová, diciendo: Nosotros hemos pecado contra ti; porque hemos dejado a nuestro Dios, y servido a los baales" (Jueces 10: 10-16). Pero el pesar no había obrado en ellos un arrepentimiento verdadero. El pueblo se lamentaba porque sus pecados le había traído sufrimientos, y no por haber deshonrado a Dios y violado su santa ley. El verdadero arrepentimiento es algo más que sentir pesar por el pecado. Consiste en apartarse resueltamente del mal.

El Señor les contestó por medio de uno de sus profetas: "¿No habéis sido oprimidos de Egipto, de los amorreos, de los amonitas, de los filisteos, de los de Sidón, de Amalec y de Maón, y clamando a mí no os libré de sus manos? Mas vosotros me habéis dejado, y habéis servido a dioses ajenos; por tanto, yo no os libraré más. Andad y clamad a los dioses que os habéis elegido; que os libren ellos en el tiempo de vuestra aflicción".

Estas palabras solemnes y temibles encauzan el pensamiento hacia otra escena: la del gran día del juicio final, cuando los que rechazaron la misericordia de Dios y menospreciaron su gracia serán puestos frente a su justicia. En aquel tribunal, los que dedicaron al servicio de los dioses de este mundo los talentos que Dios les dio, deberán rendir cuenta del empleo de su tiempo, sus recursos y su intelecto. Abandonaron a su verdadero y tierno Amigo, para seguir el sendero de la conveniencia y del placer mundano. Se proponían volver a Dios alguna vez; pero el mundo, con sus locuras y engaños, absorbió su atención. Las diversiones frívolas, el orgullo de los atavíos y la satisfacción de los apetitos endurecieron su corazón y embotaron su conciencia, de tal manera que ya no oyeron la voz de la verdad. Menospreciaron el deber. Tuvieron en poco las cosas de valor infinito, hasta que desapareció de su corazón todo deseo de hacer sacrificios por Aquel que tanto dio para el hombre. Pero en el tiempo de la siega cosecharán lo que sembraron.

El Señor dijo: "Por cuanto llamé, y no quisisteis oír, extendí mi mano, y no hubo quien atendiese, sino que desechasteis todo consejo mío y mi represión no quisisteis, también yo me reiré en vuestra calamidad, y me burlaré cuando os viniere lo que teméis; cuando viniere como una destrucción lo que teméis, y vuestra calamidad llegare como un torbellino; cuando sobre vosotros viniere tribulación y angustia. Entonces me llamarán, y no responderé; me buscarán de mañana, y no me hallarán. Por cuanto aborrecieron la sabiduría, y no escogieron el temor de Jehová, ni quisieron mi consejo, y menospreciaron toda represión mía, comerán del fruto de su camino, y serán hastiados de sus propios consejos... Mas el que me oyere, habitará confiadamente y vivirá tranquilo, sin temor del mal" (Proverbios 1: 24-31, 33).

Los israelitas se humillaron entonces ante el Señor. "Y quitaron de entre sí los dioses ajenos, y sirvieron a Jehová". Y el corazón amoroso del Señor se acongojó, "*fue angustiado* a causa de la aflicción de Israel". ¡Oh! ¡Cuán longánime es la misericordia de nuestro Dios! Cuando su pueblo se apartó de los pecados que le habían privado de la presencia de Dios, él oyó sus oraciones y en seguida comenzó a obrar en su favor.

Le suscitó un libertador en la persona de Jefté el galaadita, quien hizo guerra contra los amonitas, y quebrantó eficazmente su poder. Durante dieciocho años, Israel había sufrido bajo la opresión de sus enemigos, y sin embargo volvió a olvidar la lección enseñada por los padecimientos.

Cuando su pueblo volvió a sus malos caminos, el Señor permitió que nuevamente lo oprimiesen sus poderosos enemigos: los filisteos. Durante muchos años fueron acosados constantemente, y a veces completamente subyugados, por esta nación cruel y belicosa. Habían acompañado a estos idólatras en sus placeres y en su culto, a tal grado que parecían unificados con ellos en espíritu e intereses. Entonces estos presuntos amigos de Israel se trocaron en sus enemigos más acérrimos, y por todos los medios procuraron su completa destrucción.

Como Israel, los cristianos ceden a menudo a la influencia del mundo, y se amoldan a sus principios y costumbres para ganar la amistad de los impíos; pero al fin se verá que estos supuestos amigos son sus enemigos más peligrosos. La Biblia enseña clara y expresamente que no puede haber armonía entre el pueblo de Dios y el mundo. "Hermanos míos, no os extrañéis si el mundo os aborrece" (1 S. Juan 3: 13). Nuestro Salvador dice: "Si el mundo os aborrece, sabed que a mí me ha aborrecido antes que a vosotros" (S. Juan 15: 18). Satanás obra por medio de los impíos, bajo el disfraz de una presunta amistad, para seducir a los hijos de Dios y hacerlos pecar, a fin de separarlos de él, y una vez eliminada la defensa de ellos, inducirá a sus agentes a volverse contra ellos y procurar su destrucción.

CAPITULO 54

Este capítulo está basado en Jueces 13 a 16.

Sansón

EN MEDIO de la apostasía reinante, los fieles adoradores de Dios continuaban implorándole que libertase a Israel. Aunque aparentemente sus súplicas no recibían contestación, aunque año tras año el poder del opresor se iba agravando sobre la tierra, la providencia de Dios preparaba un auxilio para ellos. Ya en los primeros años de la opresión filistea nació un niño por medio del cual Dios quería humillar el poderío de esos enemigos poderosos.

En el límite de la región montañosa que dominaba las llanuras filisteas, estaba la pequeña ciudad de Zora. Allí moraba la familia de Manoa, de la tribu de Dan, una de las pocas casas que, en medio de la deslealtad que prevalecía, habían permanecido fieles a Dios. A la mujer estéril de Manoa se le apareció "el ángel del Señor" y le comunicó que tendría un hijo, por medio del cual Dios comenzaría a libertar a Israel. En vista de esto, el ángel le dio instrucciones especiales con respecto a sus propios hábitos y al trato que debía dar a su hijo: "Ahora, pues, no bebas vino, ni sidra, ni comas cosa inmunda" (véase Jueces 13-16). Y la misma prohibición debía imponerse desde un principio al niño, al que, además, no se le había de cortar el pelo; pues debía ser consagrado a Dios como nazareo desde su nacimiento.

Sansón empujó poderosamente las grandes
columnas del templo durante un festín pagano,
y el templo se desplomó.

635

JOHN STEEL © PPPA

La mujer buscó a su marido, y después de describirle el ángel, le repitió su mensaje. Entonces, temiendo que pudieran equivocarse en la obra importante que se les encomendaba, el marido oró así: "Ah, Señor mío, yo te ruego que aquel varón de Dios que enviaste, vuelva ahora a venir a nosotros, y nos enseñe lo que hayamos de hacer con el niño que ha de nacer".

Cuando el ángel volvió a aparecerles, la pregunta ansiosa de Manoa fue: "¿Cómo debe ser la manera de vivir del niño, y qué debemos hacer con él?" Las instrucciones anteriores le fueron repetidas: "La mujer se guardará de todas las cosas que yo le dije. No tomará nada que proceda de vid; no beberá vino ni sidra, y no comerá cosa inmunda; guardará todo lo que le mandé".

Dios tenía una obra importante reservada para el hijo prometido a Manoa, y a fin de asegurarle las cualidades indispensables para esta obra, debían reglamentarse cuidadosamente los hábitos tanto de la madre como del hijo. La orden del ángel para la mujer de Manoa fue: "No beberá vino ni sidra, y no comerá cosa inmunda; guardará todo lo que le mandé". Los hábitos de la madre influirán en el niño para bien o para mal. Ella misma debe regirse por buenos principios y practicar la temperancia y la abnegación, si procura el bienestar de su hijo. Habrá malos consejeros que dirán a la madre que le es necesario satisfacer todo deseo e impulso; pero semejante enseñanza es falsa y perversa. La madre se halla por orden de Dios mismo bajo la obligación más solemne de ejercer dominio propio.

Tanto los padres como las madres están comprendidos en esta responsabilidad. Ambos padres transmiten a sus hijos sus propias características, mentales y físicas, su temperamento y sus apetitos. Con frecuencia, como resultado de la intemperancia de los padres, los hijos carecen de fuerza física y poder mental y moral. Los que beben alcohol y los que usan tabaco pueden transmitir a sus hijos sus deseos insaciables, su sangre inflamada y sus nervios irritables, y se los transmiten en efecto. Los licenciosos legan a menudo sus deseos pecaminosos, y aun enfermedades repugnantes, como herencia a su prole. Como los hijos tienen menos poder que sus padres para resistir la tentación, hay en cada generación tendencia a rebajarse más y más. Los padres son responsables, en alto grado, no solamente por las pasiones violentas y los apetitos pervertidos de sus hijos, sino también por las enfermedades de miles que nacen sordos, ciegos, debilitados o idiotas.

La pregunta de todo padre y madre debe ser: "¿Cómo obraremos con el niño que nos ha de nacer?" Muchos han considerado livianamente el efecto de las influencias prenatales; pero las instrucciones enviadas por el cielo a aquellos padres hebreos, y dos veces repetidas en la forma más explícita y solemne, nos indican cómo mira nuestro Creador el asunto.

Y no bastaba que el niño prometido recibiera de sus padres un buen legado. Este debía ir seguido por una educación cuidadosa y la formación de buenos hábitos. Dios mandó que el futuro juez y libertador de Israel aprendiese a ser estrictamente temperante desde la infancia. Había de ser nazareo desde su nacimiento, y eso le imponía desde un principio la perpetua prohibición de usar vino y bebidas alcohólicas. Las lecciones de templanza, abnegación y dominio propio deben enseñarse a los hijos desde la infancia.

La prohibición del ángel incluía toda "cosa inmunda". La distinción entre los comestibles limpios y los inmundos no era meramente un reglamento ceremonial o arbitrario, sino que se basaba en principios sanitarios. A la observancia de esta distinción se puede atribuir, en alto grado, la maravillosa vitalidad que por muchos siglos ha distinguido al pueblo judío. Los principios de la templanza deben llevarse más allá del mero consumo de bebidas alcohólicas. El uso de alimentos estimulantes indigestos es a menudo igualmente perjudicial para la salud, y en muchos casos, siembra las semillas de la embriaguez. La verdadera temperancia nos enseña a abstenernos por completo de todo lo perjudicial, y a usar cuerdamente lo que es saludable. Pocos son los que comprenden debidamente la influencia que sus hábitos relativos a la alimentación ejercen sobre su salud, su carácter, su utilidad en el mundo y su destino eterno. El apetito debe sujetarse siempre a las facultades morales e intelectuales. El cuerpo debe servir a la mente, y no la mente al cuerpo.

La promesa que Dios hizo a Manoa se cumplió a su debido tiempo con el nacimiento de un hijo, que fue llamado Sansón. A medida que el niño crecía, se hacía evidente que poseía extraordinaria fuerza física. Sin embargo, como bien lo sabían Sansón y sus padres, esta fuerza no dependía de sus firmes músculos, sino de su condición de nazareo, simbolizada por su pelo largo.

Si Sansón hubiera obedecido los mandamientos divinos tan fielmente como sus padres, habría sido su destino más noble y más feliz. Pero sus relaciones con los idólatras le corrompieron. Como la ciudad de Zora estaba cerca de la región de los filisteos, Sansón trabó amistades entre ellos. Así se crearon en su juventud intimidades cuya influencia entenebreció toda su vida. Una joven que vivía en la ciudad filistea de Timnat conquistó los afectos de Sansón, y él decidió hacerla su esposa. La única contestación que dio a sus padres temerosos de Dios, que trataban de disuadirle de su propósito, fue: "Porque ella me agrada". Los padres cedieron por fin a sus deseos, y la boda se efectuó.

Precisamente cuando llegaba a la edad viril, cuando debía cumplir su misión divina, el momento en que más fiel a Dios debiera haber sido, Sansón se emparentó con los enemigos de Israel. No se preguntó si al unirse con el objeto de su elección podría glorificar mejor a Dios o si se estaba colocando en una posición que no le permitiría cumplir el propósito que debía alcanzar su vida. A todos los que tratan primero de honrarle a él, Dios les ha prometido sabiduría; pero no existe promesa para los que se obstinan en satisfacer sus propios deseos.

¡Cuántos hay que siguen el mismo camino que siguió Sansón! ¡Cuán a menudo se formalizan casamientos entre fieles e impíos, porque la inclinación domina en la elección de marido o mujer! Los contrayentes no piden consejo a Dios, ni procuran glorificarle. El cristianismo debiera tener una influencia dominadora sobre la relación matrimonial; pero con demasiada frecuencia los móviles que conducen a esta unión no se ajustan a los principios cristianos. Satanás está constantemente tratando de fortalecer su poderío sobre el pueblo de Dios induciéndolo a aliarse con sus súbditos; y para lograr esto, trata de despertar pasiones impuras en el corazón. Pero en su Palabra el Señor ha indicado clara y terminantemente a su pueblo que no se una con aquellos en cuyo corazón no mora su amor. "¿Y qué concordia Cristo con Belial? ¿O qué parte el creyente con el incrédulo? ¿Y qué acuerdo hay entre el templo de Dios y los ídolos?" (2 Corintios 6: 15, 16).

En el festín de su boda Sansón se relacionó familiarmente con los que odiaban al Dios de Israel. Quienquiera que voluntariamente entabla relaciones tales se verá en la necesidad de amoldarse, hasta cierto grado, a los hábitos y costumbres de sus compañeros. Pasar el tiempo así es peor que malgastarlo. Se despiertan y fomentan pensamientos, y se pronuncian palabras, que tienden a quebrantar los baluartes de los buenos principios y a debilitar la ciudadela del alma.

La esposa, para obtener cuya mano Sansón había transgredido el mandamiento de Dios, traicionó a su marido antes de que hubiese terminado el banquete de bodas. Indignado por la perfidia de ella, Sansón la abandonó momentáneamente, y regresó solo a su casa de Zora. Cuando, después de aplacársele el enojo, volvió por su novia, la halló casada con otro. La venganza que él se tomó al devastar todos los campos y viñedos de los filisteos, los indujo a asesinarla, a pesar de que las amenazas de ellos le habían hecho cometer el engaño que dio principio a la dificultad. Sansón ya había dado pruebas de su fuerza maravillosa al matar solo y sin armas un leoncito, y al dar muerte a treinta de los hombres de Ascalón. Ahora airado por el bárbaro asesinato de su esposa, atacó a los filisteos "y los hirió … con gran mortandad". Y entonces, deseando encontrar un refugio seguro contra sus enemigos, se retiró a "la cueva de la peña de Etam", en la tribu de Judá.

Fue perseguido a este sitio por una fuerza importante, y los habitantes de Judá, muy alarmados, convinieron vilmente en entregarle a sus enemigos. Por lo tanto, tres mil hombres de Judá subieron adonde él estaba. Pero aun en número tan desproporcionado, no se habrían atrevido a aproximársele si no hubieran estado seguros de que él no haría ningún daño a sus conciudadanos. Sansón les permitió que le ataran y le entregaran a los filisteos; pero primero exigió a los hombres de Judá que le prometieran no atacarlo, para no verse él obligado a destruirlos. Les permitió que le ataran con dos sogas nuevas, y fue conducido al campamento de sus enemigos en medio de las demostraciones de gran regocijo que hacían éstos. Pero mientras sus gritos despertaban los ecos de las colinas, "el espíritu de Jehová vino sobre él". Hizo pedazos las cuerdas fuertes y nuevas como si hubieran sido lino quemado en el fuego. Luego, asiendo la primera arma que halló a mano y que, si bien era tan sólo una quijada de asno, resultó más eficaz que una espada o una lanza, hirió a los filisteos hasta que huyeron aterrorizados, dejando mil muertos en el campo.

Si los israelitas hubiesen estado dispuestos a unirse con Sansón, para llevar adelante la victoria, habrían podido librarse entonces del poder de sus opresores. Pero se habían desalentado y acobardado. Por pura negligencia habían dejado de hacer la obra que Dios les había mandado realizar, en cuanto a desposeer a los paganos, y se habían unido a ellos en sus prácticas degradantes. Toleraban su crueldad y su injusticia, siempre que no fuese dirigida contra ellos mismos. Cuando se los colocaba bajo el yugo del opresor se sometían mansamente a la degradación que habrían podido eludir si tan sólo hubiesen obedecido a Dios. Aun cuando el Señor les suscitaba un libertador, con frecuencia le abandonaban y se unían con sus enemigos.

Después de su victoria, hicieron los israelitas juez a Sansón, y gobernó a Israel durante veinte años. Pero un mal paso prepara el camino para otro. Sansón había violado el mandamiento de Dios tomando esposa de entre los filisteos, y otra vez se aventuró a relacionarse con los que ahora eran sus enemigos mortales, para satisfacer una pasión ilícita. Confiando en su gran fuerza, que tanto terror infundía a los filisteos, fue osadamente a Gaza para visitar a una ramera de aquel lugar. Los habitantes de la ciudad supieron que estaba allí y desearon vengarse. Su enemigo se había encerrado dentro de las murallas de la más fortificada de todas sus ciudades; estaban seguros de su presa, y sólo esperaban el amanecer para completar su triunfo. A la medianoche Sansón despertó. La voz acusadora de la conciencia le llenaba de remordimiento, mientras recordaba que había quebrantado su voto de nazareo. Pero no obstante su pecado, la misericordia de Dios no le había abandonado. Su fuerza prodigiosa le sirvió una vez más para libertarse. Yendo a la puerta de la ciudad, la arrancó de su sitio y se la llevó con sus postes y su cerrojo a la cumbre de una colina en el camino a Hebrón.

Pero ni aun esta arriesgada escapada refrenó su mal proceder. No volvió a aventurarse entre los filisteos, pero continuó buscando los placeres sensuales que le atraían hacia la ruina. "Después de esto aconteció que se enamoró de una mujer en el valle de Sorec", a poca distancia de donde había nacido él. Ella se llamaba Dalila, "la consumidora". El valle de Sorec era famoso por sus viñedos; y éstos también tentaban al vacilante nazareo, quien había hecho ya consumo de vino, quebrantando así otro vínculo que le ataba a la pureza y a Dios. Los filisteos observaban cuidadosamente los movimientos de su enemigo, y cuando él se envileció por esta nueva unión decidieron obtener su ruina por medio de Dalila.

Una embajada compuesta por uno de los hombres principales de cada provincia filistea fue enviada al valle de Sorec. No se atrevían a prenderle mientras estaba en posesión de su gran fuerza, pero tenían el propósito de averiguar, si fuera posible, el secreto de su poder. Por consiguiente, sobornaron a Dalila para que lo descubriera y se lo revelara a ellos.

Al verse Sansón acosado por las preguntas de la traidora, la engañó diciéndole que las debilidades de otros hombres le sobrevendrían si se pusieran en práctica ciertos procedimientos. Cuando ella hizo la prueba, se descubrió el engaño. Entonces le acusó de haberle mentido y le dijo: "¿Cómo dices: Yo te amo, cuando tu corazón no está conmigo? Ya me has engañado tres veces, y no me has descubierto aún en qué consiste tu gran fuerza". Tres veces tuvo Sansón la más clara manifestación de que los filisteos se habían aliado con su hechicera para destruirle; pero cuando ella fracasaba en su propósito hacía de ello un asunto de broma, y él ciegamente desterraba todo temor.

Día tras día Dalila le fue instando con sus palabras hasta que "su alma fue reducida a mortal angustia". Sin embargo, una fuerza sutil le sujetaba al lado de ella. Vencido por último, Sansón le dio a conocer el secreto: "Nunca a mi cabeza llegó navaja; porque soy nazareo de Dios desde el vientre de mi madre. Si fuere rapado, mi fuerza se apartará de mí, y me debilitaré y seré como todos los hombres".

En seguida envió Dalila un mensajero a los señores de los filisteos, para instarlos a venir sin tardanza alguna. Mientras el guerrero dormía, se le cortaron las espesas trenzas de la cabeza. Luego, como lo había hecho tres veces antes, ella gritó: "¡Sansón, los filisteos sobre ti!" Despertándose repentinamente, quiso hacer uso de su fuerza como en otras ocasiones, y destruirlos; pero sus brazos impotentes se negaron a obedecerle, y entonces se dio cuenta de "que Jehová ya se había apartado de él". Cuando se lo hubo rapado, Dalila empezó a molestarle y a causarle dolor para probar su fuerza; pues los filisteos no se atrevían a aproximársele hasta que estuvieran plenamente convencidos de que su fuerza había desaparecido. Entonces le prendieron, y habiéndole sacado los ojos, lo llevaron a Gaza. Allí quedó atado con cadenas y grillos en la cárcel y condenado a trabajos forzados.

¡Cuán grande era el cambio para el que había sido juez y campeón de Israel, al verse ahora débil, ciego, encarcelado, rebajado a los menesteres más viles! Poco a poco había violado las condiciones de su sagrada vocación. Dios había tenido mucha paciencia con él; pero cuando se entregó de tal manera al poder del pecado que traicionó su secreto, el Señor se apartó de él y le abandonó. No había virtud alguna en sus cabellos largos, sino que eran una señal de su lealtad a Dios; y cuando sacrificó ese símbolo para satisfacer su pasión, perdió también para siempre las bendiciones que representaba.

En el sufrimiento y la humillación, mientras era juguete de los filisteos, Sansón aprendió más que nunca antes acerca de sus debilidades; y sus aflicciones le llevaron al arrepentimiento. A medida que el pelo crecía, le volvía gradualmente su fuerza; pero sus enemigos, considerándole como un prisionero encadenado e impotente, no sentían aprensión alguna.

Los filisteos atribuían su victoria a sus dioses; y regocijándose, desafiaban al Dios de Israel. Se decidió hacer una fiesta en honor de Dagón el dios pez, "protector del mar". De todos los pueblos y campos de la llanura filistea, se congregaron la gente y sus señores. Muchedumbres de adoradores llenaban el gran templo y las galerías alrededor del techo. Era una ocasión de festividad y regocijo. Resaltó la pompa de los sacrificios, seguidos de música y banqueteo. Entonces, como trofeo culminante del poder de Dagón, se hizo traer a Sansón. Grandes gritos de regocijo saludaron su aparición. El pueblo y los príncipes se burlaron de su condición miserable y adoraron al dios que había vencido "al destruidor de nuestra tierra".

Después de un rato, como si estuviese cansado, Sansón pidió permiso para descansar apoyándose contra las dos columnas centrales que sostenían el techo del templo. Elevó entonces en silencio la siguiente oración: "Señor Jehová, acuérdate ahora de mí, y fortaléceme, te ruego, solamente esta vez, oh Dios, para que de una vez tome venganza de los filisteos". Con estas palabras abrazó las columnas con sus poderosos brazos; y diciendo: "Muera yo con los filisteos", se inclinó y cayó el techo, matando de un solo golpe a toda la vasta multitud que estaba allí. "Fueron muchos más que los que había matado durante su vida".

El ídolo y sus adoradores, los sacerdotes y los campesinos, los guerreros y los nobles, quedaron sepultados juntos debajo de las ruinas del templo de Dagón. Y entre ellos estaba el cuerpo gigantesco de aquel a quien Dios había escogido para que libertase a su pueblo. Llegaron a la tierra de Israel las nuevas del terrible derrumbamiento, y los parientes de Sansón bajaron de las colinas, y sin oposición rescataron el cuerpo del héroe caído. "Y le llevaron, y le sepultaron entre Zora y Estaol, en el sepulcro de su padre Manoa".

La promesa de Dios de que por medio de Sansón comenzaría "a salvar a Israel de mano de los filisteos" se cumplió; pero ¡cuán sombría y terrible es la historia de esa vida que habría podido alabar a Dios y dar gloria a la nación! Si Sansón hubiera sido fiel a su vocación divina, se le habría honrado y ensalzado, y el propósito de Dios se habría cumplido. Pero él cedió a la tentación y no fue fiel a su cometido, y su misión se cumplió en la derrota, la servidumbre y la muerte.

Físicamente, fue Sansón el hombre más fuerte de la tierra; pero en lo que respecta al dominio de sí mismo, la integridad y la firmeza, fue uno de los más débiles. Muchos consideran erróneamente las pasiones fuertes como equivalente de un carácter fuerte; pero lo cierto es que el que se deja dominar por sus pasiones es un hombre débil. La verdadera grandeza de un hombre se mide por el poder de las emociones que él domina, y no por las que le dominan a él.

El cuidado providencial de Dios había asistido a Sansón, para que pudiera prepararse y realizar la obra para la cual había sido llamado. Al principio mismo de la vida se vio rodeado de condiciones favorables para el desarrollo de su fuerza física, vigor intelectual y pureza moral. Pero bajo la influencia de amistades y relaciones impías, abandonó aquella confianza en Dios que es la única seguridad del hombre, y fue arrebatado por la marea del mal. Los que mientras cumplen su deber son sometidos a pruebas pueden tener la seguridad de que Dios los guardará; pero si los hombres se colocan voluntariamente bajo el poder de la tentación caerán tarde o temprano.

Aquellos mismos a quienes Dios quiere usar como sus instrumentos para una obra especial son los que con todo su poder Satanás procura extraviar. Nos ataca en nuestros puntos débiles y obra por medio de los defectos de nuestro carácter para obtener el dominio de todo nuestro ser, pues sabe que si conservamos estos defectos, él tendrá éxito. Pero nadie necesita ser vencido. No se le deja solo al hombre para que venza el poder del mal mediante sus débiles esfuerzos. Hay ayuda puesta a su disposición, y ella será dada a toda alma que realmente la desee. Los ángeles de Dios que ascienden y descienden por la escalera que Jacob vio en visión, ayudarán a toda alma que quiera subir hasta el cielo más elevado.

CAPITULO 55

Este capítulo está basado en 1 Samuel 1; 2: 1-11.

El Niño Samuel

ELCANA, un levita del monte de Efraín, era hombre rico y de mucha influencia, que amaba y temía al Señor. Su esposa, Ana, era una mujer de piedad fervorosa. De carácter amable y modesto, se distinguía por una seriedad profunda y una fe muy grande.

A esta piadosa pareja le había sido negada la bendición tan vehementemente deseada por todo hebreo. Su hogar no conocía la alegría de las voces infantiles; y el deseo de perpetuar su nombre había llevado al marido a contraer un segundo matrimonio, como hicieron muchos otros. Pero este paso, inspirado por la falta de fe en Dios, no significó felicidad. Se agregaron hijos e hijas a la casa; pero se había mancillado el gozo y la belleza de la institución sagrada de Dios, y se había quebrantado la paz de la familia. Penina, la nueva esposa, era celosa e intolerante, y se conducía con mucho orgullo e insolencia. Para Ana, toda esperanza parecía estar destruida, y la vida le parecía una carga pesada; no obstante, soportaba la prueba con mansedumbre y sin queja alguna.

Elcana observaba fielmente las ordenanzas de Dios. Seguía subsistiendo el culto en Silo, pero debido a algunas irregularidades del ministerio sacerdotal no se necesitaban sus servicios en el santuario, al cual, siendo levita, debía atender. Sin embargo, en ocasión de las reuniones

645

prescritas, subía con su familia a adorar y a presentar su sacrificio.

Aun en medio de las sagradas festividades relacionadas con el servicio de Dios, se hacía sentir el espíritu maligno que afligía su hogar. Después de presentar las ofrendas, participaba toda la familia en un festín solemne aunque placentero. En esas ocasiones, Elcana daba a la madre de sus hijos una porción para ella y otra para cada uno de sus hijos; y en señal de consideración especial para Ana, le daba a ella una porción doble, con lo cual daba a entender que su afecto por ella era el mismo que si le hubiera dado un hijo. Entonces la segunda esposa, encendida de celos, reclamaba para sí la preferencia como persona altamente favorecida por Dios, y echaba en cara a Ana su condición de esterilidad como evidencia de que desagradaba al Señor. Esto se repitió año tras año hasta que Ana ya no lo pudo soportar. Siéndole imposible ocultar su dolor, rompió a llorar desenfrenadamente y se retiró de la fiesta. En vano trató su marido de consolarla diciéndole: "Ana, ¿por qué lloras? ¿Por qué no comes? ¿y por qué está afligido tu corazón? ¿No te soy yo mejor que diez hijos?" (véase 1 Samuel 1; 2: 1-11).

Ana no emitió reproche alguno. Confió a Dios la carga que ella no podía compartir con ningún amigo terrenal. Fervorosamente pidió que él le quitase su oprobio, y que le otorgase el precioso regalo de un hijo para criarlo y educarlo para él. Hizo un solemne voto, a saber, que si le concedía lo que pedía, dedicaría su hijo a Dios desde su nacimiento. Ana se había acercado a la entrada del tabernáculo, y en la angustia de su espíritu, "oró a Jehová, y lloró abundantemente". Pero hablaba con el Señor en silencio, sin emitir sonido alguno. Rara vez se presenciaban semejantes escenas de adoración en aquellos tiempos de maldad. En las mismas fiestas religiosas eran comunes los festines irreverentes y hasta las borracheras; y Elí, el sumo sacerdote, observando a Ana, supuso que estaba ebria. Con la idea de dirigirle un merecido reproche, le dijo severamente: "¿Hasta cuándo estarás ebria? Digiere tu vino".

Llena de dolor y sorprendida, Ana le contestó suavemente: "No, señor mío; yo soy una mujer atribulada de espíritu; no he bebido vino ni sidra, sino que he derramado mi alma delante de Jehová. No tengas a tu sierva por una mujer impía; porque por la magnitud de mis congojas y de mi aflicción he hablado hasta ahora".

El sumo sacerdote se conmovió profundamente, porque era hombre de Dios; y en lugar de continuar reprendiéndola pronunció una bendición sobre ella: "Ve en paz, y el Dios de Israel te otorgue la petición que le has hecho".

Le fue otorgado a Ana lo que había pedido; recibió el regalo por el cual había suplicado con tanto fervor. Cuando miró al niño, lo llamó Samuel, "pedido a Jehová". Tan pronto como el niño tuvo suficiente edad para ser separado de su madre, cumplió ella su voto. Amaba a su pequeñuelo con toda la devoción de que es capaz un corazón de madre; día tras día, mientras observaba su crecimiento, y escuchaba su parloteo infantil, sus afectos lo enlazaban cada vez más íntimamente. Era su único hijo, el don especial del cielo, pero lo había recibido como un tesoro consagrado a Dios, y no quería privar al Dador de lo que le pertenecía.

Una vez más Ana hizo el viaje a Silo con su esposo, y presentó al sacerdote, en nombre de Dios, su precioso don, diciendo: "Por este niño oraba, y Jehová me dio lo que le pedí. Yo, pues, lo dedico también a Jehová; todos los días que viva, será de Jehová".

Elí se sintió profundamente impresionado por la fe y devoción de esta mujer de Israel. Siendo él mismo un padre excesivamente indulgente, se quedó asombrado y humillado cuando vio el gran sacrificio de la madre al separarse de su único hijo para dedicarlo al servicio de Dios. Se sintió reprendido a causa de su propio amor egoísta, y con humildad y reverencia se postró ante el Señor y adoró.

El corazón de la madre rebosaba de gozo y alabanza, y anhelaba expresar toda su gratitud hacia Dios. El Espíritu divino la inspiró "y Ana oró y dijo:

"Mi corazón se regocija en Jehová,
mi poder se exalta en Jehová;
mi boca se ensanchó sobre mis enemigos,
por cuanto me alegré en tu salvación.
No hay santo como Jehová;

porque no hay ninguno fuera de ti,
y no hay refugio como el Dios nuestro.
No multipliquéis palabras de grandeza y altanería;
cesen las palabras arrogantes de vuestra boca;
porque el Dios de todo saber es Jehová,
y a él toca el pesar las acciones…
Jehová mata, y él da vida;
el hace descender al Seol, y hace subir.
Jehová empobrece, y él enriquece;
abate, y enaltece.
El levanta del polvo al pobre,
y del muladar exalta al menesteroso,
para hacerle sentarse con príncipes
y heredar un sitio de honor.
Porque de Jehová son las columnas de la tierra,
y él afirmó sobre ellas el mundo.
El guarda los pies de sus santos,
mas los impíos perecen en tinieblas;
porque nadie será fuerte por su propia fuerza.
Delante de Jehová serán quebrantados sus adversarios,
y sobre ellos tronará desde los cielos;
Jehová juzgará los confines de la tierra,
dará poder a su Rey,
y exaltará el poderío de su Ungido".

Las palabras de Ana eran proféticas, tanto en lo que tocaba a David, que había de reinar como soberano de Israel, como con relación al Mesías, el ungido del Señor. Refiriéndose primero a la jactancia de una mujer insolente y contenciosa, el canto apunta a la destrucción de los enemigos de Dios y al triunfo final de su pueblo redimido.

De Silo, Ana regresó quedamente a su hogar en Ramá, dejando al niño Samuel para que, bajo la instrucción del sumo sacerdote, se le educase en el servicio de la casa de Dios. Desde que el niño diera sus primeras muestras de inteligencia, la madre le había enseñado a amar y

Ana, para cumplir su voto, trajo el niño al templo y lo dejó al servicio de Elí, el sumo sacerdote.

JOE MANISCALCO © PPPA

reverenciar a Dios, y a considerarse a sí mismo como del Señor. Por medio de todos los objetos familiares que le rodeaban, ella había tratado de dirigir sus pensamientos hacia el Creador. Cuando se separó de su hijo no cesó la solicitud de la madre fiel por el niño. Era el tema de las oraciones diarias de ella. Todos los años le hacía con sus propias manos un manto para su servicio; y cuando subía a Silo a adorar con su marido, entregaba al niño ese recordatorio de su amor. Mientras la madre tejía cada una de las fibras de la pequeña prenda rogaba a Dios que su hijo fuese puro, noble, y leal. No pedía para él grandeza terrenal, sino que solicitaba fervorosamente que pudiese alcanzar la grandeza que el cielo aprecia, que honrara a Dios y beneficiara a sus conciudadanos.

¡Cuán grande fue la recompensa de Ana! ¡Y cuánto alienta a ser fiel el ejemplo de ella! A toda madre se le confían oportunidades de valor inestimable e intereses infinitamente valiosos. El humilde conjunto de deberes que las mujeres han llegado a considerar como una tarea tediosa debiera ser mirado como una obra noble y grandiosa. La madre tiene el privilegio de beneficiar al mundo por su influencia, y al hacerlo impartirá gozo a su propio corazón. A través de luces y sombras, puede trazar sendas rectas para los pies de sus hijos, que los llevarán a las gloriosas alturas celestiales. Pero sólo cuando ella procura seguir en su propia vida el camino de las enseñanzas de Cristo, puede la madre tener la esperanza de formar el carácter de sus niños de acuerdo con el modelo divino. El mundo rebosa de influencias corruptoras. Las modas y las costumbres ejercen sobre los jóvenes una influencia poderosa. Si la madre no cumple su deber de instruir, guiar y refrenar a sus hijos, éstos aceptarán naturalmente lo malo y se apartarán de lo bueno. Acudan todas las madres a menudo a su Salvador con la oración: "¿Cómo debe ser la manera de vivir del niño, y qué debemos hacer con él?" Cumpla ella las instrucciones que Dios dio en su Palabra, y se le dará sabiduría a medida que la necesite.

"Y el joven Samuel iba creciendo, y era acepto delante de Dios y delante de los hombres". Aunque Samuel pasaba su juventud en el tabernáculo dedicado al culto de Dios, no estaba libre de influencias perversas ni de ejemplo pecaminoso. Los hijos de Elí no temían a Dios ni

650

honraban a su padre; pero Samuel no buscaba la compañía de ellos, ni tampoco seguía sus malos caminos. Se esforzaba constantemente por llegar a ser lo que Dios deseaba que fuese. Este es un privilegio que tiene todo joven. Dios siente agrado cuando aun los niñitos se entregan a su servicio.

Samuel había sido puesto bajo el cuidado de Elí, y la amabilidad de su carácter le granjeó el cálido afecto del anciano sacerdote. Era bondadoso, generoso, obediente y respetuoso. Elí, apenado por los extravíos de sus hijos, encontraba reposo, consuelo y bendición en la presencia de su pupilo. Samuel era servicial y afectuoso, y ningún padre amó jamás a un hijo más tiernamente que Elí a este joven. Era cosa singular que entre el principal magistrado de la nación y un niño sencillo existiera tan cálido afecto. A medida que los achaques de la vejez le sobrevenían a Elí, y le abrumaba la ansiedad y el remordimiento por la conducta disipada de sus propios hijos, buscaba consuelo en Samuel.

No era costumbre que los levitas comenzaran a desempeñar sus servicios peculiares antes de cumplir los veinticinco años de edad, pero Samuel había sido una excepción a esta regla. Cada año se le encargaban responsabilidades de más importancia; y mientras era aún niño, se le puso un efod de lino como señal de consagración a la obra del santuario.

Aunque era muy joven cuando se le trajo a servir en el tabernáculo, Samuel tenía ya entonces algunos deberes que cumplir en el servicio de Dios, según su capacidad. Eran, al principio, muy humildes, y no siempre agradables; pero los desempeñaba lo mejor que podía, con corazón dispuesto. Introducía su religión en todos los deberes de la vida. Se consideraba como siervo de Dios, y miraba su obra como obra de Dios. Sus esfuerzos eran aceptados, porque los inspiraban el amor a Dios y un deseo sincero de hacer su voluntad. Así se hizo Samuel colaborador del Señor del cielo y de la tierra. Y Dios le preparó para que realizara una gran obra en favor de Israel.

Si se les enseñara a los niños a considerar el humilde ciclo de deberes diarios como la conducta que el Señor les ha trazado, como una escuela en la cual han de prepararse para prestar un servicio fiel y eficiente,

¡cuánto más agradable y honorable les parecería su trabajo! El cumplimiento de todo deber como para el Señor rodea de un encanto especial aun los menesteres más humildes, y vincula a los que trabajan en la tierra con los seres santos que hacen la voluntad de Dios en el cielo.

El éxito que se ha de obtener en esta vida, el éxito que nos asegurará la vida futura, depende de que hagamos fiel y concienzudamente las cosas pequeñas. En las obras menores de Dios no se ve menos perfección que en las más grandes. La mano que suspendió los mundos en el espacio es la que hizo con delicada pericia los lirios del campo. Y así como Dios es perfecto en su esfera, hemos de serlo nosotros en la nuestra. La estructura simétrica de un carácter fuerte y bello, se edifica por los actos individuales en cumplimiento del deber. Y la fidelidad debe caracterizar nuestra vida tanto en los detalles insignificantes como en los mayores. La integridad en las cosas pequeñas, la ejecución de actos pequeños de fidelidad y bondad alegrarán la senda de la vida; y cuando hayamos acabado nuestra obra en la tierra, se descubrirá que cada uno de los deberes pequeños ejecutados fielmente ejerció una influencia benéfica imperecedera.

Los jóvenes de nuestro tiempo pueden hacerse tan valiosos a los ojos de Dios como lo fue Samuel. Si conservan fielmente su integridad cristiana, pueden ejercer una influencia poderosa en la obra de reforma. Hombres tales se necesitan hoy. Dios tiene una obra especial para cada uno de ellos. Jamás lograron los hombres resultados más grandes en favor de Dios y de la humanidad que los que pueden lograr en esta época nuestra quienes sean fieles al cometido que Dios les ha confiado.

CAPITULO 56

Este capítulo está basado en 1 Samuel 2: 12-36.

Elí y sus Hijos

ELI era sacerdote y juez de Israel. Ocupaba los puestos más altos y de mayor responsabilidad entre el pueblo de Dios. Como hombre escogido divinamente para las sagradas obligaciones del sacerdocio, y puesto sobre todo el país como la autoridad judicial más elevada, se le consideraba como un ejemplo, y ejercía una gran influencia sobre las tribus de Israel. Pero aunque había sido nombrado para que gobernara al pueblo, no regía bien su propia casa. Elí era un padre indulgente. Amaba tanto la paz y la comodidad, que no ejercía su autoridad para corregir los malos hábitos ni las pasiones de sus hijos. Antes que contender con ellos, o castigarlos, prefería someterse a la voluntad de ellos, y les cedía en todo. En vez de considerar la educación de sus hijos como una de sus responsabilidades más importantes, trataba el asunto como si tuviera muy poca importancia.

El sacerdote y juez de Israel no había sido dejado en las tinieblas con respecto a la obligación de refrenar y disciplinar a los hijos que Dios había confiado a su cuidado. Pero Elí rehuyó estas obligaciones, porque contrariaban la voluntad de sus hijos, y le imponían la necesidad de castigarlos y de negarles ciertas cosas. Sin pesar las consecuencias terribles de su proceder, satisfizo todos los deseos de sus hijos, y descuidó la obra de prepararlos para el servicio de Dios y los deberes de la vida.

Dios había dicho de Abrahán: "Yo sé que *mandará* a sus hijos y a su casa después de sí, que guarden el camino de Jehová, haciendo justicia y juicio" (Génesis 18: 19). Pero Elí permitió que sus hijos le dominaran a él. El padre se sometió a los hijos. La maldición de la transgresión era aparente en la corrupción y la impiedad que distinguían la conducta de sus hijos. No apreciaban debidamente el carácter de Dios ni la santidad de su ley. El servicio de él era para ellos una cosa común. Desde su niñez se habían acostumbrado al santuario y su servicio; pero en vez de volverse más reverentes, habían perdido todo sentido de su santidad y significado. El padre no había corregido la falta de respeto que manifestaban hacia su propia autoridad, ni había refrenado su irreverencia por los servicios solemnes del santuario; y cuando llegaron a la edad viril estaban llenos de los frutos mortíferos del escepticismo y la rebelión.

Aunque estaban completamente incapacitados para el cargo, fueron puestos en el santuario como sacerdotes para ministrar ante Dios. El Señor había dado instrucciones muy precisas con respecto al ofrecimiento de los sacrificios; pero estos impíos cumplían el servicio de Dios con desprecio de la autoridad y no prestaban atención a la ley de las ofrendas y sacrificios, que debían presentarse de la manera más solemne. Los sacrificios, que apuntaban a la futura muerte de Cristo, tenían por objeto conservar en el corazón del pueblo la fe en el Redentor que había de venir. Por consiguiente, era de suma importancia que se acatasen estrictamente las instrucciones del Señor con respecto a ellos. Los sacrificios de agradecimiento eran especialmente una expresión de gratitud a Dios. En estas ofrendas solamente la grasa del animal debía quemarse en el altar; cierta porción especificada se reservaba para los sacerdotes, pero la mayor parte era devuelta al dador, para que la comiesen él y sus amigos en un festín de sacrificio. Así todos los corazones se habían de dirigir, con gratitud y fe, al gran Sacrificio que había de quitar los pecados del mundo.

Los hijos de Elí, en vez de reconocer la solemnidad de este servicio simbólico, sólo pensaban en cómo hacer de él un medio de satisfacer sus propios deseos. No se contentaban con la parte de las ofrendas de gracias que se les destinaba, exigían una porción adicional; y el gran número de estos sacrificios que se presentaban en las fiestas anuales daba a los sacerdotes oportunidad de enriquecerse a costa del pueblo. No sólo exigían más de lo que lícitamente les correspondía, sino que hasta se negaban a esperar que la grasa se quemase como ofrenda a Dios. Persistían en exigir cualquier porción que les agradase, y si les era negada, amenazaban con tomarla por la fuerza.

Esta irreverencia por parte de los sacerdotes no tardó en despojar los servicios de su significado santo y solemne, y los del pueblo "menospreciaban las ofrendas de Jehová" (véase 1 Samuel 2: 12-36). Ya no conocían el gran sacrificio antitípico hacia el cual debían mirar. "Era pues el pecado de los mozos muy grande delante de Jehová".

Estos sacerdotes infieles violaban también la ley de Dios y deshonraban su santo cargo por sus prácticas viles y degradantes; pero continuaban contaminando con su presencia el tabernáculo de Dios. Mucha gente, llena de indignación por la conducta corrompida de Ofni y Finees, dejó de subir al lugar señalado para el culto. Así el servicio que Dios había ordenado fue menospreciado y descuidado porque estaba asociado con los pecados de hombres impíos, mientras que aquellos cuyos corazones se inclinaban hacia el mal se envalentonaron en el pecado. La impiedad, el libertinaje y hasta la idolatría prevalecían en forma alarmante.

Elí había cometido un grave error al permitir que sus hijos asumieran los cargos sagrados. Al disculpar la conducta de ellos con este o aquel pretexto, quedó ciego con respecto a sus pecados; pero por último llegaron a tal punto que ya no pudo desviar más los ojos de los delitos de sus hijos. El pueblo se quejaba de sus actos de violencia, y el sumo sacerdote sintió pesar y angustia. No osó callar por más tiempo. Pero sus hijos se habían criado pensando sólo en sí mismos, y ahora no respetaban a nadie. Veían la angustia de su padre, pero sus corazones endurecidos no se conmovían. Oían sus benignas amonestaciones, pero no se dejaban impresionar, ni quisieron cambiar su mal camino cuando fueron advertidos de las consecuencias de su pecado. Si Elí hubiera tratado con justicia a sus hijos impíos, habrían sido destituidos del sacerdocio y castigados con la muerte. Temiendo deshonrarlos así públicamente y condenarlos, los mantuvo en los puestos más sagrados y de más responsabilidad. Siguió permitiéndoles que mezclaran su corrupción con el santo servicio de Dios, y que infligieran a la causa de la verdad un perjuicio que muchos años no podrían borrar. Pero cuando el juez de Israel descuidó su obra, Dios se hizo cargo de la situación.

"Y vino un varón de Dios a Elí, y le dijo: Así ha dicho Jehová: ¿No me manifesté yo claramente a la casa de tu padre, cuando estaban en Egipto en casa de Faraón? Y yo le escogí por mi sacerdote entre todas las tribus de Israel, para que ofreciese sobre mi altar, y quemase incienso, y llevase efod delante de mí; y di a la casa de tu padre todas las ofrendas de los hijos de Israel. ¿Por qué habéis hollado mis sacrificios y mis ofrendas, que yo mandé ofrecer en el tabernáculo; y has honrado a tus hijos más que a mí, engordándoos de lo principal de todas las ofrendas de mi pueblo Israel? Por tanto, Jehová el Dios de Israel dice: Yo había dicho que tu casa y la casa de tu padre andarían delante de mí perpetuamente; mas ahora ha dicho Jehová: Nunca yo tal haga, porque yo honraré a los que me honran, y los que me desprecian serán tenidos en poco… Y yo me suscitaré un sacerdote fiel, que haga conforme a mi corazón y a mi alma; y yo le edificaré casa firme, y andará delante de mi ungido todos los días".

Dios acusó a Elí de honrar a sus hijos más que al Señor. Antes que avergonzar a sus hijos por sus prácticas impías y odiosas, Elí había permitido que la ofrenda destinada por Dios a ser una bendición para Israel se trocase en cosa abominable. Los que siguen sus propias inclinaciones, en su afecto ciego por sus hijos, y, permitiéndoles que satisfagan sus deseos egoístas, no les hacen sentir el peso de la autoridad de Dios para reprender el pecado y corregir el mal, ponen de manifiesto que honran a sus hijos impíos más que a Dios. Sienten más anhelo por escudar la reputación de ellos que por glorificar a Dios; y tienen más deseo de complacer a sus hijos que de agradar al Señor y de mantener su servicio libre de toda apariencia de mal.

A Elí, como sumo sacerdote y juez de Israel, Dios le consideraba responsable por la condición moral y religiosa de su pueblo, y en un sentido muy especial, por el carácter de sus hijos. El debió haber procurado refrenar primero la impiedad por medidas benignas; pero si éstas no daban resultados positivos, debiera haber dominado el mal por los medios más severos. Provocó el desagrado del Señor al no reprender el pecado ni ejecutar justicia sobre el pecador. No se podría confiar en él para que mantuviera puro a Israel. Aquellos que no tienen suficiente valor para reprender el mal, o que por indolencia o falta de interés no hacen esfuerzos fervientes para purificar la familia o la iglesia de Dios, son considerados responsables del mal que resulte de su descuido del deber. Somos tan responsables de los males que hubiéramos podido impedir en otros por el ejercicio de la autoridad paternal o pastoral, como si hubiésemos cometido los tales hechos nosotros mismos.

Elí no administró su casa de acuerdo con los reglamentos que Dios dio para el gobierno de la familia. Siguió su propio juicio. El padre indulgente pasó por alto las faltas y los pecados de sus hijos en su niñez, lisonjeándose de que después de algún tiempo, al crecer, abandonarían sus tendencias impías. Muchos están cometiendo ahora un error semejante. Creen conocer una manera mejor de educar a sus hijos que la indicada por Dios en su Palabra. Fomentan tendencias malas en ellos y se excusan diciendo: "Son demasiado jóvenes para ser castigados. Esperemos que sean mayores, y se pueda razonar con ellos". En esta forma se permite que los malos hábitos se fortalezcan hasta convertirse en una segunda naturaleza. Los niños crecen sin freno, con rasgos de carácter que serán una maldición para ellos durante toda su vida, y que propenderán a reproducirse en otros.

No hay maldición más grande en una casa que la de permitir a los niños que hagan su propia voluntad. Cuando los padres acceden a todos los deseos de sus hijos y les permiten participar en cosas que reconocen perjudiciales, los hijos pierden pronto todo respeto por sus padres, toda consideración por la autoridad de Dios o del hombre, y son llevados cautivos de la voluntad de Satanás. La influencia de una familia mal gobernada se difunde, y es desastrosa para toda la sociedad. Se acumula en una ola de maldad que afecta a las familias, las comunidades y los gobiernos.

A causa de su cargo, la influencia de Elí era mayor que si hubiera sido un hombre común. Su vida familiar se imitaba por doquiera en Israel. Los resultados funestos de su negligencia y de sus costumbres indulgentes se podían ver en miles de hogares que seguían el modelo de su ejemplo. Si se toleran las prácticas impías en los hijos mientras que los padres hacen profesión de religión, la verdad de Dios queda expuesta al oprobio. La mejor prueba del cristianismo en un hogar es la clase de carácter engendrada por su influencia. Las acciones hablan en voz mucho más alta que la profesión de piedad más positiva.

Si los que profesan la religión, en vez de hacer esfuerzos fervientes, persistentes y concienzudos para criar una familia bien ordenada como testimonio de los beneficios que reporta la fe en Dios, son flojos en el gobierno de la casa y toleran los malos deseos de sus hijos, obran como Elí y acarrean deshonra a la causa de Cristo, y ruina para sí mismos y sus familias. Pero por grandes que sean los males debidos a la infidelidad paternal en cualquier circunstancia, son diez veces mayores cuando existen en las familias de quienes fueron designados maestros del pueblo. Cuando éstos no gobiernan sus propias casas, desvían por su mal ejemplo a muchos del buen camino. Su culpabilidad es tanto mayor que la de los demás cuanto mayor es la responsabilidad de su cargo.

Se había prometido que la casa de Aarón andaría siempre delante de Dios; pero esta promesa se había hecho a condición de que los miembros de la tal casa se dedicaran a la obra del santuario con corazón sincero y honraran a Dios en toda forma, no sirviéndose a sí mismos ni siguiendo sus propias inclinaciones perversas. Elí y sus hijos habían sido probados, y el Señor los había hallado enteramente indignos del elevado cargo de sacerdotes en su servicio. Así que Dios declaró: "Nunca yo tal haga". No podía hacer en su favor el bien que quería hacerles, porque ellos no habían hecho su parte.

El ejemplo que deben dar los que sirven en las cosas santas debe ser de tal carácter que induzca al pueblo a reverenciar a Dios y a temer ofenderle. Cuando los hombres que actúan como "en nombre de Cristo" (2 Corintios 5: 20), para proclamar al pueblo el mensaje divino de misericordia y reconciliación, usan su sagrada vocación como un disfraz para satisfacer sus deseos egoístas o sensuales, se convierten en los agentes más eficaces de Satanás. Como Ofni y Finees, inducen al pueblo a aborrecer el sacrificio a Jehová. Puede ser que se entreguen secretamente a su mala conducta por algún tiempo; pero cuando finalmente se revela su verdadero carácter, la fe del pueblo recibe un golpe que a menudo resulta en la destrucción de toda fe en la religión. Queda en su mente desconfianza hacia todos los que profesan enseñar la palabra de Dios. Reciben con dudas el mensaje del siervo verdadero de Cristo. Se preguntan constantemente: "¿No será este hombre como aquel que creíamos tan santo y que resultó tan corrupto?" Así pierde la palabra de Dios todo su poder sobre las almas de los hombres.

En la reprensión que dirigió Elí a sus hijos, hay palabras de significado solemne y terrible, palabras que deben pesar todos los que sirven en las cosas sagradas: "Si pecare el hombre contra el hombre, los jueces le juzgarán; mas si alguno pecare contra Jehová, ¿quién rogará por él?" Si los delitos de ellos hubieran perjudicado tan sólo a sus semejantes, el juez podría haber hecho una reconciliación señalando una pena y requiriendo la restitución correspondiente; y los culpables podrían haber sido perdonados. O si su pecado no hubiese sido de presunción, podría haberse ofrecido en su favor un sacrificio expiatorio. Pero sus pecados estaban tan entretejidos con su ministerio como sacerdotes del Altísimo en el ofrecimiento de sacrificios por los pecados, y la obra de Dios había sido tan profanada y deshonrada ante el pueblo, que no había expiación aceptable en su favor. Su propio padre, a pesar de que era sumo sacerdote, no se atrevía a interceder por ellos; ni podía escudarlos de la ira de un Dios santo.

De todos los pecadores, son más culpables los que arrojan menosprecio sobre los medios que el cielo proveyó para la redención del hombre, los que crucifican "de nuevo para sí mismos al Hijo de Dios", y le exponen "a vituperio" (Hebreos 6: 6).

CAPITULO 57

El Arca Tomada por los Filisteos

OTRA advertencia había de ser dada a la casa de Elí. Dios no podía comunicarse con el sumo sacerdote ni con sus hijos; sus pecados, como densa nube, excluían la presencia del Espíritu Santo. Pero en medio de la impiedad el niño Samuel permanecía fiel al cielo, y fue comisionado, como profeta del Altísimo, para dar el mensaje de condenación a la casa de Elí.

"La palabra de Jehová escaseaba en aquellos días; no había visión con frecuencia. Y aconteció un día, que estando Elí acostado en su aposento, cuando sus ojos comenzaban a oscurecerse de modo que no podía ver, Samuel estaba durmiendo en el templo de Jehová, donde estaba el arca de Dios; y antes que la lámpara de Dios fuese apagada, Jehová llamó a Samuel" (véase 1 Samuel 3-7).

Creyendo que la voz era de Elí, el niño se apresuró a ir al lado de la cama del sacerdote, diciéndole: "Heme aquí; ¿para qué me llamaste?" La contestación que recibió fue: "Hijo mío, yo no he llamado; vuelve, y acuéstate". Tres veces fue llamado Samuel, y tres veces contestó de la misma manera. Y entonces Elí se convenció de que la voz misteriosa era la de Dios. El Señor había pasado por alto a su siervo elegido, el anciano canoso, para comunicarse con un niño. Esto era de por sí un reproche

El arca del pacto fue capturada por los paganos durante la batalla entre Israel y los filisteos.

JOHN STEEL © PPPA

amargo, pero bien merecido para Elí y su casa.

Ningún sentimiento de envidia o celos se despertó en el corazón de Elí. Le aconsejó a Samuel que contestara, si se le llamaba nuevamente: "Habla, Jehová, porque tu siervo oye". Una vez más se oyó la voz, y el niño contestó: "Habla, porque tu siervo oye". Estaba tan asustado al pensar que el gran Dios le hablaba, que no pudo recordar exactamente las palabras que Elí le había mandado decir.

"Y Jehová dijo a Samuel: He aquí haré yo una cosa en Israel, que a quien la oyere, le retiñirán ambos oídos. Aquel día yo cumpliré contra Elí todas las cosas que he dicho sobre su casa, desde el principio hasta el fin. Y le mostraré que yo juzgaré su casa para siempre, por la iniquidad que él sabe; porque sus hijos han blasfemado a Dios, y él no los ha estorbado. Por tanto, yo he jurado a la casa de Elí que la iniquidad de la casa de Elí no será expiada jamás, ni con sacrificios ni con ofrendas".

Antes de recibir este mensaje de Dios, "Samuel no había conocido aún a Jehová, ni la palabra de Jehová le había sido revelada", es decir, que no había experimentado manifestaciones directas de la presencia de Dios como las que se otorgaban a los profetas. El propósito de Dios era revelarse de una manera inesperada, para que Elí oyera hablar de ello por medio de la sorpresa y de las preguntas del joven.

Samuel se llenó de terror y asombro al pensar que se le había encargado tan terrible mensaje. Por la mañana se dedicó a sus quehaceres como lo hacía ordinariamente, pero con una carga pesada en su joven corazón. El Señor no le había ordenado que revelara la temible denuncia; por consiguiente, guardó silencio, y evitaba en lo posible la presencia de Elí. Temblaba por temor de que alguna pregunta le obligara a declarar el juicio divino contra aquel a quien tanto amaba y reverenciaba. Elí estaba seguro de que el mensaje anunciaba alguna gran calamidad para él y su casa. Llamó a Samuel y le ordenó que le relatara fielmente lo que el Señor le había revelado. El joven obedeció, y el anciano se postró en humilde sumisión a la horrenda sentencia. "Jehová es —dijo—; haga lo que bien le pareciere".

Sin embargo, Elí no llevó los frutos del arrepentimiento verdadero. Confesó su culpa, pero no renunció al pecado. Año tras año el Señor había postergado los castigos con que le amenazaba. Mucho pudo haberse hecho en aquellos años para redimir los fracasos del pasado; pero el anciano sacerdote no tomó medidas eficaces para corregir los males que estaban contaminando el santuario de Jehová y llevando a la ruina a millares de Israel. Por el hecho de que Dios tuviera paciencia, Ofni y Finees endurecieron su corazón y se envalentonaron en la transgresión.

Elí hizo conocer a toda la nación los mensajes de reproche que habían sido dirigidos a su casa. Así esperaba contrarrestar, hasta cier punto, la influencia maléfica de su negligencia anterior. Pero las advertencias fueron menospreciadas por el pueblo, como lo habían sido por los sacerdotes. También los pueblos de las naciones circunvecinas, que no ignoraban las iniquidades abiertamente practicadas en Israel, se envalentonaron aun más en su idolatría y en sus crímenes. No sentían la culpabilidad de sus pecados como la habrían sentido si los israelitas hubieran preservado su integridad.

Pero el día de la retribución se aproximaba. La autoridad de Dios había sido puesta a un lado, y su culto descuidado y menospreciado, y se había hecho necesario que él interviniera para sostener el honor de su nombre.

"Por aquel tiempo salió Israel a encontrar en batalla a los filisteos, y acampó junto a Eben-ezer, y los filisteos acamparon en Afec". Esta expedición fue emprendida por los israelitas sin haber consultado previamente a Dios, y sin que concurriera el sumo sacerdote ni profeta alguno. "Y los filisteos presentaron la batalla a Israel; y trabándose el combate, Israel fue vencido delante de los filisteos, los cuales hirieron en la batalla en el campo como a cuatro mil hombres".

Cuando el ejército regresó a su campamento quebrantado y descorazonado, "los ancianos de Israel dijeron: ¿Por qué nos ha herido hoy Jehová delante de los filisteos?" La nación estaba madura para los castigos de Dios; y sin embargo, no podía ver ni comprender que sus propios pecados habían sido la causa de ese terrible desastre. Y dijeron: "Traigamos a nosotros de Silo el arca del pacto de Jehová, para que viniendo entre nosotros nos salve de la mano de nuestros enemigos". El Señor no había dado orden ni permiso de que el arca fuese llevada al ejército; no obstante, los israelitas se sintieron seguros de que la victoria sería suya, y dejaron oír un gran grito cuando el arca fue traída al campamento por los hijos de Elí.

Los filisteos consideraban el arca como el dios de Israel. Atribuían a su poder todas las grandes obras que Jehová había hecho en beneficio de su pueblo. Cuando oyeron los gritos de regocijo lanzados al aproximarse el arca, dijeron: "¿Qué voz de gran júbilo es ésta en el campo de los hebreos? Y supieron que el arca de Jehová había sido traída al campamento. Y los filisteos tuvieron miedo, porque decían: Ha venido Dios al campamento. ¡Ay de nosotros! pues antes de ahora no fue así. ¡Ay de nosotros! ¿Quién nos librará de las manos de estos dioses poderosos? Estos son los dioses que hirieron a Egipto con toda plaga en el desierto. Esforzaos, oh filisteos, y sed hombres, para que no sirváis a los hebreos, como ellos os han servido a vosotros; sed hombres, y pelead".

Los filisteos realizaron un asalto feroz, que resultó en la derrota total de Israel, y en una gran carnicería. Treinta mil hombres quedaron muertos en el campo, y el arca de Dios fue tomada; los dos hijos de Elí perecieron mientras luchaban por defenderla. Así quedó en las páginas de la historia un testimonio para todas las edades futuras, a saber, que la iniquidad del pueblo que profesa seguir a Dios no quedará impune. Cuanto mayor sea el conocimiento de la voluntad de Dios, tanto mayor será el pecado de los que la desprecien.

Había caído sobre Israel la calamidad más horrorosa que pudo haberle ocurrido. El arca de Dios había sido tomada, y estaba en posesión del enemigo. La gloria se había apartado ciertamente de Israel cuando fue quitado de su medio el símbolo de la presencia permanente de Jehová y de su poder. Con esta sagrada arca iban asociadas las revelaciones más maravillosas de la verdad y del poder de Dios. En tiempos anteriores se habían logrado victorias milagrosas siempre que ella aparecía. La cubría la sombra de las alas de los querubines de oro; y la gloria indecible de la *shekina*,* símbolo visible del Dios altísimo, había descansado sobre ella en el lugar santísimo. Pero ahora no había traído la victoria. No había sido una defensa en esta ocasión, y había luto por doquiera en Israel.

No habían comprendido que su fe era tan sólo una fe nominal, y que habían perdido su poder de prevalecer con Dios. La ley de Dios, contenida en el arca, era también un símbolo de su presencia; pero ellos habían escarnecido los mandamientos, habían despreciado sus exigencias, y agraviado al Espíritu de Dios, al punto de hacerle alejarse de entre ellos. Mientras el pueblo obedeció los santos preceptos, el Señor estuvo con él para obrar en su beneficio mediante su infinito poder; pero cuando miró al arca sin asociarla con Dios, ni honró su voluntad revelada obedeciendo a su ley, no le fue de más ayuda que un cofre cualquiera. Consideraba el arca como las naciones idólatras consideraban a sus dioses, como si ella poseyera en sí misma los elementos de poder y salvación. Violaba la ley que ella contenía; pues su misma adoración del arca lo llevó al formalismo, a la hipocresía y a la idolatría. Su pecado lo había separado de Dios, y él no podía darle la victoria antes que se arrepintiera y abandonara su iniquidad.

No bastaba que el arca y el santuario estuviesen en medio de Israel. No bastaba que los sacerdotes ofrecieran sacrificios y que los del pueblo se llamaran los hijos de Dios. El Señor no escucha las peticiones de quienes albergan iniquidad en el corazón; está escrito: "El que aparta su oído para no oír la ley, su oración también es abominable" (Proverbios 28: 9).

Cuando el ejército salió a librar batalla, Elí, ciego y anciano, se había quedado en Silo. Con presentimientos perturbadores esperaba el resultado del conflicto; "porque su corazón estaba temblando por causa del arca de Dios". Habiendo elegido un sitio fuera de la puerta del tabernáculo, se quedaba sentado a la vera del camino día tras día, esperando ansiosamente la llegada de algún mensajero del campo de batalla.

Por último, un hombre de la tribu de Benjamín que formaba parte del ejército, llegó subiendo de prisa por el camino que conducía a la ciudad, "rotos sus vestidos y tierra sobre su cabeza". Pasó frente al anciano sentado a la vera del camino sin hacerle caso, se apresuró a llegar a la ciudad, y relató a multitudes anhelantes las noticias de la derrota y la pérdida.

El ruido de los gemidos y las lamentaciones llegó a los oídos del que atalayaba al lado del tabernáculo. Fue llevado el mensajero a la presencia de Elí y le dijo: "Israel huyó delante de los filisteos, y también fue hecha gran mortandad en el pueblo; y también tus dos hijos, Ofni y Finees, fueron muertos". Elí pudo soportar todo esto, por terrible que fuera, pues lo había esperado. Pero cuando el mensajero agregó: "Y el arca de Dios ha sido tomada", una expresión de angustia indecible pasó por su semblante. La idea de que su pecado había deshonrado así a Dios, y le había hecho retirar su presencia de Israel, era más de lo que podía soportar; perdió su fuerza, cayó, "y se desnucó y murió".

La esposa de Finees, a pesar de la impiedad de su marido, era una mujer que temía al Señor. La muerte de su suegro y de su marido, y sobre todo, la terrible noticia de que el arca de Dios había sido tomada, le causaron la muerte. Le pareció que la última esperanza de Israel había desaparecido; y llamó al hijo que le acababa de nacer en esa hora de adversidad, Icabod, "sin gloria". Y con su último aliento repitió las tristes palabras: "¡Traspasada es la gloria de Israel! por haber sido tomada el arca de Dios".

Pero el Señor no había desechado completamente a su pueblo, ni tampoco iba a tolerar mucho tiempo el júbilo de los paganos. Había usado a los filisteos como instrumento para castigar a los israelitas, y empleó el arca para castigar a los filisteos. En tiempos anteriores, la divina presencia la había acompañado, para ser la fuerza y la gloria de su pueblo obediente. Aún la acompañaría esa presencia invisible, para infundir terror y ocasionar destrucción a los transgresores de la santa ley. A menudo el Señor emplea a sus acérrimos enemigos para castigar la infidelidad del pueblo que profesa seguirle. Los impíos podrán triunfar por algún tiempo, viendo a Israel sufrir el castigo; pero llegará el momento cuando ellos también habrán de sufrir la sentencia de un Dios santo que odia el pecado. Doquiera se abrigue la iniquidad, allí caerán rápidos y certeros los juicios divinos.

Los filisteos llevaron el arca en procesión triunfal a Asdod, una de sus cinco ciudades principales, y la pusieron en la casa de su dios Dagón. Se imaginaban que el poder que hasta entonces había acompañado el arca sería suyo, y que, unido al poder de Dagón, los haría invencibles. Pero al entrar en el templo al día siguiente, presenciaron una escena que los llenó de consternación. Dagón había caído de bruces al suelo ante el arca de Jehová. Reverentemente, los sacerdotes recogieron el ídolo y lo colocaron en su sitio, pero a la mañana siguiente lo encontraron misteriosamente mutilado, otra vez derribado en el suelo ante el arca. La parte superior de este ídolo era semejante a la de un hombre, y la parte inferior se asemejaba a la de un pez. Ahora toda la parte que se parecía a la forma humana había sido cortada, y quedaba solamente el cuerpo del pez. Los sacerdotes y el pueblo estaban horrorizados; consideraban este acontecimiento misterioso como un mal augurio que presagiaba la destrucción de ellos y de sus ídolos ante el Dios de los hebreos. Sacaron entonces el arca del templo y la colocaron en un edificio aparte.

Los habitantes de Asdod se vieron afectados por una enfermedad angustiosa y fatal. Recordando las plagas que el Dios de Israel había infligido a Egipto, el pueblo atribuyó esta calamidad a la presencia del arca entre ellos. Se decidió llevarla a Gat. Pero poco después de su llegada allí comenzó la plaga y los hombres de la ciudad la enviaron a Ecrón. Los habitantes la recibieron con terror y clamando: "Han pasado a nosotros el arca del Dios de Israel para matarnos a nosotros y a nuestro pueblo". Se volvieron a sus dioses en busca de protección, como lo había hecho la gente de Gat y de Asdod; pero la obra de exterminio siguió hasta que, por causa de la aflicción "el clamor de la ciudad subía al cielo". Temiendo el pueblo conservar el arca en habitaciones humanas, la colocó en campo raso. Siguió entonces una plaga de ratones, que infestaron la tierra y destruyeron los productos agrícolas, tanto en los graneros como en el campo. La destrucción total, ya fuese por la enfermedad o por el hambre, amenazaba ahora a toda la nación.

Durante siete meses el arca permaneció en la tierra de los filisteos, y en todo este tiempo los israelitas no hicieron esfuerzo alguno por recobrarla. Pero los filisteos tenían ahora tanta ansia de deshacerse de ella, como antes la habían tenido por obtenerla. En vez de ser una fuente de fortaleza para ellos, era una carga pesada y una gran maldición. Sin embargo, no sabían qué hacer, pues adondequiera que la llevasen seguían inmediatamente los juicios de Dios.

El pueblo clamó a los príncipes de la nación, como también a los sacerdotes y adivinos; y ansiosamente les preguntó: "¿Qué haremos del arca de Jehová? Hacednos saber de qué manera la hemos de volver a enviar a su lugar". Ellos aconsejaron que la devolvieran con un costoso sacrificio de expiación. "Ellos dijeron: … seréis sanos, y conoceréis por qué no se apartó de vosotros su mano".

Antiguamente, para reprimir o eliminar una plaga, solían hacer los paganos una representación en oro, plata u otros materiales, de aquello que causaba la destrucción, o del objeto o parte del cuerpo especialmente afectados. Esta representación o imagen se colocaba en una columna o en algún lugar visible, y se creía que constituía una protección eficaz contra los males que representaba. Todavía subsiste hoy una costumbre semejante entre ciertos pueblos paganos. Cuando una persona que sufre de alguna enfermedad va al templo de su ídolo en busca de curación, lleva consigo una figura de la parte afectada, y la presenta como ofrenda a su dios.

En consonancia con la superstición reinante, los señores filisteos aconsejaron al pueblo que hiciera representaciones de las plagas que les habían estado afligiendo, "conforme al número de los príncipes de los filisteos, cinco tumores de oro, y cinco ratones de oro, porque —dijeron ellos— una misma plaga ha afligido a todos vosotros y a vuestros príncipes".

Estos sabios reconocieron que un poder misterioso acompañaba al arca, un poder al que no sabían hacer frente. Sin embargo, no aconsejaron al pueblo que se apartara de su idolatría para servir al Señor. Seguían odiando al Dios de Israel, aunque se veían obligados a someterse a su autoridad, por los castigos abrumadores. Así también pueden los pecadores verse convencidos por los juicios de Dios de que es vano contender contra él. Pueden verse obligados a someterse a su poder, mientras que en su corazón se rebelan contra su dominio. Una sumisión tal no puede salvar al pecador. El corazón debe ser entregado a Dios; debe ser subyugado por la gracia divina, antes de que el arrepentimiento del hombre pueda ser aceptado.

¡Cuán grande es la longanimidad de Dios hacia los impíos! Tanto los filisteos idólatras como los israelitas apóstatas habían gozado de las dádivas de su providencia. Diez mil misericordias inadvertidas caían silenciosamente sobre la senda de hombres ingratos y rebeldes. Cada bendición les hablaba del Dador, pero ellos eran indiferentes a su amor. Muy grande era la tolerancia de Dios hacia los hijos de los hombres; pero cuando ellos se obstinaron en su impenitencia, apartó de ellos su mano protectora. Se negaron a escuchar la voz de Dios, que les hablaba en sus obras creadas y en las advertencias, las represiones y los consejos de su Palabra, y así se vio obligado a hablarles por medio de sus juicios.

Había entre los filisteos algunos que estaban dispuestos a oponerse a que se devolviera el arca a su tierra. Consideraban humillante para su pueblo un reconocimiento tal del poderío del Dios de Israel. Pero "los sacerdotes y adivinos" advirtieron al pueblo que no imitara la testarudez de Faraón y de los egipcios, y no trajera sobre sí calamidades aún mayores.

Se propuso entonces un proyecto que pronto alcanzó el consentimiento de todos y en seguida se puso en práctica. El arca, con la ofrenda de oro, fue colocada en un carro nuevo, a fin de evitarle todo peligro de contaminación; a este carro se uncieron dos vacas, cuyas cervices no

habían llevado yugo. Los terneros de estas vacas se dejaron encerrados en casa, y las vacas fueron dejadas libres para que fueran adonde quisieran. Si el arca fuese así devuelta a los israelitas por el camino de Bet-semes, la ciudad de levitas más cercana, ello sería para los filisteos una evidencia de que el Dios de Israel les había hecho a ellos este gran mal. "Si no —dijeron—, sabremos que no es su mano la que nos ha herido, sino que esto ocurrió por accidente".

Al ser soltadas, las vacas se alejaron de sus crías, y mugiendo tomaron el camino directo a Bet-semes. Sin dirección humana alguna, los pacientes animales siguieron adelante. La presencia divina acompañaba el arca, y ésta llegó con toda seguridad al sitio señalado.

Era entonces el tiempo de la cosecha del trigo, y los hombres de Bet-semes estaban segando en el valle. "Y alzando los ojos vieron el arca, y se regocijaron cuando la vieron. Y el carro vino al campo de Josué de Bet-semes, y paró allí donde había una gran piedra; y ellos cortaron la madera del carro, y ofrecieron las vacas en holocausto a Jehová". Los señores de los filisteos, que habían seguido el arca, "hasta el límite de Bet-semes" y habían presenciado el recibimiento que le habían hecho, regresaron ahora a Ecrón. La plaga había cesado, y estaban convencidos de que sus calamidades habían sido un juicio del Dios de Israel.

Los hombres de Bet-semes difundieron prestamente la noticia de que el arca estaba en su posesión, y la gente de la tierra circundante acudió a dar la bienvenida al arca. Esta había sido colocada sobre la piedra que primero sirvió de altar, y ante ella se ofrecieron al Señor otros sacrificios adicionales. Si los adoradores se hubieran arrepentido de sus pecados, la bendición de Dios los habría acompañado. Pero no estaban obedeciendo fielmente a su ley; y aunque se regocijaban por el regreso del arca como presagio de bien, no reconocían verdaderamente su santidad. En vez de preparar un sitio apropiado para recibirla, permitieron que permaneciera en el campo de la mies. Mientras continuaban mirando la sagrada arca, y hablando de la manera maravillosa en que les había sido devuelta, comenzaron a hacer conjeturas acerca de donde residía su poder especial. Por último, vencidos por la curiosidad, quitaron los envoltorios de ella, y se atrevieron a abrirla.

A todo Israel se le había enseñado a considerar el arca con temor y reverencia. Cuando había que trasladarla de un lugar a otro, los levitas ni siquiera debían mirarla. Solamente una vez al año se le permitía al sumo sacerdote contemplar el arca de Dios. Hasta los filisteos paganos no se habían atrevido a quitarle los envoltorios. Angeles celestiales invisibles la habían acompañado en todos sus viajes. La irreverente osadía de los bet-semitas fue prestamente castigada. Muchos fueron heridos de muerte repentina.

Este juicio no indujo a los sobrevivientes a arrepentirse de su pecado, sino sólo a considerar el arca con temor supersticioso. Ansiosos de deshacerse de su presencia, y no atreviéndose, sin embargo, a trasladarla a otro sitio, los bet-semitas enviaron un mensaje a los habitantes de Quiriat-jearim, para invitarlos a que se la llevaran. Con gran regocijo los hombres de dicho lugar dieron la bienvenida al arca sagrada. Sabían muy bien que ella era garantía del favor divino para los obedientes y fieles. Con alegría solemne la condujeron a su ciudad, y la pusieron en la casa de Abinadab, levita que habitaba allí. Este hombre designó a su hijo Eleazar para que se encargara de ella; y el arca permaneció allí muchos años.

Durante los años transcurridos desde que el Señor se manifestó por primera vez al hijo de Ana, el llamamiento a Samuel al cargo profético había sido reconocido por toda la nación. Al transmitir fielmente la divina advertencia a la casa de Elí, por penoso que fuera dicho deber, Samuel había dado pruebas evidentes de su fidelidad como mensajero de Jehová, "y Jehová estaba con él, y no dejó caer a tierra ninguna de sus palabras. Y todo Israel, desde Dan hasta Beerseba, conoció que Samuel era fiel profeta de Jehová".

Los israelitas aún continuaban, como nación, en un estado de irreligión e idolatría, y como castigo permanecían sujetos a los filisteos. Mientras tanto, Samuel visitaba las ciudades y aldeas de todo el país, procurando hacer volver el corazón del pueblo al Dios de sus padres; y sus esfuerzos no quedaron sin buenos resultados. Después de sufrir la opresión de sus enemigos durante veinte años, "toda la casa de Israel lamentaba en pos de Jehová". Samuel les aconsejó: "Si de todo vuestro corazón os volvéis a Jehová, quitad los dioses ajenos y a Astarot de entre vosotros, y preparad vuestro corazón a Jehová, y sólo a él servid". Aquí vemos que la piedad práctica, la religión del corazón, era enseñada en los días de Samuel como lo fue por Cristo cuando estuvo en la tierra. Sin la gracia de Cristo, de nada le valían al Israel de antaño las formas externas de la religión. Tampoco valen para el Israel moderno.

Es hoy muy necesario que la verdadera religión del corazón reviva como sucedió en el antiguo Israel. El arrepentimiento es el primer paso que debe dar todo aquel que quiera volver a Dios. Nadie puede hacer esta obra por otro. Individualmente debemos humillar nuestras almas ante Dios, y apartar nuestros ídolos. Cuando hayamos hecho todo lo que podamos, el Señor nos manifestará su salvación.

Con la cooperación de los jefes de las tribus, se reunió una gran asamblea en Mizpa. Allí se celebró un ayuno solemne. Con profunda humillación, el pueblo confesó sus pecados; y en testimonio de su resolución de obedecer las instrucciones que había oído, invistió a Samuel con la autoridad de juez.

Los filisteos interpretaron esta reunión como un consejo de guerra, y con un ejército poderoso quisieron dispersar a los israelitas antes de que sus proyectos maduraran. Las nuevas de su próxima llegada infundieron gran terror a Israel. El pueblo pidió a Samuel: "No ceses de clamar por nosotros a Jehová nuestro Dios, para que nos guarde de la mano de los filisteos".

Mientras Samuel estaba ofreciendo un cordero en holocausto, los filisteos se acercaron para dar batalla. Entonces el Todopoderoso que había descendido sobre el Sinaí en medio del fuego, del humo y del trueno, el que había dividido el mar Rojo, y que había abierto un camino por el Jordán para los hijos de Israel, manifestó su poder una vez más. Una tempestad terrible se desató sobre el ejército que avanzaba, y por la tierra quedaron sembrados los cadáveres de guerreros poderosos.

Los israelitas habían permanecido quietos, en silencioso asombro, temblando de esperanza y temor. Cuando presenciaron la matanza de sus enemigos, se dieron cuenta de que Dios había aceptado su arrepentimiento. A pesar de que no estaban preparados para la batalla, se apoderaron de las armas de los filisteos muertos, y persiguieron al ejército que huía hasta Bet-car. Esta señalada victoria se obtuvo en el mismo campo donde, veinte años antes, las huestes filisteas, habían derrotado a Israel, matado a los sacerdotes y tomado el arca de Dios. Para las naciones así como para los individuos, el camino de la obediencia a Dios es el sendero de la seguridad y de la felicidad, mientras que, por otro lado, el de la transgresión conduce tan sólo al desastre y la derrota. Los filisteos quedaron entonces tan completamente subyugados, que entregaron las fortalezas que habían arrebatado a Israel, y se abstuvieron de todo acto de hostilidad durante muchos años. Otras naciones siguieron este ejemplo, y los israelitas gozaron de paz hasta el fin de la administración única de Samuel.

Para que aquel acontecimiento no fuese olvidado, Samuel hizo erigir, entre Mizpa y Sen, una enorme peña como monumento recordativo. La llamó Eben-ezer, "piedra de ayuda", diciendo al pueblo: "Hasta aquí nos ayudó Jehová".

* Véase *nota*, pág. 47.

CAPITULO 58

Las Escuelas de los Profetas

EL SEÑOR mismo dirigía la educación de Israel. Sus cuidados no se limitaban solamente a los intereses religiosos de ese pueblo; todo lo que afectaba su bienestar mental o físico incumbía también a la divina Providencia, y estaba comprendido dentro de la esfera de la ley divina.

Dios había ordenado a los hebreos que enseñaran a sus hijos lo que él requería y que les hicieran saber cómo había obrado con sus padres. Este era uno de los deberes especiales de todo padre de familia, y no debía ser delegado a otra persona. En vez de permitir que lo hicieran labios extraños, debían los corazones amorosos del padre y de la madre instruir a sus hijos. Con todos los acontecimientos de la vida diaria debían ir asociados pensamientos referentes a Dios. Las grandes obras que él había realizado en la liberación de su pueblo, y las promesas de un Redentor que había de venir, debían relatarse a menudo en los hogares de Israel; y el uso de figuras y símbolos grababa las lecciones más indeleblemente en la memoria. Las grandes verdades de la providencia de Dios y la vida futura se inculcaban en la mente de los jóvenes. Se la

Las escuelas de los profetas preparaban a los jóvenes tanto en las Sagradas Escrituras como en los oficios.

675

HERBERT RUDEEN © PPPA

educaba para que pudiera discernir a Dios tanto en las escenas de la naturaleza como en las palabras de la revelación. Las estrellas del cielo, los árboles y las flores del campo, las elevadas montañas, los riachuelos murmuradores, todas estas cosas hablaban del Creador. El servicio solemne de sacrificio y culto en el santuario, y las palabras pronunciadas por los profetas eran una revelación de Dios.

Tal fue la educación de Moisés en la humilde choza de Gosén; de Samuel, por la fiel Ana; de David, en la morada montañesa de Belén; de Daniel antes de que el cautiverio le separara del hogar de sus padres. Tal fue, también, la educación del niño Jesús en Nazaret; y la que recibió el niño Timoteo quien aprendió de labios de su "abuela Loida" y de su "madre Eunice" las verdades eternas de las Sagradas Escrituras (2 Timoteo 1: 5; 3: 15).

Mediante el establecimiento de las escuelas de los profetas, se tomaron medidas adicionales para la educación de la juventud. Si un joven deseaba escudriñar más profundamente las verdades de la Palabra de Dios, y buscar sabiduría de lo alto, a fin de llegar a ser maestro en Israel, las puertas de estas escuelas estaban abiertas para él. Las escuelas de los profetas fueron fundadas por Samuel para servir de barrera contra la corrupción generalizada, para cuidar del bienestar moral y espiritual de la juventud, y para fomentar la prosperidad futura de la nación supliéndole hombres capacitados para obrar en el temor de Dios como jefes y consejeros.

Con el fin de lograr este objeto, Samuel reunió compañías de jóvenes piadosos, inteligentes y estudiosos. A estos jóvenes se les llamaba hijos de los profetas. Mientras tenían comunión con Dios y estudiaban su Palabra y sus obras, se iba agregando sabiduría del cielo a sus dones naturales. Los maestros eran hombres que no sólo conocían la verdad divina, sino que habían gozado ellos mismos de la comunión con Dios, y habían recibido los dones especiales de su Espíritu. Gozaban del respeto y la confianza del pueblo, tanto por su saber como por su piedad.

En la época de Samuel había dos de estas escuelas, una en Rama, donde vivía el profeta, y la otra en Quiriat-jearim, donde estaba el arca en aquel entonces. Se establecieron otras en tiempos ulteriores.

676

Los alumnos de estas escuelas se sostenían cultivando la tierra o dedicándose a algún trabajo manual. En Israel esto no era considerado extraño ni degradante; más bien se consideraba un crimen permitir que los niños crecieran sin que se les enseñara algún trabajo útil. Por orden divina, a todo niño se le enseñaba un oficio, aun en el caso de tener que ser educado para el servicio sagrado. Muchos de los maestros religiosos se sostenían por el trabajo de sus manos. Aun en el tiempo de los apóstoles, Pablo y Aquila no veían menoscabado su honor porque se ganaban la vida ejerciendo su oficio de tejedores de tiendas.

Las asignaturas principales de estudio en estas escuelas eran la ley de Dios, con las instrucciones dadas a Moisés, la historia sagrada, la música sagrada y la poesía. Los métodos de enseñanza eran distintos de los que se usan en los seminarios teológicos actuales, en los que muchos estudiantes se gradúan teniendo menos conocimiento de Dios y de la verdad religiosa que cuando entraron. En las escuelas de antaño, el gran propósito de todo estudio era aprender la voluntad de Dios y la obligación del hombre hacia él. En los anales de la historia sagrada, se seguían los pasos de Jehová. Se recalcaban las grandes verdades presentadas por los símbolos o figuras y la fe trababa del objeto central de todo aquel sistema: el Cordero de Dios que había de quitar el pecado del mundo.

Se fomentaba un espíritu de devoción. No solamente se les decía a los estudiantes que debían orar, sino que se les enseñaba a orar, a aproximarse a su Creador, a ejercer fe en él, a comprender y obedecer las enseñanzas de su Espíritu. Intelectos santificados sacaban del tesoro de Dios cosas nuevas y viejas, y el Espíritu de Dios se manifestaba en profecías y cantos sagrados. Se empleaba la música con un propósito santo, para elevar los pensamientos hacia aquello que es puro, noble y enaltecedor, y para despertar en el alma la devoción y la gratitud hacia Dios. ¡Cuánto contraste hay entre la antigua costumbre y los usos que con frecuencia se le da hoy a la música! ¡Cuántos son los que emplean este don especial para ensalzarse a sí mismos, en lugar de usarlo para glorificar a Dios! El amor a la música conduce a los incautos a participar con los amantes de lo mundano en las reuniones de placer adonde Dios prohibió a sus hijos que fueran. Así lo que es una gran bendición cuando se lo usa correctamente se convierte en uno de los medios más certeramente empleados por Satanás para desviar la mente del deber y de la contemplación de las cosas eternas.

La música forma parte del culto tributado a Dios en los atrios celestiales, y en nuestros cánticos de alabanza debiéramos procurar aproximarnos tanto como sea posible a la armonía de los coros celestiales. La educación apropiada de la voz es un rasgo importante en la preparación general, y no debe descuidarse. El canto, como parte del servicio religioso, es tanto un acto de culto como lo es la oración. El corazón debe sentir el espíritu del canto para darle expresión correcta.

¡Cuánta diferencia media entre aquellas escuelas donde enseñaban los profetas de Dios, y nuestras instituciones modernas de saber! ¡Cuán pocas escuelas pueden encontrarse que no se rijan por las máximas y costumbres del mundo! Hay una falta deplorable de gobierno y disciplina. Es alarmante la ignorancia que existe acerca de la Palabra de Dios entre los que se hacen llamar cristianos. Las conversaciones triviales y el mero sentimentalismo pasan por enseñanza en el campo de la moral y de la religión. La justicia y la misericordia de Dios, la belleza de la santidad y la recompensa segura por el bien hacer, el carácter odioso del pecado y la certidumbre de sus terribles consecuencias, no se recalcan en la mente de los jóvenes. Las amistades perversas están instruyendo a la juventud en los caminos del crimen, de la disipación y del libertinaje.

¿No podrían los educadores actuales aprender de las antiguas escuelas hebreas algunas lecciones provechosas? El que creó al hombre proveyó para el desarrollo de su cuerpo, alma y mente. Por consiguiente, el verdadero éxito en la educación depende de la fidelidad con la cual el hombre lleva a cabo el plan del Creador.

El verdadero propósito de la educación es restaurar la imagen de Dios en el alma. En el principio, Dios creó al hombre a su propia semejanza. Le dotó de cualidades nobles. Su mente era equilibrada, y todas las facultades de su ser eran armoniosas. Pero la caída y sus resultados pervirtieron estos dones. El pecado echó a perder y casi hizo desaparecer la imagen de Dios en el hombre. Restaurar ésta fue el objeto con que se concibió el plan de la salvación y se le concedió un tiempo de gracia al hombre. Hacerle volver a la perfección original en la que fue creado, es el gran objeto de la vida, el objeto en que estriba todo lo demás. Es obra de los padres y maestros, en la educación de la juventud, cooperar con el propósito divino; y al hacerlo son "colaboradores ... de Dios" (1 Corintios 3: 9).

Todas las distintas capacidades que el hombre posee —de la mente, del alma y del cuerpo— le fueron dadas por Dios para que las dedique a alcanzar el más alto grado de excelencia posible. Pero esta cultura no puede ser egoísta ni exclusiva; porque el carácter de Dios, cuya semejanza hemos de recibir, es benevolencia y amor. Toda facultad y todo atributo con que el Creador nos haya dotado deben emplearse para su gloria y para el ennoblecimiento de nuestros semejantes. Y en este empleo se halla la ocupación más pura, más noble y más feliz.

Si se concediera a este principio la atención que merece por su importancia, se efectuaría un cambio radical en algunos de los métodos corrientes de enseñanza. En vez de despertar el orgullo, la ambición egoísta y un espíritu de rivalidad, los maestros procurarían evocar un sentimiento de amor a la bondad, a la verdad y a la belleza; harían desear lo excelente. El alumno se esforzaría por desarrollar en sí mismo los dones de Dios, no para superar a los demás, sino para cumplir el propósito del Creador y recibir su semejanza. En vez de ser encauzado hacia las meras normas terrestres o movido por el deseo de exaltación propia que de por sí empequeñece y rebaja, el espíritu sería dirigido hacia el Creador, para conocerle y llegar a serle semejante.

"El temor de Jehová es el principio de la sabiduría y el conocimiento del Santísimo es la inteligencia" (Proverbios 9: 10). La formación del carácter es la gran obra de la vida; y un conocimiento de Dios, el fundamento de toda educación verdadera. Impartir este conocimiento y amoldar el carácter de acuerdo con él, debe ser el propósito del maestro en su trabajo. La ley de Dios es un reflejo de su carácter. Por esto dice el salmista: "Todos tus mandamientos son justicia", y "de tus mandamientos he adquirido inteligencia" (Salmo 119: 172, 104). Dios se nos ha revelado en su Palabra y en las obras de la creación. En el libro inspirado y en el de la naturaleza debemos obtener conocimiento de Dios.

Una ley del intelecto humano hace que se adapte gradualmente a las materias en las cuales se le enseña a espaciarse. Si se dedica solamente a asuntos triviales, se atrofia y se debilita. Si no se le exige que considere problemas difíciles, pierde con el tiempo su capacidad de crecer.

Como instrumento educador la Biblia no tiene rival. En la Palabra de Dios, la mente halla temas para la meditación más profunda y las aspiraciones más sublimes. La Biblia es la historia más instructiva que posean los hombres. Proviene directamente de la fuente de verdad eterna, y una mano divina ha conservado su integridad y pureza a través de los siglos. Ilumina el lejano pasado más remoto, donde las investigaciones humanas procuran en vano penetrar.

En la Palabra de Dios contemplamos el poder que estableció los fundamentos de la tierra y que extendió los cielos. Unicamente en ella podemos hallar una historia de nuestra raza que no esté contaminada por el prejuicio o el orgullo humanos. En ella se registran las luchas, las derrotas y las victorias de los mayores hombres que el mundo haya conocido jamás. En ella se desarrollan los grandes problemas del deber y del destino. Se levanta la cortina que separa el mundo visible del mundo invisible, y presenciamos el conflicto de las fuerzas encontradas del bien y del mal, desde la primera entrada del pecado hasta el triunfo final de la rectitud y de la verdad; y todo ello no es sino una revelación del carácter de Dios.

En la contemplación reverente de las verdades presentadas en su Palabra, la mente del estudiante entra en comunión con la Mente infinita. Un estudio tal no sólo purifica y ennoblece el carácter, sino que inevitablemente amplía y fortalece las facultades mentales.

Las enseñanzas de la Biblia influyen en forma vital sobre la prosperidad del hombre en todas las relaciones de esta vida. Desarrolla los principios que son la base de la prosperidad de una nación, principios vinculados con el bienestar de la sociedad y que son la salvaguardia de la familia, principios sin los cuales ningún hombre puede alcanzar utilidad, felicidad u honra en esta vida, ni asegurarse la vida futura inmortal. No hay posición alguna en esta vida, ni fase alguna de la experiencia humana para la cual la enseñanza de la Biblia no constituya una preparación indispensable. Si se estudiara la Palabra de Dios y se la obedeciera, daría al mundo hombres de intelecto más enérgico y activo que cuantos puede producir la mayor aplicación al estudio de todas las materias abarcadas por la filosofía humana. Produciría hombres fuertes y firmes de carácter, de entendimiento agudo y sano juicio, hombres que glorificarían a Dios y beneficiarían al mundo.

Por el estudio de las ciencias también hemos de obtener un conocimiento del Creador. Toda ciencia verdadera no es más que una interpretación de lo escrito por la mano de Dios en el mundo material. Lo único que hace la ciencia es obtener de sus investigaciones nuevos testimonios de la sabiduría y del poder de Dios. Si se los comprende bien, tanto el libro de la naturaleza como la Palabra escrita nos hacen conocer a Dios al enseñarnos algo de las leyes sabias y benéficas por medio de las cuales él obra.

Se debe inducir al estudiante a ver a Dios en todas las obras de la creación. Los maestros deben imitar el ejemplo del gran Maestro, quien de las escenas familiares de la naturaleza sacaba ilustraciones que simplificaban sus enseñanzas y las grababan más profundamente en los corazones de sus oyentes. Los pájaros que gorjeaban en las ramas frondosas, las flores del valle, los soberbios árboles, las tierras fructíferas, el cereal que germinaba, el suelo árido, el sol poniente que doraba los cielos con sus rayos, todo servía como medio de enseñanza. El relacionaba las obras visibles del Creador con las palabras de vida que pronunciaba, para que cada vez que estos objetos se presentaran a los ojos de sus oyentes, éstos recordaran las lecciones de verdad con las cuales las había vinculado.

El sello de la Deidad, manifestado en las páginas de la revelación, se ve en las altas montañas, los valles fructíferos, y en el ancho y profundo océano. Las cosas de la naturaleza hablan al hombre del amor de su Creador. Por señas innumerables en el cielo y en la tierra, nos ha unido consigo. Este mundo no consiste sólo en tristeza y miseria. "Dios es amor", está escrito en cada capullo que se abre, en los pétalos de toda flor y en cada tallo de hierba. Aunque la maldición del pecado ha hecho que la tierra produzca espinas y cardos, hay flores en los cardos, y las espinas son ocultadas por las rosas. Todas las cosas de la naturaleza atestiguan el cuidado tierno y paternal de nuestro Dios, y su deseo de hacer felices a sus hijos. Sus prohibiciones y mandamientos no se destinan solamente a mostrar su autoridad, sino que en todo lo que hace, procura el bienestar de sus hijos. No exige que ellos renuncien a nada que les convendría guardar.

La opinión prevaleciente en algunas clases de la sociedad, de que la religión no favorece el logro de la salud o de la felicidad en esta vida, es uno de los errores más perniciosos. La Sagrada Escritura dice: "El temor de Jehová es para vida, y con él vivirá lleno de reposo el hombre; no será visitado de mal". "¿Quién es el hombre que desea vida, que desea muchos días para ver el bien? Guarda tu lengua del mal, y tus labios de hablar engaño. Apártate del mal, y haz el bien; busca la paz, y síguela". Las palabras de la sabiduría "son vida a los que las hallan, y medicina a todo su cuerpo" (Proverbios 19: 23; Salmo 34: 12-14; Proverbios 4: 22).

La verdadera religión pone al hombre en armonía con las leyes de Dios, físicas, mentales y morales. Enseña el dominio de sí mismo, la serenidad y la templanza. La religión ennoblece el intelecto, purifica el gusto y santifica el juicio. Hace al alma participante de la pureza del cielo. La fe en el amor de Dios y en su providencia soberana alivia las cargas de ansiedad y cuidado. Llena de regocijo y de contento el corazón de los encumbrados y los humildes. La religión tiende directamente a fomentar la salud, alargar la vida y realzar nuestro goce de todas sus bendiciones. Abre al alma una fuente inagotable de felicidad.

¡Ojalá que todos aquellos que no han escogido a Cristo se dieran cuenta de que él tiene algo que ofrecerles que es mucho mejor de lo que ellos buscan! El hombre hace a su propia alma el mayor daño e injusticia cuando piensa y obra en forma contraria a la voluntad de Dios. No se puede hallar gozo verdadero en la senda prohibida por Aquel que sabe en qué consiste lo mejor, y procura el bien de sus criaturas. El sendero de la transgresión lleva a la miseria y a la perdición; pero los caminos de la sabiduría "son caminos deleitosos, y todas sus veredas paz" (Proverbios 3: 17).

Se puede estudiar con provecho tanto el adiestramiento físico como la disciplina religiosa que se practicaban en las escuelas de los hebreos. El valor de esta educación no se aprecia debidamente. Hay una estrecha relación entre la mente y el cuerpo, y para alcanzar un alto nivel de dotes morales e intelectuales, debemos acatar las leyes que gobiernan nuestro ser físico. Para alcanzar un carácter fuerte y bien equilibrado, deben ejercitarse y desarrollarse nuestras fuerzas, tanto mentales como corporales. ¿Qué estudio puede ser más importante para los jóvenes que el de este maravilloso organismo que Dios nos ha encomendado y de las leyes por las cuales ha de conservarse en buena salud?

Y ahora, como en los tiempos de Israel, cada joven debe recibir instrucción sobre los deberes de la vida práctica. Cada uno debe adquirir el conocimiento de algún ramo del trabajo manual, por el cual, en caso de necesidad, podrá ganarse la vida. Esto es indispensable, no sólo como protección contra las vicisitudes de la vida, sino también a causa de la influencia que ejercerá en el desarrollo físico, mental y moral. Aunque hubiese seguridad de que uno no habría de depender del trabajo manual para mantenerse, debiera sin embargo aprender a trabajar. Sin ejercicio físico nadie puede tener una constitución sana ni una salud vigorosa, y la disciplina del trabajo bien regulado no es menos esencial para desarrollar una inteligencia fuerte y activa y un carácter noble.

Todo estudiante debiera dedicar una porción de cada día a un trabajo físico activo. Así se adquirirían hábitos de aplicación y laboriosidad, y se formaría un espíritu de confianza propia, al mismo tiempo que se escudaría al joven contra muchas prácticas malas y degradantes que tan a menudo son los resultados del ocio. Todo esto cuadra con el fin principal de la educación; porque al estimular la actividad, la diligencia y la pureza, nos ponemos en armonía con el Creador.

Los jóvenes deben ser inducidos a comprender el propósito de su creación, que es honrar a Dios y beneficiar a sus semejantes; hágaseles ver el tierno amor que nuestro Padre celestial ha manifestado y el alto destino para el cual la disciplina de esta vida los ha de preparar, la dignidad y el honor a los cuales están llamados, a saber, ser hijos de Dios, y millares se apartarán con desprecio y repugnancia de los propósitos bajos y egoístas y de los placeres frívolos que hasta ahora les han absorbido. Aprenderán a odiar y evitar el pecado, no meramente por la esperanza de la recompensa o por el miedo al castigo, sino por un sentido de su vileza inherente, porque degradaría las facultades que Dios les ha dado, mancharía su carácter de seres humanos semejantes a Dios.

Dios no ordena que los jóvenes tengan menos aspiraciones. Los rasgos de carácter que dan éxito y honores a un hombre entre sus semejantes; el deseo inextinguible de algún bien mayor; la voluntad indomable; los esfuerzos arduos; la perseverancia incansable, no deben eliminarse. Por la gracia de Dios, deben encauzarse hacia fines que superen los intereses egoístas y temporales como los cielos son más altos que la tierra.

Y la educación comenzada en esta vida continuará en la vida venidera. Un día tras otro revelarán a la mente con nueva belleza las maravillosas obras de Dios, las evidencias de su sabiduría y poder al crear y sostener el universo, así como el misterio infinito del amor y de la sabiduría en el plan de la redención. "Cosas que ojo no vio, ni oído oyó, ni han subido en corazón de hombre, son las que Dios ha preparado para los que le aman" (1 Corintios 2: 9). Hasta en esta vida podemos entrever su presencia y gozar de la comunión con el cielo; pero la plenitud de su gozo y de su bendición se ha de alcanzar en el más allá. La eternidad sola habrá de revelar el destino glorioso que el hombre, restaurado a la imagen de Dios, puede alcanzar.

CAPITULO 59

El Primer Rey de Israel

EL GOBIERNO de Israel era administrado en el nombre y por la autoridad de Dios. La obra de Moisés, de los setenta ancianos, de los jefes y de los jueces consistía simplemente en hacer cumplir las leyes que Dios les había dado; no tenían autoridad alguna de legislar para la nación. Esta era y continuaba siendo la condición impuesta para la existencia de Israel como nación. De siglo en siglo se suscitaron hombres inspirados por Dios para que instruyeran al pueblo, y para que dirigieran la ejecución de las leyes.

El Señor previó que Israel desearía un rey, pero no consintió en cambiar en manera alguna los principios en que se había fundado el Estado. El rey había de ser el vicegerente del Altísimo. Dios había de ser reconocido como cabeza de la nación, y su ley debía aplicarse como ley suprema del país (véase el *Apéndice*, nota 11).

Cuando los israelitas se establecieron en Canaán, reconocían los principios de la teocracia, y la nación prosperó mucho bajo el gobierno de Josué. Pero el aumento de la población y las relaciones con otras naciones no tardaron en producir un cambio. El pueblo adoptó muchas de las costumbres de sus vecinos paganos, y así sacrificó, en extenso grado, su carácter santo especial. Gradualmente perdió su reverencia hacia Dios, y dejó de apreciar el honor de ser su pueblo escogido. Atraí-

685

do por la pompa y ostentación de los monarcas paganos, se cansó de su propia sencillez. Surgieron celos y envidias entre las tribus. Fueron éstas debilitadas por las discordias internas; estaban constantemente expuestas a la invasión de sus enemigos paganos, y estaban llegando a creer que para mantener su posición entre las naciones debían unirse bajo un gobierno central y fuerte. Cuando dejaron de obedecer a la ley de Dios, desearon libertarse del gobierno de su Soberano divino; se generalizó por toda la tierra de Israel la exigencia de que se creara una monarquía.

Desde los tiempos de Josué, jamás había sido administrado el gobierno con tanta sabiduría y éxito como durante la administración de Samuel. Investido por la divinidad con el triple cargo de juez, profeta y sacerdote, había trabajado con infatigable y desinteresado celo por el bienestar de su pueblo, y la nación había prosperado bajo su gobierno sabio. Se había restablecido el orden, se había fomentado la piedad, y el espíritu de descontento se había refrenado momentáneamente; pero con el transcurso de los años el profeta se vio obligado a compartir con otros la administración del gobierno, y nombró a sus dos hijos para que le ayudaran. Mientras Samuel continuaba desempeñando en Ramá los deberes de su cargo, los jóvenes administraban justicia entre el pueblo en Beerseba, cerca del límite meridional del país.

Con el consentimiento unánime de la nación, Samuel había dado cargo a sus hijos; pero no resultaron dignos de la elección hecha por su padre. Por medio de Moisés, el Señor había dado instrucciones especiales a su pueblo para que los gobernantes de Israel juzgaran con rectitud, trataran con justicia a la viuda y al huérfano, y no recibieran sobornos de ninguna clase. Pero los hijos de Samuel "se volvieron tras la avaricia, dejándose sobornar y pervirtiendo el derecho". Los hijos del profeta no acataban los preceptos que él había tratado de inculcarles. No imitaban la vida pura y desinteresada de su padre. La advertencia dirigida a Elí no había ejercido en el ánimo de Samuel la influencia que debiera haber ejercido. El había sido, hasta cierto grado, demasiado indulgente con sus hijos, y los resultados eran obvios en su carácter y en su vida.

La injusticia de estos jueces causó mucho desafecto, y así proporcionó al pueblo un pretexto para insistir en que se llevara a cabo el cambio que por tanto tiempo había deseado secretamente. "Todos los ancianos de Israel se juntaron, y vinieron a Ramá para ver a Samuel, y le dijeron: He aquí tú has envejecido, y tus hijos no andan en tus caminos; por tanto, constitúyenos ahora un rey que nos juzgue, como tienen todas las naciones" (véase 1 Samuel 8-12).

No se le había hablado a Samuel de los abusos cometidos por sus hijos contra el pueblo. Si él hubiera conocido la mala conducta de sus hijos, les habría quitado sus cargos sin tardanza alguna; pero esto no era lo que deseaban los peticionarios. Samuel vio que lo que los movía en realidad era el descontento y el orgullo y que su exigencia era el resultado de un propósito deliberado y resuelto. No había queja alguna contra Samuel. Todos reconocían la integridad y la sabiduría de su administración; pero el anciano profeta consideró esta petición como una censura dirigida contra él mismo, y como un esfuerzo directo para hacerle a un lado. No reveló, sin embargo, sus sentimientos; no pronunció reproche alguno, sino que llevó el asunto al Señor en oración, y sólo de él procuró consejo.

Y el Señor le dijo a Samuel: "Oye la voz del pueblo en todo lo que te digan; porque no te han desechado a ti, sino a mí me han desechado, para que no reine sobre ellos. Conforme a todas las obras que han hecho desde el día que los saqué de Egipto hasta hoy, dejándome a mí y sirviendo a dioses ajenos, así hacen también contigo". Quedó reprendido el profeta por haber dejado que le afligiese la conducta del pueblo hacia él como individuo. No habían manifestado falta de respeto para con él, sino hacia la autoridad de Dios, que había designado a los gobernantes de su pueblo. Los que desdeñan y rechazan al siervo fiel de Dios, no sólo menosprecian al hombre, sino también al Señor que le envió. Menoscaban las palabras de Dios, sus reproches y consejos; rechazan la autoridad de él.

Los tiempos de la mayor prosperidad de Israel fueron aquellos en que reconoció a Jehová como su rey, cuando consideró las leyes y el gobierno por él establecidos como superiores a los de todas las otras naciones. Moisés había declarado a Israel tocante a los mandamientos del Señor:

"Esta es vuestra sabiduría y vuestra inteligencia ante los ojos de los pueblos, los cuales oirán todos estos estatutos, y dirán: Ciertamente pueblo sabio y entendido, nación grande es ésta" (Deuteronomio 4: 6). Pero al apartarse de la ley de Dios, los hebreos no llegaron a ser el pueblo que Dios deseaba hacer de ellos, y quedaron luego tan completamente cegados por el pecado que imputaron al gobierno de Dios todos los males que resultaron de su propio pecado e insensatez.

El Señor había predicho por medio de sus profetas que Israel sería gobernado por un rey; pero de ello no se desprende que esta forma de gobierno fuera la mejor para ellos, o según su voluntad. El permitió al pueblo que siguiera su propia elección, porque rehusó guiarse por sus consejos. Oseas declara que Dios les dio un rey en su "furor" (Oseas 13: 11). Cuando los hombres decidieron seguir su propio sendero sin buscar el consejo de Dios, o en oposición a su voluntad revelada, les otorga con frecuencia lo que desean, para que por medio de la amarga experiencia subsiguiente sean llevados a darse cuenta de su insensatez y a arrepentirse de su pecado. El orgullo y la sabiduría de los hombres constituyen una guía peligrosa. Lo que el corazón ansía en contradicción a la voluntad de Dios resultará al fin en una maldición más bien que en una bendición.

Dios deseaba que su pueblo le considerase a él solo como su legislador y su fuente de fortaleza. Al sentir que dependían de Dios, se verían constantemente atraídos hacia él. Serían elevados, ennoblecidos y capacitados para el alto destino al cual los había llamado como su pueblo escogido. Pero si se llegaba a poner a un hombre en el trono, ello tendería a apartar de Dios los ánimos del pueblo. Confiarían más en la fuerza humana, y menos en el poder divino, y los errores de su rey los inducirían a pecar y separarían a la nación de Dios.

Se le indicó a Samuel que accediera a la petición del pueblo, pero advirtiéndole que el Señor la desaprobaba, y haciéndole saber también cuál sería el resultado de su conducta. "Y refirió Samuel todas las palabras de Jehová al pueblo que le había pedido rey". Con toda fidelidad les expuso las cargas que pesarían sobre ellos, y les mostró el contraste que ofrecía semejante estado de opresión frente al estado comparativamente libre y próspero que gozaban.

Su rey imitaría la pompa y el lujo de otros monarcas, y ello haría necesario cobrar pesados tributos y exacciones en sus personas y sus propiedades. Exigiría para sus servicios los más hermosos de sus jóvenes. Los haría conductores de sus carros, jinetes y corredores delante de él. Habrían de llenar las filas de su ejército, y se les exigiría que trabajaran las tierras del rey, segaran sus mieses y fabricaran elementos de guerra para *su* servicio. Las hijas de Israel serían llevadas al palacio para hacerlas confiteras y panaderas de la casa del rey. Para mantener su regio estado, se apoderaría de las mejores tierras dadas al pueblo por Jehová mismo. Tomaría los mejores de los siervos de ellos y de sus animales para hacerlos trabajar en su propio beneficio.

Además de todo esto, el rey les exigiría una décima parte de todas sus rentas, de las ganancias de su trabajo, o de los productos de la tierra. "Y seréis sus siervos —concluyó el profeta—. Y clamaréis aquel día a causa de vuestro rey que os habréis elegido, mas Jehová no os responderá en aquel día". Por onerosas que fueran sus exacciones, una vez establecida la monarquía, no la podrían hacer a un lado a su gusto.

Pero el pueblo contestó: "No, sino que habrá rey sobre nosotros; y nosotros seremos también como todas las naciones, y nuestro rey nos gobernará, y saldrá delante de nosotros, y hará nuestras guerras".

"Como todas las naciones". Los israelitas no se dieron cuenta de que ser en este respecto diferentes de las otras naciones era un privilegio y una bendición especial. Dios había separado a los israelitas de todas las demás gentes, para hacer de ellos su propio tesoro. Pero ellos, despreciando este alto honor, desearon ansiosamente imitar el ejemplo de los paganos. Y aun hoy subsiste entre los profesos hijos de Dios el deseo de amoldarse a las prácticas y costumbres mundanas. Cuando se apartan del Señor, se vuelven codiciosos de las ganancias y los honores del mundo. Los cristianos están constantemente tratando de imitar las prácticas de los que adoran al Dios de este mundo. Muchos alegan que al unirse con los mundanos y amoldarse a sus costumbres se verán en situación de ejercer una influencia poderosa sobre los impíos. Pero todos los que se conducen así se separan con ello de la Fuente de toda fortaleza. Hacién-

689

dose amigos del mundo, son enemigos de Dios. Por amor a las distincio-
nes terrenales, sacrifican el honor inefable al cual Dios los ha llamado,
el de manifestar las alabanzas de Aquel que nos "llamó de las tinieblas a
su luz admirable" (1 Pedro 2: 9).

Con profunda tristeza, Samuel escuchó las palabras del pueblo; pero
el Señor le dijo: "Oye su voz, y pon rey sobre ellos". El profeta había
cumplido con su deber. Había presentado fielmente la advertencia, y
ésta había sido rechazada. Con corazón acongojado, despidió al pueblo,
y él mismo se fue a hacer preparativos para el gran cambio que había de
verificarse en el gobierno.

La vida de Samuel, toda de pureza y devoción desinteresada, era un
reproche perpetuo tanto para los sacerdotes y ancianos egoístas como
para la congregación de Israel, orgullosa y sensual. Aunque el profeta
no se había rodeado de pompa ni ostentación alguna, sus obras llevaban

el sello del cielo. Fue honrado por el Redentor del mundo, bajo cuya dirección gobernó la nación hebrea. Pero el pueblo se había cansado de su piedad y devoción; menospreció su autoridad humilde, y le rechazó en favor de un hombre que lo gobernara como rey.

En el carácter de Samuel vemos reflejada la semejanza de Cristo. Fue la pureza de la vida de nuestro Salvador la que provocó la ira de Satanás. Esa vida era la luz del mundo y revelaba la depravación oculta en los corazones humanos. Fue la santidad de Cristo la que despertó contra él las pasiones más feroces de los que con falsedad en su corazón, profesaban ser piadosos. Cristo no vino con las riquezas y los honores de la tierra; pero las obras que hizo demostraron que poseía un poder mucho mayor que el de cualquiera de los príncipes humanos.

Los judíos esperaban que el Mesías quebrantara el yugo del opresor; y sin embargo, albergaban los pecados que precisamente se lo habían atado en la cerviz. Si Cristo hubiera tolerado sus pecados y aplaudido su piedad, le habrían aceptado como su rey; pero no quisieron soportar su manera intrépida de reprocharles sus vicios. Despreciaron la hermosura de un carácter en el cual predominaban en forma suprema la benevolencia, la pureza y la santidad, que no sentía otro odio que el que le inspiraba el pecado. Así ha sucedido en todas las edades del mundo. La luz del cielo trae condenación a todos los que rehúsan andar en ella. Cada vez que se sienten reprendidos por el buen ejemplo de quienes odian al pecado, los hipócritas se harán agentes de Satanás para hostigar y perseguir a los fieles. "Todos los que quieren vivir piadosamente en Cristo Jesús padecerán persecución" (2 Timoteo 3: 12).

Aunque en la profecía se había predicho que Israel tendría una forma monárquica de gobierno, Dios se había reservado el derecho de escoger al rey. Los hebreos respetaron la autoridad de Dios lo suficiente como para dejarle hacer la selección. La decisión recayó en Saúl, hijo de Cis, de la tribu de Benjamín.

Las cualidades personales del futuro monarca eran tales que halagaban el orgullo que había impulsado el corazón del pueblo a desear un rey. "Entre los hijos de Israel no había otro más hermoso que él". De porte noble y digno, en la flor de la vida, bien parecido y alto, parecía nacido para mandar. Sin embargo, a pesar de estos atractivos exteriores, Saúl carecía de las cualidades superiores que constituyen la verdadera sabiduría. No había aprendido en su juventud a dominar sus pasiones impetuosas y temerarias; jamás había sentido el poder renovador de la gracia divina.

Saúl era hijo de un jefe poderoso y opulento; sin embargo, de acuerdo con la sencillez de la vida de aquel entonces, desempeñaba con su padre los humildes deberes de un agricultor. Habiéndose extraviado algunos animales de su padre, Saúl salió a buscarlos con un criado. Los buscaron en vano durante tres días, cuando, en vista de que no estaban lejos de Ramá (véase el *Apéndice,* nota 12), donde vivía Samuel, el siervo propuso que fueran a consultar al profeta acerca del ganado perdido. "He aquí se halla en mi mano la cuarta parte de un siclo de plata —dijo—; esto daré al varón de Dios, para que nos declare nuestro camino". Esto concordaba con las costumbres de aquel tiempo. Al acercarse alguien a una persona que le fuese superior en categoría o cargo, le ofrecía un pequeño regalo, como testimonio de respeto.

Al aproximarse a la ciudad, encontraron a unas jóvenes que habían ido a sacar agua, y les preguntaron por el vidente. En contestación, ellas manifestaron que se iba a realizar un servicio religioso, que el profeta ya había llegado, pues habría un sacrificio "en el lugar alto", y luego un festín de sacrificio.

Bajo la administración de Samuel se había producido un gran cambio. Cuando Dios le llamó por primera vez, los servicios del santuario eran considerados con desdén. "Los hombres menospreciaban las ofrendas de Jehová" (1 Samuel 2: 17). Pero ahora se rendía culto a Dios en todo el país, y el pueblo manifestaba vivo interés en los servicios religiosos. Como no había servicio en el tabernáculo, los sacrificios se ofrecían en ese entonces en otros sitios; y para este fin se elegían las ciudades de los sacerdotes y de los levitas adonde el pueblo iba para instruirse. Los puntos más altos de estas ciudades se escogían generalmente como sitios de sacrificio, y a esto se refería la expresión "en el lugar alto".

En la puerta de la ciudad, Saúl se encontró con el profeta mismo. Dios le había revelado a Samuel que en esa ocasión el rey escogido para

Israel se presentaría delante de él. Mientras estaban uno frente al otro, el Señor le dijo a Samuel: "He aquí éste es el varón del cual te hablé; éste gobernará a mi pueblo". A la petición de Saúl: "Te ruego que me enseñes dónde está la casa del vidente", Samuel respondió: "Yo soy el vidente". Asegurándole también que los animales perdidos habían sido encontrados, le exhortó a que se quedara y asistiera al festín, al mismo tiempo que le hacía una insinuación acerca del gran destino que le esperaba: "¿Para quién es todo lo que hay de codiciable en Israel, sino para ti y para toda la casa de tu padre?"

Las palabras del profeta conmovieron el corazón del que le escuchaba. No podía menos que percibir algo de su significado; pues la demanda por tener un rey había llegado a ser asunto de interés absorbente para toda la nación. No obstante, con modestia Saúl contestó: "¿No soy yo hijo de Benjamín, de la más pequeña de las tribus de Israel? Y mi familia ¿no es la más pequeña de todas las familias de la tribu de Benjamín? ¿Por qué, pues, me has dicho cosa semejante?"

Samuel condujo al forastero al sitio de la asamblea, donde los hombres principales de la ciudad se encontraban reunidos. Entre ellos, por orden del profeta, se le dio a Saúl el sitio de honor, y en el festín se le dio la mejor porción. Terminados los servicios, Samuel llevó a su huésped a su casa. Allí conversó con él en la terraza y le presentó los grandes principios sobre los cuales se había fundado el gobierno de Israel, y procuró así darle cierta preparación para su elevado cargo.

Cuando Saúl se marchó, temprano por la mañana siguiente, el profeta le acompañó. Cuando hubieron atravesado la ciudad, pidió que el siervo siguiera adelante. Cuando éste se hubo alejado algo, Samuel ordenó a Saúl que se detuviera para recibir un mensaje que Dios le enviaba. "Tomando entonces Samuel una redoma de aceite, la derramó sobre su cabeza, y lo besó, y le dijo: ¿No te ha ungido Jehová por príncipe sobre su pueblo Israel?" Como evidencia de que hacía esto por autoridad divina, le predijo los incidentes que le ocurrirían en su viaje de regreso a su casa, y le aseguró a Saúl que el Espíritu de Dios le capacitaría para ocupar el cargo que le esperaba. "El Espíritu de Jehová vendrá sobre ti con poder", le dijo el profeta, "y serás mudado en otro hombre. Y cuando te hayan sucedido estas señales, haz lo que te viniere a la mano, porque Dios está contigo".

Mientras Saúl iba por su camino, todo sucedió tal como lo había predicho el profeta. Cerca de la frontera de Benjamín, se le informó que los animales habían sido encontrados. En la llanura de Tabor, dio con tres hombres que iban a rendir culto a Dios en Bet-el. Uno de ellos llevaba tres cabritos para el sacrificio, el otro tres panes, y el tercero una vasija de vino para el festín del sacrificio. Saludaron a Saúl en la forma acostumbrada, y también le regalaron dos de los tres panes.

En Gabaa, su propia ciudad, un grupo de profetas bajaba del "lugar alto" cantando alabanzas a Dios al son de la flauta y del arpa, del salterio y del adufe. Cuando Saúl se les acercó, el Espíritu del Señor se apoderó también de él; de modo que unió el suyo a sus cantos de alabanza y profetizó con ellos. Hablaba con tanta fluidez y sabiduría, y los acompañó con tanto fervor en su servicio, que los que le conocían exclamaron con asombro: "¿Qué le ha sucedido al hijo de Cis? ¿Saúl también entre los profetas?"

Cuando Saúl se unió a los profetas en su culto, el Espíritu Santo obró un gran cambio en él. La luz de la pureza y de la santidad divinas brilló sobre las tinieblas del corazón natural. Se vio a sí mismo como era delante de Dios. Vio la belleza de la santidad. Se le invitó entonces a principiar la guerra contra el pecado y contra Satanás, y se le hizo comprender que en este conflicto toda la fortaleza debía provenir de Dios. El plan de la salvación, que antes le había parecido nebuloso e incierto, fue revelado a su entendimiento. El Señor le dotó de valor y sabiduría para su elevado cargo. Le reveló la Fuente de la fortaleza y gracia, e iluminó su entendimiento con respecto a las divinas exigencias y su propio deber.

La consagración de Saúl como rey no había sido comunicada a la nación. La elección de Dios había de manifestarse públicamente al echar suertes. Con este fin, Samuel convocó al pueblo en Mizpa. Se elevó una oración para pedir la dirección divina; y luego siguió la ceremonia solemne de echar suertes. La multitud congregada allí esperó en silencio el resultado. La tribu, la familia, y la casa fueron sucesivamen-

"Desde los hombros arriba [Saúl] era más alto que" cualquiera. Samuel lo presentó al pueblo, el cual gritó: "¡Viva el rey!"

JOE MANISCALCO © PPPA

te señaladas, y finalmente Saúl, el hijo de Cis, fue designado como el hombre escogido.

Pero Saúl no estaba en la congregación. Abrumado con el sentimiento de la gran responsabilidad que estaba a punto de recaer sobre él, se había retirado secretamente. Fue traído de nuevo a la congregación, que observó con orgullo y satisfacción su aspecto regio y porte noble, pues de "hombros arriba sobrepasaba a cualquiera del pueblo". Aun Samuel, al presentarle ante la asamblea, exclamó: "¿Habéis visto al que ha elegido Jehová, que no hay semejante a él en todo el pueblo?" Y en contestación la enorme muchedumbre dio un grito largo y regocijado: "¡Viva el rey!"

Samuel presentó luego al pueblo "las leyes del reino", y declaró los principios en que se fundaba el gobierno monárquico y por los cuales se había de regir. El rey no había de ser un monarca absoluto, sino que había de ejercer su poder en sujeción a la voluntad del Altísimo. Este discurso se escribió en un libro donde se asentaron las prerrogativas del príncipe y los derechos y privilegios del pueblo. Aunque la nación había menospreciado la advertencia de Samuel y el fiel profeta se había visto forzado a acceder a sus deseos, procuró en lo posible, salvaguardar sus libertades.

En tanto que la mayoría del pueblo estaba dispuesta a reconocer a Saúl como su rey, un partido grande se le oponía. Les parecía un agravio intolerable que el monarca se hubiese escogido de entre la tribu de Benjamín, la más pequeña de todas las de Israel, pasando por alto las tribus de Judá y de Efraín, las más grandes y poderosas. Estas tribus se negaron a prometer fidelidad y obediencia a Saúl, y a traerle los regalos acostumbrados. Los que habían sido más exigentes en su demanda de un rey fueron los mismos que se negaron a aceptar con gratitud al hombre que Dios había designado. Los miembros de cada una de las facciones tenían su favorito, a quien deseaban ver en el trono, y entre los príncipes muchos habían deseado el honor para sí. La envidia y los celos ardían en el corazón de muchos. Los esfuerzos del orgullo y de la ambición habían resultado en desengaño y descontento.

Así las cosas, Saúl no juzgó conveniente asumir la dignidad real. Dejando a Samuel la administración del gobierno como antes, regresó él a Gabaa. Lo escoltó allá con honores un grupo de hombres que, viendo en él al hombre escogido divinamente, estaban resueltos a sostenerlo. Pero él no hizo esfuerzo alguno por apoyar con la fuerza su derecho al trono. En su casa de las alturas de Benjamín, desempeñaba pacíficamente sus deberes de agricultor, dejando enteramente a Dios el afianzamiento de su autoridad.

Poco después del nombramiento de Saúl, los amonitas, bajo su rey Nahas, invadieron el territorio de las tribus establecidas al este del Jordán, y amenazaron la ciudad de Jabes de Galaad. Los habitantes de esa región trataron de llegar a un entendimiento de paz ofreciéndoles a los amonitas hacerse tributarios de ellos. A esto el rey cruel no quiso acceder a menos que fuese bajo la condición de que les sacara el ojo derecho a cada uno de ellos, como testimonio permanente de su poder.

Los habitantes de la ciudad sitiada suplicaron que se les diera una tregua de siete días. Los amonitas accedieron a esta solicitud, creyendo que con esto engrandecerían más el honor de su esperado triunfo. En seguida los de Jabes enviaron mensajeros para pedir auxilio a las tribus del oeste del Jordán. Así llegaron a Gabaa las noticias que despertaban terror por todas partes.

Por la noche, al regresar Saúl de seguir los bueyes en el campo, oyó ruidosas lamentaciones indicadoras de una gran calamidad. Dijo entonces: "¿Qué tiene el pueblo, que llora?" Cuando se le contó la vergonzosa historia, se despertaron todas sus facultades latentes. "El Espíritu de Dios vino sobre él con poder… Y tomando un par de bueyes, los cortó en trozos y los envió por todo el territorio de Israel por medio de mensajeros, diciendo: Así se hará con los bueyes del que no saliere en pos de Saúl y en pos de Samuel".

Trescientos treinta mil hombres se congregaron en la llanura de Bezec, bajo las órdenes de Saúl. Inmediatamente se mandaron mensajeros a los habitantes de la ciudad sitiada, con la promesa de que podrían esperar auxilio al día siguiente, el mismo día en el cual habían de someterse a los amonitas. Gracias a una rápida marcha nocturna, Saúl y su ejército cruzaron el Jordán, y llegaron a Jabes, "a la vigilia de la mañana". Dividiendo, como Gedeón, sus fuerzas en tres compañías, cayeron sobre el campo de los amonitas aquella madrugada, en el momento en que, por no sospechar ningún peligro, estaban menos en guardia. En el pánico que siguió al ataque, fueron derrotados completamente y hubo una gran matanza. "Y los que quedaron fueron dispersos, de tal manera que no quedaron dos de ellos juntos".

La celeridad y el valor de Saúl, así como el don de mando que reveló en la feliz dirección de tan grande ejército, eran cualidades que el pueblo de Israel había deseado en su monarca, para poder hacer frente a las otras naciones. Ahora le saludaron como su rey, atribuyendo el honor de la victoria a los instrumentos humanos y olvidándose de que sin la bendición especial de Dios todos sus esfuerzos hubieran sido en vano. En el calor de su entusiasmo, algunos propusieron que se diera muerte a los que al principio habían rehusado reconocer la autoridad de Saúl. Pero el rey intervino diciendo: "No morirá hoy ninguno, porque hoy Jehová ha dado salvación en Israel".

Con esto dio Saúl testimonio del cambio realizado en su carácter. En vez de atribuirse el honor, dio a Dios toda la gloria. En vez de manifestar un deseo de venganza, mostró un espíritu de compasión y perdón. Este es un testimonio inequívoco de que la gracia de Dios mora en el corazón.

Samuel propuso entonces que se convocara una asamblea nacional en Gilgal, para que el reino fuese públicamente confiado a Saúl. Se hizo así; "y sacrificaron allí ofrendas de paz delante de Jehová, y se alegraron mucho allí Saúl y todos los de Israel".

Gilgal había sido el sitio donde Israel había acampado por primera vez en la tierra prometida. Allí fue donde Josué, por indicación divina, erigió la columna de doce piedras para conmemorar el cruce milagroso del Jordán. Allí se había reanudado la práctica de la circuncisión. Allí se había celebrado la primera pascua después del pecado de Cades y la peregrinación en el desierto. Allí cesó el suministro del maná. Allí el Capitán de la hueste de Jehová se había revelado como comandante en jefe de los ejércitos de Israel. De ese sitio había salido para conquistar a Jericó y a Hai. Allí Acán recibió el castigo de su pecado, y se hizo con los gabaonitas aquel trato que castigó la negligencia de Israel en cuanto a pedir consejo a Dios. En esa llanura, vinculada con tantos recuerdos conmovedores, estaban Samuel y Saúl; y cuando los gritos de bienvenida al rey se hubieron acallado, el anciano profeta pronunció sus palabras de despedida como gobernante de la nación.

"He aquí —dijo él—, yo he oído vuestra voz en todo cuanto me habéis dicho, y os he puesto rey. Ahora, pues, he aquí vuestro rey va delante de vosotros. Yo soy ya viejo y lleno de canas … y yo he andado delante de vosotros desde mi juventud hasta este día. Aquí estoy; atestiguad contra mí delante de Jehová y delante de su ungido, si he tomado el buey de alguno, si he tomado el asno de alguno, si he calumniado a alguien, si he agraviado a alguno, o si de alguien he tomado cohecho para cegar mis ojos con él; y os lo restituiré".

A una voz el pueblo contestó: "Nunca nos has calumniado ni agraviado, ni has tomado algo de mano de ningún hombre".

Samuel no procuraba meramente justificar su propia conducta. Había expuesto previamente los principios que debían regir tanto al rey como al pueblo, y deseaba tan sólo agregar a sus palabras el peso de su propio ejemplo. Desde su niñez había estado relacionado con la obra de Dios, y durante toda su larga vida había tenido un solo propósito: la gloria de Dios y el mayor bienestar de Israel.

Antes de que pudiera Israel tener alguna esperanza de prosperidad, debía ser inducido al arrepentimiento para con Dios. Como consecuencia del pecado había perdido la fe en Dios, y la capacidad de discernir su poder y sabiduría para gobernar la nación; había perdido su confianza en que Dios pudiera vindicar su causa. Antes de que pudieran los israelitas hallar verdadera paz, debían ser inducidos a ver y confesar el pecado mismo del cual se habían hecho culpables. Habían expresado así su objeto al exigir un rey: "Nuestro rey nos gobernará, y saldrá delante de nosotros, y hará nuestras guerras".

Samuel reseñó la historia de Israel, desde el día en que Dios lo sacó de Egipto. Jehová, el Rey de reyes, había ido siempre delante de ellos, y había librado sus batallas. A menudo sus propios pecados los había entregado al poder de sus caminos impíos, la misericordia de Dios les suscitaba un libertador. El Señor envió a Gedeón y a Barac, "a Jefté y a Samuel, y os libró de mano de vuestros enemigos en derredor, y habitasteis seguros". Sin embargo, cuando se vieron amenazados de peligro declararon: "No, sino que ha de reinar sobre nosotros un rey; siendo así —dijo el profeta— que Jehová vuestro Dios era vuestro rey".

Samuel continuó diciendo: "Esperad aún ahora, y mirad esta gran cosa que Jehová hará delante de vuestros ojos. ¿No es ahora la siega del trigo? Yo clamaré a Jehová, y él dará truenos y lluvias, para que conozcáis y veáis que es grande vuestra maldad que habéis hecho ante los ojos de Jehová, pidiendo para vosotros rey. Y Samuel clamó a Jehová, y Jehová dio truenos y lluvias en aquel día".

En el Oriente, no solía llover durante el tiempo de la siega del trigo, en los meses de mayo y junio. El cielo se mantenía despejado, y el aire era sereno y suave. Una tormenta tan violenta en ese tiempo llenó de temor todos los corazones. Con humillación el pueblo confesó sus pecados, el pecado preciso del cual se había hecho culpable: "Ruega por tus siervos a Jehová tu Dios, para que no muramos; porque a todos nuestros pecados hemos añadido este mal de pedir rey para nosotros".

Samuel no dejó al pueblo en el desaliento, pues éste habría impedido todo esfuerzo por vivir mejor. Satanás los habría inducido a considerar a Dios como severo e implacable, y así habrían quedado expuestos a múltiples tentaciones. Dios es misericordioso y perdonador, y desea siempre manifestar favor hacia su pueblo cuando éste obedece a su voz. "No temáis —fue el mensaje que Dios envió por medio de su siervo—; vosotros habéis hecho todo este mal; pero con todo eso no os apartéis de en pos de Jehová, sino servidle con todo vuestro corazón. No os apartéis en pos de vanidades que no aprovechan ni libran, porque son vanidades. Pues Jehová no desamparará a su pueblo".

Nada dijo Samuel acerca del desprecio que él había sufrido; ni reprochó a Israel la ingratitud con la cual le había retribuido toda una vida de devoción. Antes le prometió seguir interesándose incesantemente por él: "Así que, lejos sea de mí que peque yo contra Jehová cesando de rogar por vosotros; antes os instruiré en el camino bueno y recto. Solamente temed a Jehová y servidle de verdad con todo vuestro corazón, pues considerad cuán grandes cosas ha hecho por vosotros. Mas si perseverareis en hacer mal, vosotros y vuestro rey pereceréis".

CAPITULO 60

Este capítulo está basado en 1 Samuel 13 y 14.

La Presunción de Saúl

DESPUES de la asamblea de Gilgal, Saúl licenció el ejército que había acudido a su llamamiento para destruir a los amonitas. Sólo retuvo una reserva de dos mil hombres que habían de permanecer apostados bajo su mando en Micmas, y mil hombres para que asistieran a su hijo Jonatán en Gabaa. Esto fue un grave error. Su ejército se había llenado de esperanza y ánimo con la victoria reciente; y si él hubiera procedido inmediatamente contra otras naciones enemigas de Israel, habría dado un golpe decisivo en pro de las libertades de la nación.

Mientras tanto, sus belicosos vecinos, los filisteos, estaban activos. Aun después de la derrota de Eben-ezer, habían conservado algunos fortines en las colinas de la tierra de Israel; y ahora se establecieron en el mismo corazón del país. En cuanto a facilidades, armas y equipo en general, los filisteos tenían una gran ventaja sobre Israel. Durante el largo período de su opresión, habían procurado acrecentar su poder prohibiéndoles a los israelitas que practicaran el oficio de herreros, no fuera que se fabricaran armas de guerra. Una vez hecha la paz, los hebreos hubieron de seguir acudiendo a las guarniciones filisteas cuando

Jonatán y su escudero, inspirados por la fe,
escalaron el peñasco y derrotaron a los filisteos.

LESTER QUADE © PPPA

necesitaban trabajos de esa clase. Dominados por el amor a la comodidad, y por el espíritu abyecto que creara la larga opresión, los hombres de Israel habían descuidado, en alto grado, el proporcionarse armas de combate. En la guerra se usaban arcos y hondas, y los israelitas podían obtener estas cosas; pero ninguno de ellos, excepto Saúl y su hijo Jonatán, poseían una lanza o una espada (véase 1 Samuel 13: 22).

Hasta el segundo año del reinado de Saúl no se hizo esfuerzo alguno por subyugar a los filisteos. El primer golpe fue dado por Jonatán, el hijo del rey, que atacó y venció la fortaleza de Gabaa. Los filisteos exasperados por la derrota que habían sufrido, se dispusieron a atacar con celeridad a Israel.

Saúl mandó entonces proclamar la guerra a son de trompeta en toda la tierra, para llamar a todos los hombres de guerra, inclusive las tribus de allende el Jordán, a fin de que se reunieran en Gilgal. Esta orden y citación fue obedecida.

Los filisteos habían reunido un enorme ejército en Micmas, "treinta mil carros, seis mil hombres de a caballo, y pueblo numeroso como la arena que está a la orilla del mar" (1 Samuel 13: 5). Cuando lo llegaron a saber Saúl y su ejército en Gilgal, el pueblo se atemorizó al pensar en las enormes fuerzas que habría de arrostrar en batalla. No estaba preparado para ello, y muchos estaban tan aterrorizados que rehuían la prueba de un encuentro. Algunos atravesaron el Jordán, en tanto que otros se escondieron en cuevas y hoyos, y entre las rocas que abundaban en aquella región. A medida que se acercaba la hora de la batalla, el número de desertores aumentaba, y los que se habían retirado de sus puestos estaban llenos de temor y de presentimientos desfavorables.

Cuando Saúl fue ungido rey de Israel, había recibido de Samuel instrucciones precisas acerca de la conducta que debía seguir en esa ocasión. "Bajarás delante de mí a Gilgal —le había dicho el profeta—; entonces descenderé yo a ti para ofrecer holocaustos y sacrificar ofrendas de paz. Espera siete días, hasta que yo venga a ti y te enseñe lo que has de hacer" (1 Samuel 10: 8).

Saúl estuvo aguardando un día tras otro, pero sin hacer esfuerzos decididos por animar al pueblo ni inspirarle confianza en Dios. Antes que hubiera expirado el plazo señalado por el profeta, se impacientó por la tardanza, y se dejó desalentar por las circunstancias difíciles que le rodeaban. En vez de procurar fielmente preparar al pueblo para el servicio que Samuel iba a celebrar, cedió a la incredulidad y a los funestos presentimientos. Buscar a Dios por medio del sacrificio era una obra muy solemne e importante; y Dios exigía que su pueblo escudriñara sus corazones y se arrepintiera de sus pecados, para que la ofrenda le fuera aceptable y su bendición pudiera acompañar sus esfuerzos por vencer al enemigo. Pero Saúl se había inquietado; y el pueblo, en vez de confiar en Dios y en su ayuda, quería ser dirigido por el rey a quien había escogido.

Sin embargo, el Señor seguía interesándose en ese pueblo, y no lo entregó a los desastres que le habrían sobrevenido si el brazo frágil de la carne hubiera sido su único sostén. Lo puso en estrecheces para que pudiese convencerse de cuán insensato es fiar en el hombre, y para que se volviera a él como a su única fuente de auxilio.

Había llegado la hora de la prueba para Saúl. Debía él demostrar si quería o no depender de Dios y esperar con paciencia en conformidad con su mandamiento, revelando así si era hombre en quien Dios podía confiar como soberano de su pueblo en estrecheces, o si iba a vacilar y revelarse indigno de la sagrada responsabilidad que había recaído en él. ¿Escucharía el rey escogido por Israel al Soberano de todos los reyes? ¿Dirigiría él la atención de sus soldados pusilánimes hacia Aquel en quien hay fuerza y liberación sempiternas?

Con impaciencia creciente esperaba Saúl la llegada de Samuel, y atribuía la confusión, la angustia y la deserción de su ejército a la ausencia del profeta. Llegó el momento señalado, pero el varón de Dios no apareció inmediatamente. La providencia de Dios había detenido a su siervo. Pero el espíritu inquieto e impulsivo de Saúl no pudo ser refrenado por más tiempo. Creyendo que debía hacerse algo para calmar los temores del pueblo, resolvió convocar una asamblea para el servicio religioso, e implorar la ayuda divina mediante el sacrificio. Dios había ordenado que sólo los que habían sido consagrados para el servicio divino podían presentarle los sacrificios. Pero Saúl mandó: "Traedme holocausto y ofrendas de paz" (véase 1 Samuel 13, 14), y así como estaba, equipado con su armadura y sus armas de guerra, se acercó al altar y ofreció el sacrificio delante de Dios.

"Y cuando él acababa de ofrecer el holocausto, he aquí Samuel que venía; y Saúl salió a recibirle para saludarle". Samuel vio en seguida que Saúl había obrado contrariamente a las instrucciones expresas que se le habían dado. El Señor había dicho por medio del profeta que en esa ocasión revelaría lo que Israel debía hacer en esta crisis. Si Saúl hubiera cumplido las condiciones bajo las cuales se prometió la ayuda divina, el Señor habría librado maravillosamente a Israel mediante los pocos que permanecieran fieles al rey. Pero Saúl estaba tan satisfecho de sí mismo y de su obra, que fue al encuentro del profeta como quien merecía alabanza y no desaprobación.

El semblante de Samuel estaba cargado de ansiedad y tribulación; pero a su pregunta: "¿Qué has hecho?", Saúl contestó excusando su acto de presunción y dijo: "Vi que el pueblo se me desertaba y que tú no venías dentro del plazo señalado, y que los filisteos estaban reunidos en Micmas, me dije: Ahora descenderán los filisteos contra mí a Gilgal, y yo no he implorado el favor de Jehová. Me esforcé, pues, y ofrecí holocausto.

"Entonces Samuel dijo a Saúl: Locamente has hecho; no guardaste el mandamiento de Jehová tu Dios que él te había ordenado; pues ahora Jehová hubiera confirmado tu reino sobre Israel para siempre. Mas ahora tu reino no será duradero. Jehová se ha buscado un varón conforme a su corazón, al cual Jehová ha designado para que sea príncipe sobre su pueblo... Y levantándose Samuel, subió de Gilgal a Gabaa de Benjamín".

O Israel debía dejar de ser el pueblo de Dios, o el principio en que se fundaba la monarquía debía mantenerse y la nación debía ser gobernada por un poder divino. Si Israel quería pertenecer enteramente al Señor, si la voluntad de lo humano y de lo terrenal se mantenía en completa sujeción a la voluntad de Dios, él continuaría siendo el Soberano de Israel. Sería él su defensa mientras el rey y el pueblo se condujeran como subordinados a Dios. Pero ninguna monarquía podía prosperar en

Israel si no reconocía en todas las cosas la autoridad suprema de Dios.

Si en esta hora de prueba Saúl hubiera demostrado alguna consideración por los requerimientos divinos, el Señor podría haber realizado su voluntad por medio de él. Al fracasar entonces demostró que no era apto para desempeñar el cargo de vicegerente de Dios ante su pueblo. Más bien descarriaría a Israel. Su voluntad, y no la voluntad de Dios, sería el poder dominador. Si Saúl hubiera sido fiel, su reino se habría afirmado para siempre; pero en vista de que había fracasado, el propósito de Dios debía ser alcanzado por medio de otro. El gobierno de Israel debía ser confiado a quien gobernara al pueblo de acuerdo con la voluntad del cielo.

No sabemos cuáles son los grandes intereses que pueden hallarse en juego cuando Dios nos prueba. No hay seguridad excepto en la obediencia estricta a la palabra de Dios. Todas sus promesas se han hecho bajo una condición de fe y obediencia, y el no cumplir sus mandamientos impide que se cumplan para nosotros las abundantes provisiones de las Escrituras. No debemos seguir nuestros impulsos, ni depender de los juicios de los hombres; debemos mirar a la voluntad revelada de Dios y andar de acuerdo con sus mandamientos definitivos, cualesquiera que sean las circunstancias. Dios se hará cargo de los resultados; mediante la fidelidad a su palabra podemos demostrar en la hora de las pruebas, delante de los hombres y de los ángeles, que el Señor puede confiar en que aun en lugares difíciles cumpliremos su voluntad, honraremos su nombre, y beneficiaremos a su pueblo.

Saúl había perdido el favor de Dios, y sin embargo no quería humillar su corazón con arrepentimiento. Lo que le faltaba en piedad verdadera, quería suplirlo con su celo en las formas religiosas. Saúl no desconocía la derrota sufrida por Israel cuando el arca de Dios fue llevada al campamento por Ofni y Finees, y a pesar de esto resolvió mandar que trajeran el arca sagrada y al sacerdote que la atendía. Si por estos medios lograban inspirar confianza al pueblo, esperaba que podría reorganizar su ejército disperso, y presentar batalla a los filisteos. Ya no necesitaría la presencia y el apoyo de Samuel, y así se libraría de la crítica y los reproches del profeta.

El Espíritu Santo había sido otorgado a Saúl para iluminar su entendimiento y ablandar su corazón. Había recibido instrucciones fieles y reproches sinceros del profeta de Dios. Y sin embargo, ¡cuánta perversidad manifestaba! La historia del primer rey de Israel representa un triste ejemplo del poder de los malos hábitos adquiridos durante la primera parte de la vida. En su juventud Saúl no había amado ni temido a Dios; y su espíritu impetuoso, que no había aprendido a someterse en temprana edad, estaba siempre dispuesto a rebelarse contra la autoridad divina. Los que en su juventud manifiestan una sagrada consideración por la voluntad de Dios y cumplen fielmente los deberes de su cargo, quedarán preparados para los servicios más elevados de la otra vida. Pero los hombres no pueden pervertir durante años las facultades que Dios les ha dado y luego, cuando decidan cambiar de conducta, encontrar estas facultades frescas y libres para seguir un camino opuesto.

Los esfuerzos de Saúl para despertar al pueblo resultaron fútiles. Encontrando que sus fuerzas habían sido reducidas a seiscientos hombres, se fue de Gilgal, y se retiró a la fortaleza de Gabaa, recién librada de los filisteos. Estaba este baluarte en el borde meridional de un valle profundo y escarpado o desfiladero, a pocas millas al norte de Jerusalén. Al norte del mismo valle, en Micmas, acampaba el ejército filisteo, y salían destacamentos en diferentes direcciones para saquear el país.

Dios había permitido que las cosas culminaran en esa crisis, para poder reprender la perversidad de Saúl y enseñar al pueblo una lección de humildad y de fe. A causa del pecado de presunción cometido por Saúl al presentar su sacrificio, el Señor no quiso darle el honor de vencer a los filisteos. Jonatán, el hijo del rey, hombre que temía al Señor, fue escogido como el instrumento que había de liberar a Israel. Movido por un impulso divino, propuso a su escudero que hicieran un ataque secreto contra el campamento del enemigo. "Quizá —dijo él— haga algo Jehová por nosotros, pues no es difícil para Jehová salvar con muchos o con pocos".

El escudero, que también era hombre de fe y oración, le alentó en su plan, y juntos se retiraron secretamente del campamento, no fuese que sus propósitos encontraran oposición. Después de orar con fervor al

Guía de sus padres, convinieron en una señal por medio de la cual determinarían su modo de proceder. Luego, bajando a la garganta que separaba los dos ejércitos, avanzaron en silencio, a la sombra de la roca a pique, y parcialmente ocultados por los montículos del valle. Al aproximarse al fuerte filisteo, fueron vistos por sus enemigos, quienes exclamaron en tono insultante: "He aquí los hebreos, que salen de las cavernas donde se habían escondido", y los desafiaron diciéndoles: "Subid a nosotros, y os haremos saber una cosa", con lo cual querían decir que castigarían a los dos israelitas por su atrevimiento. Este reto era la señal que Jonatán y su compañero habían convenido en aceptar como testimonio de que el Señor daría éxito a su empresa. Desapareciendo entonces de la vista de los filisteos, y escogiendo un sendero secreto y difícil, los guerreros se dirigieron a la cumbre de una peña que había sido considerada inaccesible, y que no estaba muy resguardada. Penetraron así en el campamento del enemigo, y mataron a los centinelas, que, abrumados por la sorpresa y el temor, no ofrecieron resistencia alguna.

Los ángeles del cielo escudaron a Jonatán y a su acompañante; pelearon a su lado, y los filisteos sucumbieron delante de ellos. La tierra tembló como si se aproximara una gran multitud de soldados a caballo y carros de guerra. Jonatán reconoció las muestras de ayuda divina, y has-

ta los filisteos comprendieron que Dios obraba por el libramiento de Israel. Un gran temor se apoderó de la hueste enemiga, tanto en el campo de batalla como en la guarnición. En la confusión que siguió, tomando equivocadamente a sus propios soldados como enemigos, los filisteos comenzaron a matarse mutuamente.

Pronto se oyó en el campamento de Israel el ruido de la batalla. Los centinelas del rey le informaron que había una gran confusión entre los filisteos, y que su número estaba disminuyendo. Sin embargo, no había noticia de que alguna parte del ejército hebreo hubiera salido del campamento. Al inquirir sobre el asunto, se comprobó que nadie se había ausentado del campamento excepto Jonatán y su escudero. Pero viendo que los filisteos iban perdiendo, Saúl llevó su ejército a participar en el asalto. Los desertores hebreos que se habían pasado al enemigo se volvieron ahora contra él; gran número salió también de sus escondites, y mientras los filisteos huían el ejército de Saúl les infligió terribles estragos.

Resuelto a aprovechar hasta lo sumo su ventaja, el rey prohibió precipitadamente a sus soldados que comieran alimento alguno durante todo el día, y reforzó su mandamiento por esta solemne imprecación: "Cualquiera que coma pan antes de caer la noche, antes que haya tomado venganza de mis enemigos, sea maldito". Ya se había ganado la victoria, sin el conocimiento ni la cooperación de Saúl; pero él esperaba distinguirse mediante la destrucción total del ejército derrotado. La orden de no comer fue motivada por una ambición egoísta, y demostraba que el rey era indiferente a las necesidades de su pueblo cuando ellas contrariaban su deseo de ensalzamiento propio. Y al confirmar esta prohibición mediante un juramento solemne, demostró Saúl que era profano a la vez que temerario. Las palabras mismas de la maldición atestiguan que el celo de Saúl era en favor suyo, y no para la gloria de Dios. Declaró que su propósito no era "que el Señor fuese vengado de *sus* enemigos", sino "que haya tomado venganza de *mis* enemigos".

La prohibición dio lugar a que el pueblo violase el mandamiento de Dios. Habían estado peleando todo el día, y se sentían débiles por falta de alimento; y tan pronto como terminaron las horas abarcadas por la

710

restricción, cayeron sobre el botín de guerra, y devoraron carne con sangre, violando así la ley que prohibía comer sangre.

Durante la batalla, Jonatán, que nada sabía del mandamiento del rey, lo violó inadvertidamente al comer un poco de miel mientras pasaba por el bosque. Saúl lo supo por la noche. Había declarado que la violación de su edicto sería castigada con la muerte. Aunque Jonatán no se había hecho culpable de un pecado voluntario, a pesar de que Dios le había preservado la vida milagrosamente y había obrado la liberación por medio de él, el rey declaró que la sentencia debía ejecutarse. Perdonar la vida a su hijo habría sido de parte de Saúl reconocer tácitamente que había pecado al hacer un voto tan temerario. Habría humillado su orgullo personal. "Así me haga Dios —fue la terrible sentencia— y aun me añada, que sin duda morirás, Jonatán".

Saúl no podía atribuirse el honor de la victoria, pero esperaba ser honrado por su celo en mantener la santidad de su juramento. Aun a costa del sacrificio de su hijo, quería grabar en la mente de sus súbditos el hecho de que la autoridad real debía mantenerse. Hacía poco que, en Gilgal, Saúl había pretendido oficiar como sacerdote, contrariando el mandamiento de Dios. Cuando Samuel le reprendió, se obstinó en justificarse. Ahora que se había desobedecido a su propio mandato, a pesar de que era un desacierto y había sido violado por ignorancia, el rey y padre sentenció a muerte a su propio hijo.

El pueblo se negó a permitir que la sentencia fuese ejecutada. Desafiando la ira del rey, declaró: "¿Ha de morir Jonatán, el que ha hecho esta grande salvación en Israel? No será así. Vive Jehová, que no ha de caer un cabello de su cabeza en tierra, pues ha actuado hoy con Dios". El orgulloso monarca no se atrevió a menospreciar este veredicto unánime, y así se salvó la vida de Jonatán.

Saúl no pudo menos de reconocer que su hijo era preferido tanto por el pueblo como por el Señor. La salvación de Jonatán constituyó un reproche severo para la temeridad del rey. Presintió que sus maldiciones recaerían sobre su propia cabeza. No prosiguió ya la guerra contra los filisteos, sino que regresó a su pueblo, melancólico y descontento.

Los que están más dispuestos a excusarse o justificarse en el pecado son a menudo los más severos para juzgar y condenar a los demás. Muchos, como Saúl, atraen sobre sí el desagrado de Dios, pero rechazan los consejos y menosprecian las represiones. Aun cuando están convencidos de que el Señor no está con ellos, se niegan a ver en sí mismos la causa de su dificultad. Albergan un espíritu orgulloso y jactancioso, mientras se entregan a juzgar y reconvenir cruel y severamente a otros que son mejores que ellos. Sería bueno que cuantos se constituyen en jueces meditasen en estas palabras de Cristo: "Con el juicio con que juzgáis, seréis juzgados, y con la medida con que medís, os será medido" (S. Mateo 7: 2).

A menudo los que procuran ensalzarse se ven puestos en situaciones que revelan su carácter. Así pasó en el caso de Saúl. Su conducta convenció al pueblo de que apreciaba el honor y la autoridad reales más que la justicia, la misericordia o la benevolencia. Así fue inducido a ver el error que había cometido al rechazar la forma de gobierno que Dios le había dado. El pueblo había renunciado al profeta piadoso, cuyas oraciones habían traído grandes bendiciones, por un rey que en su celo ciego había impetrado una maldición sobre ellos.

Si los hombres de Israel no hubieran intervenido para salvar la vida de Jonatán, su libertador habría perecido por decreto del rey. ¡Con qué dudas y vacilaciones debe haber seguido aquel pueblo desde entonces la dirección de Saúl! ¡Cuán amargo les habrá sido pensar que había sido colocado en el trono por decisión de ellos mismos! El Señor soporta por mucho tiempo los extravíos de los hombres, y a todos les otorga la oportunidad de ver y abandonar sus pecados; pero aun cuando parecería que hace prosperar a los que menosprecian su voluntad y pasan por alto sus advertencias, pondrá oportuna y seguramente de manifiesto la insensatez de ellos.

CAPITULO 61

Saúl es Rechazado

SAUL no había soportado la prueba de su fe en el lance dificultoso de Gilgal, y había deshonrado el servicio de Dios; pero sus errores no eran todavía irreparables, y el Señor quiso concederle otra oportunidad para que aprendiera a tener una fe implícita en su palabra y a obedecer a sus mandamientos.

Cuando fue reprendido por el profeta en Gilgal, no le pareció a Saúl que hubiera un gran pecado en la conducta que había seguido. Creyó que había sido tratado injustamente y, procurando vindicar sus acciones, presentó excusas por su error. Desde entonces tuvo muy pocas relaciones con el profeta. Samuel amaba a Saúl como a un hijo propio, mientras que Saúl, de temperamento osado y ardiente, había estimado mucho al profeta; pero la represión de Samuel despertó su resentimiento, y desde entonces le evitaba en lo posible.

Pero el Señor envió a su siervo con otro mensaje para Saúl. Por la obediencia podía probar todavía que era fiel a Dios y digno de ir a la cabeza de Israel. Samuel fue adonde estaba el rey, y le entregó el mensaje del Señor. Para que el monarca pudiera comprender cuán importante es acatar el mandamiento, Samuel declaró expresamente que le hablaba por orden divina, por la misma autoridad que había llamado a

713

Saúl al trono. El profeta dijo: "Así ha dicho Jehová de los ejércitos: Yo castigaré lo que hizo Amalec a Israel al oponérsele en el camino cuando subía de Egipto. Ve, pues, y hiere a Amalec, y destruye todo lo que tiene, y no te apiades de él; mata a hombres, mujeres, niños, y aun los de pecho, vacas, ovejas, camellos y asnos" (véase 1 Samuel 15).

Los amalecitas fueron los primeros que guerrearon contra Israel en el desierto; y a causa de este pecado, juntamente con la manera en que desafiaban a Dios y se envilecieron por la idolatría, el Señor, por medio de Moisés, había pronunciado sentencia contra ellos. Por instrucción divina, quedó registrada la historia de su crueldad hacia Israel, con la orden: "Borrarás la memoria de Amalec de debajo del cielo; no lo olvides" (Deuteronomio 25: 19). Durante cuatrocientos años se había postergado la ejecución de esta sentencia; pero los amalecitas no se habían apartado de sus pecados. El Señor sabía que esta gente impía raería, si fuera posible, su pueblo y su culto de la tierra. Ahora había llegado la hora en que debía ejecutarse la tan diferida sentencia.

La paciencia de Dios hacia los impíos envalentona a los hombres en la transgresión; pero el hecho de que su castigo se demore no lo hará menos seguro ni menos terrible. "Jehová se levantará como en el monte Perazim, como en el valle de Gabaón se enojará; para hacer su obra, su extraña obra, y para hacer su operación, su extraña operación" (Isaías 28: 21).

Para nuestro Dios misericordioso, el acto del castigo es un acto extraño. "Vivo yo, dice el Señor, que no quiero la muerte del impío, sino que se vuelva el impío de su camino, y que viva" (Ezequiel 33: 11). El Señor es "misericordioso y piadoso; tardo para la ira, y grande en misericordia y verdad; ... que perdona la iniquidad, la rebelión y el pecado". No obstante, "de ningún modo tendrá por inocente al malvado" (Exodo 34: 6, 7). Aunque no se deleita en la venganza, ejecutará su juicio contra los transgresores de su ley. Se ve forzado a ello, para salvar a los habitantes de la tierra de la depravación y la ruina total. Para salvar a algunos, debe eliminar a los que se han empedernido en el pecado. "Jehová es tardo para la ira y grande en poder, y no tendrá por inocente al culpable" (Nahúm 1: 3). Mediante terribles actos de justicia vindicará la autoridad de su ley pisoteada. El mismo hecho de que le repugna ejecutar la justicia, atestigua la enormidad de los pecados que exigen sus juicios, y la severidad de la retribución que espera al transgresor.

Pero aun mientras Dios ejecuta su justicia, recuerda la misericordia. Los amalecitas debían ser destruidos, pero los cineos, que moraban entre ellos, se habían de salvar. Este pueblo, aunque no estaba enteramente libre de la idolatría, adoraba a Dios, y manifestaba amistad hacia Israel. De esta tribu procedía el cuñado de Moisés, Hobab, quien había acompañado a los israelitas en sus viajes por el desierto, y por su conocimiento del país les había prestado valiosos servicios.

Desde que los filisteos fueron derrotados en Micmas, Saúl había guerreado contra Moab, Amón y Edom, como también contra los amalecitas y los filisteos; y dondequiera que dirigiera sus armas, ganaba nuevas victorias. Al recibir la orden de ir contra los amalecitas, en seguida proclamó la guerra. A su autoridad de rey se agregó la del profeta, y al ser convocados para la batalla, todos los hombres de Israel acudieron a su estandarte.

Esta expedición no se había de emprender con un objeto de engrandecimiento personal; los israelitas no habían de recibir ni el honor de la conquista ni los despojos de sus enemigos. Debían emprender aquella guerra únicamente como un acto de obediencia a Dios, con el propósito de ejecutar el juicio de él contra los amalecitas. Dios quería que todas las naciones contemplaran la suerte funesta de aquel pueblo que había desafiado su soberanía, y que notaran cómo era destruido por el mismo pueblo que habían menospreciado.

"Y Saúl derrotó a los amalecitas desde Havila hasta llegar a Shur, que está al oriente de Egipto. Y tomó vivo a Agag rey de Amalec, pero a todo el pueblo mató a filo de espada. Y Saúl y el pueblo perdonaron a Agag, y a lo mejor de las ovejas y del ganado mayor, de los animales engordados, de los carneros y de todo lo bueno, y no lo quisieron destruir; mas todo lo que era vil y despreciable destruyeron".

La victoria contra los amalecitas fue la más brillante que Saúl jamás ganara, y sirvió para reanimar el orgullo de su corazón, que era su mayor peligro. El edicto divino que condenaba a los enemigos de Dios a la destrucción total, no fue sino parcialmente cumplido. Con la ambición de realzar el honor de su regreso triunfal con la presencia de un cautivo real, Saúl se aventuró a imitar las costumbres de las naciones vecinas, y por eso, salvó a Agag, el feroz y belicoso rey de los amalecitas. El pueblo se reservó lo mejor de los rebaños, manadas y bestias de carga, disculpando su pecado con la excusa de que guardaba el ganado para ofrecerlo como sacrificio al Señor. Pero su objeto era usar estos animales meramente como sustitutos, para economizar su propio ganado.

A Saúl se le había sometido ahora a la prueba final. Su presuntuoso desprecio de la voluntad de Dios, al revelar su resolución de gobernar como monarca independiente, demostró que no se le podía confiar el poder real como vicegerente del Señor.

Mientras Saúl y su ejército volvían a sus hogares entusiasmados por la victoria, había profunda angustia en la casa de Samuel el profeta. Este había recibido del Señor un mensaje que denunciaba el procedimiento del rey: "Me pesa haber puesto por rey a Saúl, porque se ha vuelto de en pos de mí, y no ha cumplido mis palabras". El profeta se afligió profundamente por la conducta del rey rebelde, y lloró y oró toda la noche pidiendo que se revocara la terrible sentencia.

El arrepentimiento de Dios no es como el del hombre. "La Gloria de Israel no mentirá, ni se arrepentirá, porque no es hombre para que se arrepienta". El arrepentimiento del hombre implica un cambio de parecer. El arrepentimiento de Dios implica un cambio de circunstancias y relaciones. El hombre puede cambiar su relación hacia Dios al cumplir las condiciones que le devolverán el favor divino, o puede, por su propia acción, colocarse fuera de la condición favorecedora; pero el Señor es el mismo "ayer, y hoy, y por los siglos" (Hebreos 13: 8). La desobediencia de Saúl cambió su relación para con Dios; pero quedaron sin alteración las condiciones para ser aceptado por Dios: los requerimientos de Dios seguían siendo los mismos; pues en él "no hay mudanza, ni sombra de variación" (Santiago 1: 17).

Con corazón adolorido salió el profeta la siguiente mañana al encuentro del rey descarriado. Samuel abrigaba la esperanza de que Saúl, al reflexionar, reconociera su pecado, y por el arrepentimiento y humi-

716

Samuel vio las ovejas y el ganado, pero Saúl aún insistía en que no había desobedecido la orden divina.

JOE MANISCALCO © PPPA

llación, fuese restaurado al favor divino. Pero cuando se ha dado el primer paso en el sendero de la transgresión, el camino se vuelve fácil. Saúl, envilecido por su desobediencia, vino al encuentro de Samuel con una mentira en los labios. Exclamó: "Bendito seas tú de Jehová; yo he cumplido la palabra de Jehová".

Los ruidos que oía el profeta desmentían la declaración del rey desobediente. A la pregunta directa: "¿Pues qué balido de ovejas y bramido de vacas es éste que yo oigo con mis oídos?" contestó Saúl: "De Amalec los han traído; porque el pueblo perdonó lo mejor de las ovejas y de las vacas, para sacrificarlas a Jehová tu Dios, pero lo demás lo destruimos". El pueblo había obedecido a las instrucciones de Saúl; pero éste, para escudarse, quería cargar al pueblo con el pecado de su propia desobediencia.

El mensaje de que Saúl había sido rechazado infundía indecible tristeza al corazón de Samuel. Debía dárselo ante todo el ejército de Israel, cuando todos rebosaban de orgullo y regocijo triunfal por la victoria acreditada al valor y la estrategia de su rey, pues Saúl no había asociado a Dios con el éxito de Israel en este conflicto; pero cuando el profeta comprobó la evidencia de la rebelión de Saúl, se indignó al ver cómo había violado el mandamiento del cielo e inducido al pecado a Israel aquel que había sido tan altamente favorecido por Dios.

Samuel no fue engañado por el subterfugio del rey. Con dolor e indignación declaró: "Déjame declararte lo que Jehová me ha dicho esta noche… Aunque eras pequeño en tus propios ojos, ¿no has sido hecho jefe de las tribus de Israel, y Jehová te ha ungido por rey sobre Israel?" Le repitió el mandamiento del Señor con respecto a Amalec, y quiso saber por qué había desobedecido el rey.

Saúl persistió en justificarse: "Antes bien he obedecido la voz de Jehová, y fui a la misión que Jehová me envió, y he traído a Agag rey de Amalec, y he destruido a los amalecitas. Mas el pueblo tomó del botín ovejas y vacas, las primicias del anatema, para ofrecer sacrificios a Jehová tu Dios en Gilgal".

Con palabras severas y solemnes el profeta deshizo su refugio de mentiras, y pronunció la sentencia irrevocable: "¿Se complace Jehová

tanto en los holocaustos y víctimas, como en que se obedezca a las palabras de Jehová? Ciertamente el obedecer es mejor que los sacrificios, y
el prestar atención que la grosura de los carneros. Porque como pecado
de adivinación es la rebelión, y como ídolos e idolatría la obstinación.
Por cuanto tú desechaste la palabra de Jehová, él también te ha desechado para que no seas rey".

Cuando el rey oyó esta temible sentencia, exclamó: "Yo he pecado;
pues he quebrantado el mandamiento de Jehová y tus palabras, porque
temí al pueblo y consentí a la voz de ellos". Aterrorizado por la denuncia
del profeta, Saúl reconoció su culpa, que antes había negado tercamente; pero siguió culpando al pueblo y declarando que había pecado por
temor a él.

No era una tristeza causada por su pecado, sino más bien el temor a
la pena, lo que movía al rey de Israel cuando rogó así a Samuel: "Perdona, pues, ahora mi pecado, y vuelve conmigo para que adore a Jehová".
Si Saúl hubiera sentido arrepentimiento verdadero, habría confesado
públicamente su pecado, pero se preocupaba principalmente de conservar su autoridad y retener la lealtad del pueblo. Deseaba ser honrado
con la presencia de Samuel para fortalecer su propia influencia en la
nación.

"No volveré contigo —fue la contestación del profeta—; porque desechaste la palabra de Jehová, y Jehová te ha desechado para que no seas
rey sobre Israel".

Cuando Samuel se volvió para marcharse, el rey, desesperado por el temor, trabó de su manto para detenerle, pero éste se rasgó en sus manos. Declaró entonces el profeta: "Jehová ha rasgado hoy de ti el reino de Israel, y lo ha dado a un prójimo tuyo mejor que tú".

Saúl estaba más perturbado porque se veía enajenado de Samuel que por el desagrado de Dios. Sabía que el pueblo confiaba más en el profeta que en él mismo. Si por orden divina se ungía ahora a otro rey, comprendía Saúl que le sería imposible mantener su autoridad. Temía que si Samuel le abandonaba completamente se produjera una revuelta inmediata. Saúl suplicó al profeta que le honrara ante los ancianos y el pueblo uniéndosele públicamente en un servicio religioso. Por indicación divina, Samuel accedió a la petición del rey, a fin de no dar lugar a una revuelta. Pero sólo se quedó allí como testigo silencioso del servivio.

Había de cumplirse todavía un acto de justicia severo y terrible. Samuel debía vindicar públicamente el honor de Dios, y reprender la conducta de Saúl. Mandó que se trajera ante él al rey de los amalecitas. Agag era más culpable y más despiadado que todos los que habían perecido por la espada de Israel. Era un hombre que había odiado al pueblo de Dios y procurado destruirlo por todos los medios a su alcance. Había ejercido la influencia más enérgica en favor de la idolatría. Vino a la orden del profeta, lisonjeándose de que el peligro de muerte había pasado. Samuel declaró: "Como tu espada dejó a las mujeres sin hijos, así tu madre será sin hijo entre las mujeres. Entonces Samuel cortó en pedazos a Agag delante de Jehová". Hecho esto, Samuel regresó a su casa en Ramá, y Saúl regresó a la suya en Gabaa, y sólo una vez volvieron a encontrarse el profeta y el rey.

Cuando fue llamado al trono, Saúl tenía una opinión muy humilde de su propia capacidad, y se dejaba instruir. Le faltaban conocimientos y experiencia, y tenía graves defectos de carácter. Pero el Señor le concedió el Espíritu Santo para guiarle y ayudarle, y le colocó donde podía desarrollar las cualidades requeridas para ser soberano de Israel. Si hubiera permanecido humilde, procurando siempre ser dirigido por la sabiduría divina, habría podido desempeñar los deberes de su alto cargo con éxito y honor. Bajo la influencia de la gracia divina, toda buena cualidad habría ido ganando fuerza, mientras que las tendencias pecaminosas habrían perdido su poder.

Tal es la obra que el Señor se propone hacer en beneficio de todos los que se consagran a él. Son muchos los que él llamó a ocupar cargos en su obra porque tienen un espíritu humilde y dócil. En su providencia los coloca donde pueden aprender de él. Les revelará los defectos de carácter que tengan, y a todos los que busquen su ayuda, les dará fuerza para corregir sus errores.

Pero Saúl se vanaglorió de su ensalzamiento, y deshonró a Dios por su incredulidad y desobediencia. Aunque al ser llamado a ocupar el trono era humilde y dudaba de su capacidad, el éxito le hizo confiar en sí mismo. La primera victoria de su reinado encendió en su corazón aquel orgullo que era su mayor peligro. El valor y la habilidad militar que manifestó en la liberación de Jabes-Galaad despertaron el entusiasmo de toda la nación. El pueblo honró a su rey, olvidándose de que no era sino el agente por medio de quien Dios había obrado; y aunque al principio Saúl dio toda la gloria a Dios, más tarde se atribuyó el honor. Perdió de vista el hecho de que dependía de Dios, y en su corazón se apartó del Señor. Así se preparó para cometer su pecado de presunción y sacrilegio en Gilgal.

La misma confianza ciega en sí mismo le condujo a rechazar la reprensión de Samuel. Saúl reconocía que Samuel era un profeta enviado de Dios; por consiguiente, debiera haber aceptado el reproche, aunque él mismo no pudiese ver que había pecado. Si se hubiera mostrado dócil para ver y confesar su error, esta amarga experiencia le habría resultado en una salvaguardia para el futuro.

Si el Señor se hubiera separado enteramente de Saúl, no le habría hablado otra vez por medio de su profeta, ni le habría confiado una obra definida que hacer, para que corrigiera sus errores pasados. Cuando un profeso hijo de Dios se vuelve descuidado en el cumplimiento de la voluntad de su Padre, e induce así a otros a que sean irreverentes y desprecien los mandamientos de Dios, hay todavía una posibilidad de que sus fracasos se truequen en victorias si tan sólo acepta la reprensión con verdadera contrición de alma, y se vuelve hacia Dios con humildad y

721

fe. La humillación de la derrota resulta a menudo en una bendición al mostrarnos nuestra incapacidad para hacer la voluntad de Dios sin su ayuda.

Cuando Saúl se desvió de la represión que le mandó el Espíritu Santo de Dios, y persistió en justificarse obstinadamente, rechazó el único medio por el cual Dios podía obrar para salvarle de sí mismo. Se había separado voluntariamente de Dios. No podía recibir ayuda ni dirección de Dios antes de volver a él mediante la confesión de su pecado.

En Gilgal, Saúl había aparentado ser muy concienzudo, cuando ante el ejército de Israel ofreció un sacrificio a Dios. Pero su piedad no era genuina. Un servicio religioso realizado en oposición directa al mandamiento de Dios, sólo sirvió para debilitar las manos de Saúl y le colocó en una posición tal que no podía recibir la ayuda que Dios quería tanto otorgarle.

En la expedición contra Amalec, Saúl creyó que había hecho cuanto era esencial entre todo lo que el Señor le había mandado; pero al Señor no le agradó la obediencia parcial, ni quiso pasar por alto lo que se había descuidado por un motivo tan plausible. Dios no le ha dado al hombre la libertad de apartarse de sus mandamientos. El Señor había declarado a Israel: "No haréis … cada uno lo que bien le parece", sino "guarda y escucha todas estas palabras que yo te mando" (Deuteronomio 12: 8, 28). Al decidir sobre cualquier camino a seguir, no hemos de preguntarnos si es previsible que de él resultará algún daño, sino más bien si está de acuerdo con la voluntad de Dios. "Hay camino que al hombre le parece derecho; pero su fin es camino de muerte" (Proverbios 14: 12).

"El obedecer es mejor que los sacrificios". Las ofrendas de los sacrificios no tenían en sí mismas valor alguno a los ojos de Dios. Estaban destinadas a expresar, por parte del que las ofrecía, arrepentimiento del pecado y fe en Cristo, y a prometer obediencia futura a la ley de Dios. Pero sin arrepentimiento, ni fe ni un corazón obediente, las ofrendas no tenían valor. Cuando, violando directamente el mandamiento de Dios, Saúl se propuso presentar en sacrificio lo que Dios había dispuesto que fuese destruido, despreció abiertamente la autoridad divina. El sacrificio hubiera sido un insulto para el cielo. No obstante conocer el relato del pecado de Saúl y sus resultados, ¿cuántos siguen una conducta parecida? Mientras se niegan a creer y obedecer algún mandamiento del Señor, perseveran en ofrecer a Dios sus servicios religiosos formales. No responde el Espíritu de Dios a tal servicio. Por celosos que sean los hombres en su observancia de las ceremonias religiosas, el Señor no las puede aceptar si ellos persisten en violar deliberadamente uno de sus mandamientos.

"Como pecado de adivinación es la rebelión, y como ídolos e idolatría la obstinación". La rebelión tuvo su origen en Satanás, y toda rebelión contra Dios se debe directamente a las influencias satánicas. Los que se oponen al gobierno de Dios se han aliado con el caudillo de los apóstatas, y éste ejercerá su poder y astucia para cautivar los sentidos de ellos y descarriar su entendimiento. Hará que todo aparezca bajo una luz falsa. Como nuestros primeros padres, los que están bajo el dominio de su hechizo ven sólo los grandes beneficios que han de recibir por su transgresión.

No puede darse mayor evidencia del poder engañador de Satanás que el hecho de que muchos que son dirigidos por él se engañan a sí mismos con la creencia de que están en el servicio de Dios. Cuando Coré, Datán y Abiram se rebelaron contra la autoridad de Moisés, creyeron que sólo se estaban oponiendo a un jefe humano, a un hombre como ellos mismos; y llegaron a creer que estaban realmente haciendo la voluntad de Dios. Pero al rechazar el instrumento escogido por Dios, rechazaron a Cristo; e insultaron al Espíritu de Dios. Así, en los días de Cristo, los escribas y ancianos judíos, que profesaban ser muy celosos por el honor de Dios, crucificaron a su Hijo. El mismo espíritu existe todavía en los corazones de los que insisten en seguir su propia voluntad en oposición a la voluntad de Dios.

Saúl había tenido pruebas abundantes de que Samuel era inspirado por Dios. Al atreverse a desobedecer el mandamiento que Dios le había dado por el profeta, obró contra los dictados de la razón y del sano juicio. Su presunción fatal debe atribuirse al hechizo satánico. Saúl había demostrado gran celo en el exterminio de la idolatría y de la hechicería; no obstante, en su desobediencia al mandamiento divino había sido instigado por el mismo espíritu de oposición a Dios que animaba a los que practicaban la hechicería, y había sido tan realmente inspirado por Satanás como ellos; y cuando fue reprendido por ello, sumó la obstinación a la rebelión. No podría haber hecho mayor insulto al Espíritu de Dios si se hubiera unido abiertamente con los idólatras.

Pasar por alto los reproches y las advertencias de la palabra de Dios o de su Espíritu, es un paso peligroso. Muchos, como Saúl, ceden a la tentación hasta que se ponen ciegos y no pueden ver el carácter verdadero del pecado. Se jactan de que tenían algún buen propósito en vista, y que no han hecho ningún daño al apartarse de las instrucciones de Dios. Así desprecian el Espíritu de la gracia hasta que ya no oyen su voz, y él los deja entregados a los engaños que han escogido.

En Saúl Dios había dado a los israelitas un rey según el corazón de ellos, como dijo Samuel cuando le fue confirmado el reino a Saúl en Gilgal: "Ahora, pues, he aquí el rey que habéis elegido" (1 Samuel 12: 13). Bien parecido, de estatura noble y de porte principesco, tenía una apariencia en un todo de acuerdo con el concepto que ellos tenían de la dignidad real; y su valor personal y su pericia en la dirección de los ejércitos eran las cualidades que ellos consideraban como las mejores calculadas para obtener el respeto y el honor de otras naciones.

Les interesaba muy poco que su rey tuviera las cualidades superiores que eran las únicas capaces de habilitarle para gobernar con justicia y con equidad. No pidieron un hombre que tuviera verdadera nobleza de carácter, y que amara y temiera a Dios. No buscaron el consejo de Dios acerca de las cualidades que su gobernante debía tener para que ellos pudieran conservar su carácter distintivo y santo como pueblo escogido del Señor. No buscaron el camino de Dios, sino el propio. Por lo tanto, Dios les dio un rey como lo querían, uno cuyo carácter reflejaba el de ellos mismos. El corazón de ellos no se sometía a Dios, y su rey tampoco era subyugado por la gracia divina. Bajo el gobierno de este rey, iban a obtener la experiencia necesaria para que pudieran ver su error, y volver a ser leales a Dios.

Sin embargo, habiendo el Señor encargado a Saúl la responsabilidad del reino, no le abandonó ni le dejó solo. Hizo que el Espíritu Santo se posara en Saúl para que le revelara su propia debilidad y su necesidad de la gracia divina; y si Saúl hubiera fiado en Dios, el Señor habría estado con él. Mientras la voluntad de Saúl fue dominada por la voluntad de Dios, mientras cedió a la disciplina de su Espíritu, Dios pudo coronar sus esfuerzos de éxito. Pero cuando Saúl escogió obrar independientemente de Dios, el Señor no pudo ya ser su guía, y se vio obligado a hacerle a un lado. Entonces llamó a su trono a un "varón conforme a su corazón" (1 Samuel 13: 14), no a uno que no tuviera faltas en su carácter, sino a uno que, en vez de confiar en sí mismo, dependería de Dios, y sería guiado por su Espíritu; que, cuando pecara, se sometería a la reprensión y la corrección.

CAPITULO 62

Este capítulo está basado en 1 Samuel 16: 1-13.

El Ungimiento de David

A POCAS millas al sur de Jerusalén, "la ciudad del gran Rey" (Salmo 48: 2), está Belén donde nació David, el hijo de Isaí, más de mil años antes que el Niño Jesús hallara su cuna en el establo, y fuera adorado por los magos del oriente. Siglos antes del advenimiento del Salvador, David, en el vigor de la adolescencia cuidó sus rebaños mientras pacían en las colinas que rodean a Belén. El sencillo pastor entonaba los himnos que él mismo componía y con la música de su arpa acompañaba dulcemente la melodía de su voz fresca y juvenil. El Señor había escogido a David, y le estaba preparando, en su vida solitaria con sus rebaños, para la obra que se proponía confiarle en los años venideros.

Mientras que David vivía así en el retiro de su vida humilde de pastor, el Señor Dios habló al profeta Samuel acerca de él. "Y dijo Jehová a Samuel: ¿Hasta cuándo llorarás a Saúl, habiéndolo yo desechado para que no reine sobre Israel? Llena tu cuerno de aceite, y ven, te enviaré a Isaí de Belén, porque de sus hijos me he provisto de rey… Toma contigo una becerra de la vacada, y di: A ofrecer sacrificio a Jehová he venido. Y

Mientras el joven David apacentaba las ovejas de su padre, Dios lo estaba preparando para un futuro servicio.

727

RUSSELL HARLAN © PPPA

llama a Isaí al sacrificio, y yo te enseñaré lo que has de hacer; y me ungirás al que yo te dijere. Hizo, pues, Samuel como le dijo Jehová; y luego que él llegó a Belén, los ancianos de la ciudad salieron a recibirle con miedo, y dijeron: ¿Es pacífica tu venida? El respondió: Sí". Los ancianos aceptaron una invitación al sacrificio, y Samuel llamó también a Isaí y a sus hijos. Se construyó un altar, y el sacrificio quedó listo. Toda la casa de Isaí estaba presente, con la excepción de David, el hijo menor, al que se había dejado cuidando las ovejas, pues no era seguro dejar a los rebaños sin protección.

Cuando el sacrificio hubo terminado, y antes de participar del festín subsiguiente, Samuel inició su inspección profética de los bien parecidos hijos de Isaí. Eliab era el mayor, y el que más se parecía a Saúl en estatura y hermosura. Sus bellas facciones y su cuerpo bien desarrollado llamaron la atención del profeta. Cuando Samuel miró su porte principesco, pensó ciertamente que era el hombre a quien Dios había escogido como sucesor de Saúl; y esperó la aprobación divina para ungirle. Pero Jehová no miraba la apariencia exterior. Eliab no temía al Señor. Si se le hubiera llamado al trono, habría sido un soberano orgulloso y exigente. La palabra del Señor a Samuel fue: "No mires a su parecer, ni a lo grande de su estatura, porque yo lo desecho; porque Jehová no mira lo que mira el hombre; pues el hombre mira lo que está delante de sus ojos, pero Jehová mira el corazón".

Ninguna belleza exterior puede recomendar el alma a Dios. La sabiduría y la excelencia del carácter y de la conducta expresan la verdadera belleza del hombre; el valor intrínseco y la excelencia del corazón determinan que seamos aceptados por el Señor de los ejércitos. ¡Cuán profundamente debiéramos sentir esta verdad al juzgarnos a nosotros mismos y a los demás! Del error de Samuel podemos aprender cuán vana es la estima que se basa en la hermosura del rostro o la nobleza de la estatura. Podemos ver cuán incapaz es la sabiduría del hombre para comprender los secretos del corazón o los consejos de Dios, sin una iluminación especial del cielo. Los pensamientos y modos de Dios en relación con sus criaturas superan nuestras mentes finitas; pero podemos tener la seguridad de que sus hijos serán llevados a ocupar precisamente el sitio para el cual están preparados, y serán capacitados para hacer la obra encomendada a sus manos, con tal que sometan su voluntad a Dios, para que sus propósitos benéficos no sean frustrados por la perversidad del hombre.

Terminó Samuel la inspección de Eliab, y los seis hermanos que asistieron al servicio desfilaron sucesivamente para ser observados por el profeta; pero el Señor no dio señal de que hubiese elegido a alguno de ellos. En suspenso penoso, Samuel había mirado al último de los jóvenes; el profeta estaba perplejo y confuso. Le preguntó a Isaí: "¿Son éstos todos tus hijos?" El padre contestó: "Queda aún el menor, que apacienta las ovejas". Samuel ordenó que le hicieran venir, diciendo: "Envía por él, porque no nos sentaremos a la mesa hasta que él venga aquí".

El solitario pastorcillo se sorprendió al recibir la llamada inesperada del mensajero, que le anunció que el profeta había llegado a Belén y le mandaba llamar. Preguntó asombrado por qué el profeta y juez de Israel deseaba verle; pero sin tardanza alguna obedeció al llamamiento. "Era rubio, hermoso de ojos, y de buen parecer". Mientras Samuel miraba con placer al joven pastor, bien parecido, varonil y modesto, le habló la voz del Señor diciendo: "Levántate y úngelo, porque éste es". En el humilde cargo de pastor, David había demostrado que era valeroso y fiel; y ahora Dios le había escogido para que fuera el capitán de su pueblo. "Y Samuel tomó el cuerno del aceite, y lo ungió en medio de sus hermanos; y desde aquel día en adelante el Espíritu de Jehová vino sobre David". El profeta había cumplido la obra que se le había designado, y con el corazón aliviado regresó a Ramá.

Samuel no había hablado de su misión, ni siquiera a la familia de Isaí, y realizó en secreto la ceremonia del ungimiento de David. Fue para el joven un anuncio del destino elevado que le esperaba, para que en medio de todos los diversos incidentes y peligros de sus años venideros, este conocimiento le inspirara a ser fiel al propósito que Dios quería lograr por medio de su vida.

El gran honor conferido a David no le ensoberbeció. A pesar del elevado cargo que había de desempeñar, siguió tranquilamente en su ocupación, contento de esperar el desarrollo de los planes del Señor a su tiempo y manera. Tan humilde y modesto como antes de su ungimiento, el pastorcillo regresó a las colinas, para vigilar y cuidar sus rebaños tan cariñosamente como antes. Pero con nueva inspiración componía sus melodías, y tocaba el arpa. Ante él se extendía un panorama de belleza rica y variada. Las vides, con sus racimos, brillaban al sol. Los árboles del bosque, con su verde follaje, se mecían con la brisa. Veía al sol, que inundaba los cielos de luz, saliendo como un novio de su aposento, y regocijándose como hombre fuerte que va a correr una carrera. Allí estaban las atrevidas cumbres de los cerros que se elevaban hacia el firmamento; en la lejanía se destacaban las peñas estériles de la montaña amurallada de Moab; y sobre todo se extendía el azul suave de la bóveda celestial.

Y más allá estaba Dios. El no podía verle, pero sus obras rebosaban alabanzas. La luz del día, al dorar el bosque y la montaña, el prado y el arroyo, elevaba a la mente y la inducía a contemplar al Padre de las luces, Autor de todo don bueno y perfecto. Las revelaciones diarias del carácter y la majestad de su Creador henchían el corazón del joven poeta de adoración y regocijo.

En la contemplación de Dios y de sus obras, las facultades de la mente y del corazón de David se desarrollaban y fortalecían para la obra de su vida ulterior. Diariamente iba participando en una comunión más íntima con Dios. Su mente penetraba constantemente en nuevas profundidades en busca de temas que le inspirasen cantos y arrancasen música a su arpa. La rica melodía de su voz difundida a los cuatro vientos repercutía en las colinas como si fuera en respuesta a los cantos de regocijo de los ángeles en el cielo.

¿Quién puede medir los resultados de aquellos años de labor y peregrinaje entre las colinas solitarias? La comunión con la naturaleza y con Dios, el cuidado de sus rebaños, los peligros y libramientos, los dolores y regocijos de su humilde suerte, no sólo moldearían el carácter de David e influirían en su vida futura, sino que también por medio de los salmos del dulce cantor de Israel, en todas las edades venideras, se comunicarían amor y fe al corazón de los hijos de Dios, acercándolos al corazón siempre amoroso de Aquel en quien viven todas sus criaturas.

EL UNGIMIENTO DE DAVID

David, en la belleza y el vigor de su juventud, se preparaba para ocupar una elevada posición entre los más nobles de la tierra. Empleaba sus talentos, como dones preciosos de Dios, para alabar la gloria del divino Dador. Las oportunidades que tenía de entregarse a la contemplación y la meditación sirvieron para enriquecerle con aquella sabiduría y piedad que hicieron de él el amado de Dios y de los ángeles. Mientras contemplaba las perfecciones de su Creador, se revelaban a su alma concepciones más claras de Dios. Temas que antes le eran oscuros, se aclaraban para él con luz meridiana, se allanaban las dificultades, se armonizaban las perplejidades, y cada nuevo rayo de luz le arrancaba nuevos arrobamientos e himnos más dulces de devoción, para gloria de Dios y del Redentor. El amor que le inspiraba, los dolores que le oprimían, los triunfos que le acompañaban, eran temas para su pensamiento activo; y cuando contemplaba el amor de Dios en todas las providencias de su vida, el corazón le latía con adoración y gratitud más fervientes, su voz resonaba en una melodía más rica y más dulce; su arpa era arrebatada con un gozo más exaltado; y el pastorcillo procedía de fuerza en fuerza, de sabiduría en sabiduría; pues el Espíritu del Señor le acompañaba.

CAPITULO 63

David y Goliat

CUANDO el rey Saúl se dio cuenta de que había sido rechazado por Dios, y cuando sintió la fuerza de las palabras condenatorias que le había dirigido el profeta, se llenó de amarga rebelión y desesperación. No había sido un verdadero arrepentimiento el que había hecho bajar la cabeza orgullosa del rey. No tenía una concepción clara del carácter ofensivo de su pecado, y no se puso a reformar su vida, sino a cavilar, obsesionado por lo que consideraba una injusticia de Dios al privarle del trono de Israel y quitar a su posteridad la sucesión. Pensaba siempre en la futura ruina que había atraído sobre su casa. Le parecía que el valor que había demostrado al luchar contra sus enemigos debiera anular su pecado de desobediencia. No aceptó con mansedumbre el castigo de Dios; sino que su espíritu altanero se sumió en tal desesperación, que parecía a punto de perder la razón. Sus consejeros le recomendaron que procurara los servicios de un músico hábil, con la esperanza de que las notas calmantes de un suave instrumento pudieran serenar su espíritu acongojado.

En la providencia de Dios, David, como hábil tañedor de arpa fue llevado ante el rey. Sus sublimes acordes inspirados por el cielo tuvieron el efecto deseado. La melancolía cavilosa que se había posado como una nube negra sobre la mente de Saúl se desvaneció como por encanto.

Cuando no se necesitaban sus servicios en la corte de Saúl, David volvía a cuidar sus rebaños entre las colinas, conservando su sencillez de espíritu y de aspecto. Cada vez que era necesario, se le llamaba nuevamente para que sirviera al rey, y aliviara la mente del monarca perturbado hasta que el espíritu malo le abandonaba. Pero aunque Saúl expresaba su deleite por la presencia de David y por su música, el joven pastor regresaba de la casa del rey a los campos y a sus colinas de pastoreo con alivio y alegría.

David crecía en favor ante Dios y los hombres. Había sido educado en los caminos del Señor, y ahora dedicó su corazón más plenamente que nunca a hacer la voluntad de Dios. Tenía nuevos temas en que pensar. Había estado en la corte del rey, y había visto las responsabilidades reales. Había descubierto algunas de las tentaciones que asediaban el alma de Saúl, y había penetrado en algunos de los misterios del carácter y el trato del primer rey de Israel. Había visto la gloria real ensombrecida por una nube oscura de tristeza, y sabía que en su vida privada la casa de Saúl distaba mucho de tener felicidad. Todas estas cosas provocaban inquietud en el que había sido ungido para ser rey de Israel. Pero cuando se sentía absorto en profunda meditación, y atribulado por pensamientos de ansiedad, echaba mano a su arpa y producía acordes que elevaban su mente al Autor de todo lo bueno, y se disipaban las nubes oscuras que parecían entenebrecer el horizonte del futuro.

Dios estaba enseñando a David lecciones de confianza. Como Moisés fue educado para su obra, así también el Señor preparaba al hijo de Isaí para hacerlo guía de su pueblo escogido. En su cuidado de los rebaños, aprendía a apreciar en forma especial el cuidado que el gran Pastor tiene por las ovejas de su dehesa.

En las colinas solitarias y las hondanadas salvajes por donde vagaba David con sus rebaños había fieras en acecho. A menudo salía algún león de los bosquecillos que había al lado del Jordán, o algún oso, de su madriguera en las colinas, y enfurecidos por el hambre venían a atacar los rebaños. De acuerdo con las costumbres de su tiempo, David sólo

733

estaba armado de su honda y su cayado; pero no tardó en dar pruebas de su fuerza y su valor al proteger a los animales que custodiaba. Dijo más tarde, describiendo estos encuentros: "Venía un león, o un oso, y tomaba algún cordero de la manada, salía yo tras él, y lo hería, y lo libraba de su boca; y si se levantaba contra mí, yo le echaba mano de la quijada, y lo hería y lo mataba" (1 Samuel 17: 34, 35). Su experiencia en estos asuntos probó el corazón de David y desarrolló en él valor, fortaleza y fe.

Aun antes de que fuese llamado a la corte de Saúl, David se había distinguido por actos de valor. El oficial que lo recomendó al rey dijo que era "valiente y vigoroso y hombre de guerra, prudente en sus palabras, y hermoso", y añadió: "Jehová está con él" (1 Samuel 16: 18).

Cuando Israel declaró la guerra a los filisteos, tres de los hijos de Isaí se unieron al ejército bajo las órdenes de Saúl; pero David permaneció en casa. Después de algún tiempo, sin embargo, fue a visitar el campamento de Saúl. Por orden de su padre debía llevar un mensaje y un regalo a sus hermanos mayores, y averiguar si estaban sanos y salvos. Pero, sin que lo supiera Isaí, se le había confiado al joven pastor una misión más elevada. Los ejércitos de Israel estaban en peligro, y un ángel había indicado a David que fuera a salvar a su pueblo.

A medida que David se acercaba al ejército, oyó un alboroto, como si se estuviera por entablar una batalla. El ejército "salía en orden de batalla, y daba el grito de combate" (véase 1 Samuel 17). Israel y los filisteos estaban alineados en posiciones de batalla, una hueste contra otra. David corrió hacia el ejército, llegó y saludó a sus hermanos. Mientras hablaba con ellos, Goliat, el campeón de los filisteos, salió, y con lenguaje ofensivo retó a duelo a Israel, y lo desafió a presentar de entre sus filas un hombre que pudiera enfrentársele en singular pelea. Repitió su reto, y cuando David vio que todo Israel estaba amedrentado, y supo que el filisteo lanzaba su desafío día tras día, sin que se levantara un campeón que acallara al jactancioso, su espíritu se conmovió dentro de él. Se encendió su celo para salvar el honor del Dios viviente y el crédito de su pueblo.

Los ejércitos de Israel estaban deprimidos. Les faltaba el valor. Se decían unos a otros: "¿No habéis visto aquel hombre que ha salido? El se

La piedra que David lanzó con destreza dio en el blanco; el gigante tembló, y cayó en tierra.

CHARLES ZINGARO © PPPA

adelanta para provocar a Israel". Lleno de vergüenza e indignación, David exclamó: "¿Quién es este filisteo incircunciso, para que provoque a los escuadrones del Dios viviente?"

Al oír estas palabras, Eliab, hermano mayor de David, comprendió muy bien qué sentimientos agitaban al alma del joven. Aun mientras era pastor, David había manifestado audacia, valor y fortaleza poco comunes; y la misteriosa visita de Samuel a la casa de Isaí así como su partida sigilosa, habían despertado en la mente de los hermanos de David sospechas en cuanto al verdadero objeto de su visita. Los celos de ellos se habían despertado al verle recibir mayor honra que la tributada a ellos, y no le miraban con el respeto y el amor que merecía por su integridad y su ternura fraternal. Lo consideraban como un pastorcillo joven, y ahora la pregunta que hizo fue interpretada por Eliab como una censura de la cobardía que él mismo demostraba al no hacer esfuerzo alguno por acallar al gigante filisteo. El hermano mayor exclamó airado: "¿Para qué has descendido acá? ¿y a quién has dejado aquellas pocas ovejas en el desierto? Yo conozco tu soberbia y la malicia de tu corazón, que para ver la batalla has venido". Respetuosamente, pero con decisión, contestó David: "¿Qué he hecho yo ahora?"

Las palabras de David fueron repetidas al rey, quien inmediatamente hizo comparecer al joven ante sí. Saúl escuchó con asombro las palabras del pastor cuando dijo: "No desmaye el corazón de ninguno a causa de él; tu siervo irá y peleará contra este filisteo". Saúl procuró disuadir a David de su propósito; pero el joven no se dejó convencer. Contestó con sencillez y sin jactancia relatando lo que le sucediera mientras cuidaba los rebaños de su padre, y dijo: "Jehová, que me ha librado de las garras del león y de las garras del oso, él también me librará de la mano de este filisteo. Y dijo Saúl a David: Ve, y Jehová esté contigo".

Durante cuarenta días la hueste israelita había temblado ante el desafío arrogante del gigante filisteo. Sus corazones decaían cuando miraban el enorme cuerpo, que medía seis codos y un palmo. Llevaba en la cabeza un almete de metal, y estaba vestido de una coraza de planchas que pesaba cinco mil siclos, y con grebas de metal en las piernas. La cota estaba hecha de planchas de metal puestas la una sobre la otra, como las escamas de un pez, tan estrechamente juntadas que ningún dardo o saeta podía penetrar a través de la armadura. A la espalda el gigante llevaba una jabalina o lanza enorme, también de bronce. "El asta de su lanza era como un rodillo de telar, y tenía el hierro de su lanza seiscientos siclos de hierro; e iba su escudero delante de él".

Mañana y tarde Goliat se había acercado al campamento israelita, diciendo en alta voz: "¿Para qué os habéis puesto en orden de batalla? ¿No soy yo el filisteo, y vosotros los siervos de Saúl? Escoged de entre vosotros un hombre que venga contra mí. Si él pudiere pelear conmigo, y me venciere, nosotros seremos vuestros siervos; y si yo pudiere más que él, y lo venciere, vosotros seréis nuestros siervos y nos serviréis. Y añadió el filisteo: Hoy yo he desafiado al campamento de Israel; dadme un hombre que pelee conmigo".

Aunque Saúl había dado permiso a David para que aceptara el desafío, el rey tenía muy pocas esperanzas de que David tuviera éxito en su valerosa empresa. Había ordenado que se vistiera al joven de la coraza del rey. Se le puso el pesado almete de metal en la cabeza y se le ciñó al cuerpo la coraza así como la espada del monarca. Así pertrechado, inició la marcha, pero pronto volvió sobre sus pasos. Lo primero que pensaron los espectadores ansiosos fue que David había decidido no arriesgar su vida en tan desigual encuentro con su antagonista. Pero el valiente joven distaba mucho de pensar así. Cuando regresó adonde estaba Saúl, suplicó que le permitiera quitarse aquella pesada armadura, diciendo: "Yo no puedo andar con esto, porque nunca lo practiqué". Se quitó la armadura del rey, y en vez de ella sólo tomó su cayado en la mano, con su zurrón de pastor, y una simple honda. Escogiendo cinco piedras lisas en el arroyo, las puso en su talega, y con su honda en la mano se aproximó al filisteo.

El gigante avanzó audazmente, esperando encontrarse con el más poderoso de los guerreros de Israel. Su escudero iba delante de él, y parecía que nada podía resistirle. Cuando se acercó a David, no vio sino un muchacho, a quien llamaban "joven", a causa de su juventud. El semblante de David era rosado, saludable, y su cuerpo bien proporcionado, sin protección de armadura, se destacaba ventajosamente; no obs-

737

tante, entre su figura juvenil y las robustas proporciones del filisteo, había un marcado contraste.

Goliat se llenó de asombro y de ira. "¿Soy yo perro —exclamó—, para que vengas a mí con palos?" Y entonces soltó contra David las maldiciones y los insultos más terribles, en nombre de todos los dioses que conocía. Gritó mofándose: "Ven a mí, y daré tu carne a las aves del cielo y a las bestias del campo".

David no se acobardó frente al campeón de los filisteos. Avanzando, dijo a su contrincante: "Tú vienes a mí con espada y lanza y jabalina; mas yo vengo a ti en el nombre de Jehová de los ejércitos, el Dios de los escuadrones de Israel, a quien tú has provocado. Jehová te entregará hoy en mi mano, y yo te venceré, y te cortaré la cabeza, y daré hoy los cuerpos de los filisteos a las aves del cielo y a las bestias de la tierra; y toda la tierra sabrá que hay Dios en Israel. Y sabrá toda esta congregación que Jehová no salva con espada y con lanza; porque de Jehová es la batalla, y él os entregará en nuestras manos".

Había un tono de intrepidez en su voz y una mirada de triunfo y regocijo en su bello semblante. Este discurso, pronunciado con voz clara y musical, resonó por los aires, y lo oyeron distintamente los millares que escuchaban, convocados para la guerra. La ira de Goliat llegó al extremo. Furiosamente, empujó hacia atrás el yelmo que le protegía la frente, y corrió para vengarse de su adversario. El hijo de Isaí se estaba preparando para recibir a su enemigo. "Y aconteció que cuando el filisteo se levantó y echó a andar para ir al encuentro de David, David se dio prisa, y corrió a la línea de batalla contra el filisteo. Y metiendo David su mano en la bolsa, tomó de allí una piedra, y la tiró con la honda, e hirió al filisteo en la frente; y la piedra quedó clavada en la frente, y cayó sobre su rostro en tierra".

El asombro cundió entre las filas de los dos ejércitos. Habían estado seguros de que David perecería; pero cuando la piedra cruzó el aire zumbando y dio de lleno en el blanco, vieron al poderoso guerrero temblar y extender las manos, como herido de una ceguera repentina. El gigante se tambaleó y como una encina herida cayó al suelo. David no se demoró un solo instante. Se lanzó sobre el postrado filisteo y asió con las dos manos la pesada espada de Goliat. Un momento antes el gigante se había jactado de que con ella separaría la cabeza de los hombros del joven, y daría su cuerpo a las aves del cielo. Ahora el arma se elevó en el aire, y la cabeza del jactancioso rodó apartándose del tronco, y un grito de triunfo subió del campamento de Israel.

El pánico se apoderó de los filisteos, y la consiguiente confusión resultó en una retirada precipitada. Los gritos de los hebreos victoriosos repercutían por las cumbres de las montañas, mientras corrían apresuradamente detrás de sus enemigos que huían; y "siguieron a los filisteos hasta llegar al valle, y hasta las puertas de Ecrón. Y cayeron los heridos de los filisteos por el camino de Saaraim hasta Gat y Ecrón. Y volvieron los hijos de Israel de seguir tras los filisteos, y saquearon su campamento. Y David tomó la cabeza del filisteo y la trajo a Jerusalén, pero las armas de él las puso en su tienda".

CAPITULO 64

Este capítulo está basado en 1 Samuel 18 a 22.

David Fugitivo

DESPUES de la muerte de Goliat, Saúl retuvo a David consigo y rehusó permitirle que volviera a la casa de su padre. Y sucedió que "el alma de Jonatán quedó ligada con la de David, y lo amó Jonatán como a sí mismo" (véase 1 Samuel 18-22). Mediante un pacto, Jonatán y David se comprometieron a estar unidos como hermanos; y el hijo del rey "se quitó el manto que llevaba, y se lo dio a David, y otras ropas suyas, hasta su espada, su arco y su talabarte". A David se le confiaron responsabilidades importantes; sin embargo conservó su modestia y se ganó el afecto del pueblo así como también el de la casa real.

"Y salía David a dondequiera que Saúl le enviaba, y se portaba prudentemente. Y lo puso Saúl sobre gente de guerra". David era prudente y fiel, y era evidente que le acompañaba la bendición de Dios. Saúl se daba cuenta a veces de su propia incapacidad para gobernar a Israel, y comprendía que el reino estaría más seguro mientras él mismo estuviese relacionado con quien recibiera instrucciones del Señor. Esperaba también que su relación con David le sirviera de salvaguardia. Puesto que David era favorecido y escudado por el Señor, podía ser su presencia

Dios utilizó la amistad de Jonatán con David para proteger al futuro rey de Israel de la ira de Saúl.

741

LESTER QUADE © PPPA

una protección para Saúl cuando salía a la guerra con él.

La providencia de Dios había relacionado a David con Saúl. El puesto que ocupaba David en la corte le había de impartir conocimiento de los asuntos y preparar su grandeza futura. Le pondría en situación de ganarse la confianza de la nación. Las vicisitudes y las dificultades que le sucedieran a causa de la enemistad de Saúl le conducirían a sentir su dependencia de Dios y a depositar toda su confianza en él. Y la amistad de Jonatán con David provenía también de la providencia de Dios con el fin de conservar la vida al futuro soberano de Israel. En todas estas cosas, Dios desarrollaba sus bondadosos propósitos, tanto para David como para el pueblo de Israel.

Saúl, sin embargo, no permaneció por mucho tiempo en amistad con David. Mientras ambos regresaban de la batalla con los filisteos "salieron las mujeres de todas las ciudades de Israel cantando y danzando, para recibir al rey Saúl, con panderos, con cánticos de alegría y con instrumentos de música". Un grupo cantaba: "Saúl hirió a sus miles" en tanto que otro grupo respondía cantando: "Y David a sus diez miles".

El demonio de los celos penetró en el corazón del rey. Se airó porque el canto de las mujeres de Israel ensalzaba más a David que a él mismo. En lugar de sojuzgar esos sentimientos envidiosos, puso de manifiesto la debilidad de su carácter, y exclamó: "A David dieron diez miles, y a mí miles; no le falta más que el reino".

Uno de los mayores defectos del carácter de Saúl era su amor al favor popular y al ensalzamiento. Este rasgo había ejercido una influencia dominante sobre sus acciones y pensamientos; todo llevaba la marca indeleble de su deseo de alabanza y ensalzamiento propio. Su norma de lo bueno y lo malo era la norma baja del aplauso popular. Ningún hombre está seguro cuando vive para agradar a los hombres, y no busca primeramente la manera de obtener la aprobación de Dios. Saúl ambicionaba ser el primero en la estima de los hombres; y cuando oyó esta canción de alabanza, se asentó en la mente del rey la convicción de que David conquistaría el corazón del pueblo, y reinaría en su lugar.

Saúl abrió su corazón al espíritu de los celos, que envenenó su alma. No obstante las lecciones que había recibido del profeta Samuel, en el sentido de que Dios lograría todo lo que decidiera y nadie podría estorbarlo, el rey manifestó claramente que no conocía en verdad los propósitos ni el poder de Dios. El monarca de Israel oponía su voluntad a la del Infinito. Saúl no había aprendido, mientras gobernaba el reino de Israel, que primero debía regir su propio espíritu. Permitía que sus impulsos dominaran su juicio, hasta ser presa de una furia apasionada. Llegaba a veces al paroxismo de la ira y se inclinaba a quitar la vida a cualquiera que osara oponerse a su voluntad. De este frenesí pasaba a un estado de abatimiento y desprecio de sí mismo, y el remordimiento se posesionaba de su alma.

Le deleitaba oír a David tocar el arpa, y el espíritu malo parecía huir por el momento; pero un día cuando el joven le atendía y arrancaba notas melodiosas a su instrumento, para acompañar su voz mientras cantaba las alabanzas a Dios, Saúl arrojó de repente su lanza al músico con el objeto de quitarle la vida. David se salvó por la intercesión de Dios, e ileso, huyó del furor del rey enloquecido.

A medida que su odio hacia David aumentaba, Saúl procuraba con mayor diligencia una oportunidad de quitarle la vida; pero ninguno de sus planes contra el ungido de Dios tuvo éxito. Saúl se entregó al dominio del espíritu malo que le gobernaba; en tanto que David confió en Aquel que es poderoso en el consejo y fuerte para librar. "El temor de Jehová es el principio de la sabiduría" (Proverbios 9: 10), y David rogaba a Dios continuamente que le ayudara a caminar ante él en una manera perfecta.

Deseando librarse de la presencia de su rival, "Saúl lo alejó de sí, y le hizo jefe de mil... Mas todo Israel y Judá amaba a David". El pueblo comprendió muy pronto que David era una persona competente, y que atendía con prudencia y pericia los asuntos que se le confiaban. Los consejos del joven eran de un carácter sabio y discreto, y resultaba seguro seguirlos; en tanto que el juicio de Saúl no era a veces digno de confianza y sus decisiones no eran sabias.

Aunque Saúl estaba siempre alerta y en busca de una oportunidad para matar a David, vivía temiéndole, en vista de que evidentemente el Señor estaba con él. El carácter intachable de David provocaba la ira del rey; consideraba que la misma vida y presencia de David significaban un reproche para él, puesto que dejaba a su propio carácter en contraste desventajoso.

La envidia hacía a Saúl desgraciado, y ponía en peligro al humilde súbdito de su trono. ¡Cuánto daño indecible ha producido en nuestro mundo este mal rasgo de carácter! Había en el corazón de Saúl la misma enemistad que incitó el corazón de Caín contra su hermano Abel, porque las obras de Abel eran justas, y Dios le honraba, mientras que las de Caín eran malas, y el Señor no podía bendecirle. La envidia es hija del orgullo, y si se la abriga en el corazón, conducirá al odio, y eventualmente a la venganza y al homicidio. Satanás ponía de manifiesto su propio carácter al excitar la furia de Saúl contra aquel que jamás le había hecho daño.

El rey vigilaba estrictamente a David, con la esperanza de descubrir alguna muestra de temeridad e indiscreción que sirviera de excusa para hacerlo caer en desgracia. Le parecía imposible quedarse satisfecho mientras no pudiera quitar la vida al joven en forma tal que permitiera justificar ante la nación su acto inicuo. Puso una trampa para los pies de David al incitarle a que guerreara con mayor vigor contra los filisteos, con la promesa de recompensar su valor dándole la mano de su hija mayor. La contestación de David a esta propuesta fue: "¿Quién soy yo, o qué es mi vida, o la familia de mi padre en Israel, para que yo sea yerno del rey?" El monarca demostró su falta de sinceridad casando a la princesa con otro.

El hecho de que Mical, hija menor de Saúl, amara a David le suministró al rey otra ocasión para maquinar contra su rival. La mano de Mical le fue ofrecida al joven, a condición de que diera pruebas de haber derrotado y muerto a un número determinado de los enemigos de la nación. "Saúl pensaba hacer caer a David en manos de los filisteos", pero Dios protegió a su siervo. David regresó vencedor de la batalla, para ser hecho yerno del rey.

"Pero Mical la otra hija de Saúl amaba a David", y el monarca vio con enojo que sus maquinaciones habían resultado en la elevación de aquel a quien trataba de destruir. Más que nunca se sintió seguro de que era el hombre que el Señor había declarado mejor que él, y que reinaría en el trono de Israel en su lugar.

Quitándose la máscara, ordenó a Jonatán y a todos los oficiales de la corte que mataran al objeto de su odio. Jonatán reveló a David la intención del rey, y le pidió que se escondiera mientras él rogaba a su padre que le perdonara la vida al libertador de Israel. Jonatán expuso al rey lo que David había hecho para preservar el honor y aún la vida de la nación, y cuán terrible sería la culpa del asesino de aquel a quien Dios había usado como instrumento para dispersar a sus enemigos. La conciencia del rey se conmovió, y se le ablandó el corazón. "Y escuchó Saúl la voz de Jonatán, y juró Saúl: Vive Jehová, que no morirá". Se trajo a David a la presencia de Saúl, y siguió sirviéndole, como lo había hecho en lo pasado.

Nuevamente se declaró la guerra entre los israelitas y los filisteos, y David dirigió al ejército contra el enemigo. Los hebreos obtuvieron una gran victoria, y la población del reino alabó la sabiduría y el heroísmo de David. Esto sirvió para despertar la anterior amargura de Saúl contra él. Mientras el joven tocaba ante el rey, llenando el palacio con dulces melodías, la pasión de Saúl le dominó, y arrojó a David una lanza, pensando clavar al músico a la pared; pero el ángel del Señor desvió el arma mortal. David escapó, y huyó a su casa.

Saúl envió espías para que le prendieran cuando saliera de su casa a la mañana siguiente, y le dieran muerte. Mical informó a David del propósito de su padre. Le instó a que huyera para salvar su vida, y haciéndole bajar por la ventana, le permitió escapar. El huyó adonde vivía Samuel, en Ramá, y el profeta sin temer el desagrado del rey, dio la bienvenida al fugitivo.

La casa de Samuel era un sitio apacible en comparación con el palacio real. Allí, en medio de las colinas, era donde el honrado siervo del Señor continuaba su obra. Le acompañaba un grupo de videntes que estudiaban cuidadosamente la voluntad de Dios, y escuchaban reverentemente las palabras de instrucción que salían de los labios de Samuel. Fueron preciosas las lecciones que David aprendió del maestro de Israel.

David creía que Saúl no ordenaría a sus tropas que invadieran este sagrado recinto; pero ningún lugar parecía sagrado para la mente entenebrecida del rey desesperado. La relación de David con Samuel despertaba los celos del rey, por temor a que el anciano reverenciado en todo Israel como profeta de Dios dedicara su influencia a fomentar el progreso del rival de Saúl. Cuando el rey supo donde estaba David, mandó a sus oficiales para que le trajesen a Gabaa donde pensaba llevar a cabo su designio homicida.

Los mensajeros salieron con el propósito de quitarle la vida a David; pero Uno más grande que Saúl los dominó. Se encontraron con ángeles invisibles, así como Balaam cuando iba de camino para maldecir a Israel. Principiaron a pronunciar frases proféticas de lo que sucedería en el futuro, y proclamaron la gloria y la majestad de Jehová. Así contrarrestó Dios la ira del hombre, y puso de manifiesto su poder para reprimir el mal, mientras que protegió a su siervo con una muralla de ángeles guardianes.

Estas noticias llegaron a Saúl mientras esperaba ansiosamente tener a David en su poder; pero en vez de sentir la represión de Dios, se exasperó aún más y envió otros mensajeros. Estos también fueron dominados por el Espíritu de Dios, y se unieron con los primeros para profetizar. Una tercera misión fue enviada por el rey; pero cuando los que la componían llegaron adonde estaban los profetas, la influencia divina cayó también sobre ellos, y profetizaron.

Saúl decidió entonces ir personalmente, pues su enemistad feroz se había vuelto ingobernable. Resolvió no esperar más oportunidades para matar a David, y que tan pronto como lo tuviera a su alcance lo mataría con su propia mano, fueran cuales fuesen las consecuencias. Pero un ángel de Dios le encontró en el camino, y le dominó. El Espíritu de Dios le mantuvo bajo su poder, y salió dirigiendo a Dios oraciones entremezcladas con predicciones y melodías sagradas. Profetizó acerca de la venida del Mesías como Redentor del mundo.

Cuando llegó a la casa del profeta en Ramá, puso a un lado las prendas de vestir que señalaban su categoría, y permaneció todo el día y toda la noche acostado ante Samuel y sus discípulos, bajo la influencia del

Espíritu divino. El pueblo se congregó para presenciar esta escena extraña, y lo experimentado por el rey se difundió por todas partes. Así volvió a ser proverbial en Israel, esta vez al acercarse el fin de su reinado, que Saúl también estaba entre los profetas.

El perseguidor había sido nuevamente derrotado en sus propósitos. Aseguró a David que estaba en paz con él; pero David tenía poca confianza en el arrepentimiento del rey. Aprovechó esta ocasión para escaparse, no fuera que el humor del rey cambiara, como antes. Su corazón estaba herido, y ansiaba ver otra vez a su amigo Jonatán. Seguro de su inocencia, buscó al hijo del rey, y le dirigió una súplica muy conmovedora. "¿Qué he hecho yo? —le preguntó—. ¿Cuál es mi maldad, o cuál mi pecado contra tu padre, para que busque mi vida?"

Jonatán creía que su padre había mudado su propósito, y que ya no pensaba quitarle la vida a David. Y Jonatán le dijo: "En ninguna manera; no morirás. He aquí que mi padre ninguna cosa hará, grande ni pequeña, que no me la descubra; ¿por qué, pues, me ha de encubrir mi padre este asunto? No será así". Jonatán no podía creer que, después de la manifestación extraordinaria del poder de Dios, su padre quisiera todavía hacer daño a David, puesto que esto sería una rebelión manifiesta contra Dios. Pero David no estaba convencido. Con intenso fervor declaró a Jonatán: "Ciertamente, vive Jehová y vive tu alma, que apenas hay un paso entre mí y la muerte".

En ocasión de la luna nueva, se celebraba en Israel una fiesta sagrada. Esta fiesta caía en el día que seguía al de la entrevista entre David y Jonatán. En esta fiesta se esperaba que ambos jóvenes aparecieran a la mesa del rey; pero David temía presentarse, y quedó arreglado que fuese a visitar a sus hermanos en Belén. A su regreso se escondería en un campo no muy distante del salón de banquetes, y durante tres días se mantendría ausente de la presencia del rey; y Jonatán observaría los efectos en Saúl. En caso de que preguntara por el paradero del hijo de Isaí, Jonatán diría que se había ido para asistir al sacrificio ofrecido por la casa de su padre. Si el rey no expresaba ira, sino que contestaba: "Bien está", entonces no sería peligroso para David volver a la corte. Pero si el rey se enfurecía por la ausencia, David debería huir.

El primer día del banquete el rey no inquirió acerca de la ausencia de David, pero cuando su sitio estuvo vacante el segundo día, preguntó: "¿Por qué no ha venido a comer el hijo de Isaí hoy ni ayer? Y Jonatán respondió a Saúl: David me pidió encarecidamente que le dejase ir a Belén, diciendo: Te ruego que me dejes ir, porque nuestra familia celebra sacrificio en la ciudad, y mi hermano me lo ha mandado; por lo tanto, si he hallado gracia en tus ojos, permíteme ir ahora para visitar a mis hermanos. Por esto, pues, no ha venido a la mesa del rey".

Cuando Saúl oyó estas palabras, su ira se desenfrenó. Declaró que mientras viviera David, Jonatán no podría subir al trono de Israel, y exigió que se mandara en seguida por David, para ejecutarle. Jonatán nuevamente intercedió por su amigo, suplicando: "¿Por qué morirá? ¿Qué ha hecho?" Esta súplica dirigida al rey sirvió sólo para hacerlo más satánico en su furia, y arrojó a su propio hijo la lanza que había destinado para David.

El príncipe se acongojó y se indignó, y saliendo de la presencia real, no asistió más al banquete. El dolor agobiaba su alma cuando fue, en el momento señalado, al sitio donde debía comunicar a David las intenciones del rey hacia él. Ambos se abrazaron, y lloraron amargamente. El odio sombrío del rey oscurecía la vida de los jóvenes, y el dolor de ellos era demasiado intenso para que pudieran expresarlo con palabras. Las últimas palabras de Jonatán para David cuando se separaron para seguir cada uno su respectivo camino, fueron: "Vete en paz, porque ambos hemos jurado por el nombre de Jehová, diciendo: Jehová esté entre tú y yo, entre tu descendencia y mi descendencia, para siempre".

El hijo del rey regresó a Gabaa, y David se apresuró a llegar a Nob, ciudad que se encontraba a pocas millas de distancia, y que también pertenecía a la tribu de Benjamín. Se había llevado de Silo a este sitio el tabernáculo, y allí oficiaba Ahimelec, el sumo sacerdote. David no sabía adónde refugiarse, sino en casa del siervo de Dios. El sacerdote le miró con asombro, al verle llegar con apresuramiento y aparentemente solo, con la ansiedad y la tristeza impresas en el rostro; y le preguntó qué lo traía allí.

El joven temía constantemente ser descubierto, y en su angustia recurrió al engaño. Dijo al sacerdote que el rey le había enviado en una misión secreta, que requería la mayor celeridad. Con esto demostró David falta de fe en Dios, y su pecado causó la muerte del sumo sacerdote. Si le hubiera manifestado claramente los hechos tales como eran, Ahimelec habría sabido qué conducta seguir para proteger su vida. Dios requiere que la verdad distinga siempre a los suyos, aun en los mayores peligros. David le pidió al sacerdote cinco panes. No había más que pan sagrado en poder del hombre de Dios, pero David consiguió vencer los escrúpulos de él, y obtuvo el pan para satisfacer su hambre.

Pero se le presentó un nuevo peligro. Doeg, el principal de los pastores de Saúl, que había aceptado la fe de los hebreos, estaba entonces pagando sus votos en el lugar de culto. Al ver a este hombre, David decidió buscar apresuradamente otro refugio, y conseguir alguna arma con la cual defenderse en caso de que fuese necesario. Le pidió a Ahimelec una espada, y él le dijo que no tenía otra que la de Goliat, conservada como una reliquia en el tabernáculo. David le contestó: "Ninguna como ella; dámela". El valor de David revivió cuando empuñó la espada que había usado una vez para matar al campeón de los filisteos.

David huyó hasta donde estaba Aquis, rey de Gat, pues le parecía que había más seguridad en medio de los enemigos de su pueblo que en los dominios del rey Saúl. Pero se le informó a Aquis que David había sido el hombre que había dado muerte al campeón filisteo años antes; y ahora el que buscaba refugio entre los enemigos de Israel se encontraba en un gran peligro. Pero fingiendo que estaba loco, pudo engañar a sus enemigos y logró escapar.

Cometió David su primer error al desconfiar de Dios en Nob, y el segundo al engañar a Aquis. David había revelado nobles rasgos de carácter, y su valor moral le había ganado el favor del pueblo; pero cuando fue probado, su fe vaciló, y aparecieron sus debilidades humanas. Veía en todo hombre un espía y un traidor. En una gran emergencia, David había mirado a Dios con el ojo firme de la fe, y había vencido al gigante filisteo. Creía en Dios, y salió a la lucha en su nombre. Pero mientras se le buscaba y perseguía, la perplejidad y la aflicción casi habían ocultado de su vista a su Padre celestial.

No obstante, lo que experimentaba servía para enseñar sabiduría a David; pues le indujo a comprender su propia debilidad, y la necesidad de depender constantemente de Dios. ¡Cuán preciosa y valiosa es la dulce influencia del Espíritu de Dios cuando llega a las almas deprimidas o desesperadas, anima a los de corazón desfalleciente, fortalece a los débiles e imparte valor y ayuda a los probados siervos del Señor! ¡Qué Dios tan bondadoso el nuestro, que trata tan suavemente a los descarriados, y muestra su paciencia y ternura en la adversidad, y cuando estamos abrumados de algún gran dolor!

Todo fracaso de los hijos de Dios se debe a la falta de fe. Cuando las sombras rodean el alma, cuando necesitamos luz y dirección, debemos mirar hacia el cielo; hay luz más allá de las tinieblas. David no debió desconfiar un solo momento de Dios. Tenía motivos para confiar en él: era el ungido del Señor, y en medio de los peligros había sido protegido por los ángeles de Dios; se le había armado de valor para que hiciera cosas maravillosas; y si tan sólo hubiera apartado su atención de la situación angustiosa en que se encontraba, y hubiera pensado en el poder y la majestad de Dios, habría estado en paz aun en medio de las sombras de muerte; habría podido repetir con toda confianza la promesa del Señor: "Los montes se moverán, y los collados temblarán, pero no se apartará de ti mi misericordia, ni el pacto de mi paz se quebrantará" (Isaías 54: 10).

En las montañas de Judá, David buscó refugio de la persecución de Saúl. Escapó sin tropiezo a la cueva de Adulam, sitio que, con una fuerza pequeña, podía defenderse de un ejército grande. "Y cuando sus hermanos y toda la casa de su padre lo supieron, vinieron allí a él". La familia de David no podía sentirse segura, sabiendo que en cualquier momento las sospechas irrazonables de Saúl podían caer sobre ella a causa de su parentesco con David. Ya sabían sus miembros, como lo sabía la generalidad en Israel, que Dios había escogido a David como futuro soberano de su pueblo; y creían que con él, aunque estuviese como fugitivo en una cueva solitaria, estarían más seguros que si quedaban a merced de la locura de un rey celoso.

En la cueva de Adulam, la familia se hallaba unida por la simpatía y

David era perseguido por los soldados de Saúl; pero tomó la espada de Goliat y escapó a la tierra de los filisteos.

JOE MANISCALCO © PPPA

el afecto. El hijo de Isaí podía producir melodías con la voz y con su arpa mientras cantaba: "¡Mirad cuán bueno y cuán delicioso es habitar los hermanos juntos en armonía!" (Salmo 133: 1). Había probado las amarguras de la desconfianza de sus propios hermanos; y la armonía que había reemplazado la discordia llenaba de regocijo el corazón del desterrado. Allí fue donde David compuso el Salmo 57.

Antes de que transcurriera mucho tiempo se unieron a la compañía de David otros hombres que trataban de escapar a las exigencias del rey. Muchos eran los que habían perdido la confianza en el soberano de Israel, pues podían ver que ya no le guiaba el Espíritu del Señor. "Y se juntaron con él todos los afligidos, y todo el que estaba endeudado, y todos los que se hallaban en amargura de espíritu, y fue hecho jefe de ellos; y tuvo consigo como cuatrocientos hombres". Así tuvo David un pequeño reino propio, y en él imperaban la disciplina y el orden.

Pero aun en su retiro de las montañas, distaba mucho de sentirse seguro; pues de continuo tenía evidencias de que el rey no había renunciado a sus propósitos homicidas. Cerca del rey de Moab halló refugio para sus padres; y luego al recibir de un profeta del Señor una advertencia de peligro, huyó de su escondite hacia el bosque de Haret.

Lo que experimentaba David no era innecesario ni estéril. Dios le sometía a un proceso de disciplina a fin de prepararle tanto para el cargo de sabio general como para el de rey justo y misericordioso. Con su banda de fugitivos, David obtenía una excelente preparación para asumir la obra de la cual Saúl se hacía totalmente indigno por su furia asesina y su ciega indiscreción. No pueden los hombres alejarse del consejo de Dios, y retener la calma ni la sabiduría necesarias para obrar con justicia y discreción. No hay locura tan temible ni tan desesperada e inútil como la de seguir el juicio humano, sin dirección de la sabiduría de Dios.

Saúl había hecho preparativos para atrapar y capturar a David en la cueva de Adulam, y cuando descubrió que David había dejado ese refugio, el rey se enfureció mucho. La huida de David era un misterio para Saúl. Sólo podía explicársela por la sospecha de que había en su campamento traidores que habían puesto al hijo de Isaí al tanto de su proximidad y sus propósitos.

Afirmó Saúl a sus consejeros que se había tramado una conspiración contra él, y ofreciéndoles ricos presentes y puestos de honor, los sobornó para que le revelasen quienes entre su pueblo habían tratado amistosamente a David. Doeg, el edomita, se hizo delator. Movido por la ambición y la avaricia y por el odio al sacerdote, que había reprobado sus pecados, Doeg dio parte de la visita de David a Ahimelec, presentando el asunto en forma tal que se encendiera la ira de Saúl contra el hombre de Dios. La palabra de aquella lengua perversa, encendida por el mismo infierno, despertó las peores pasiones del corazón de Saúl. Loco de ira, declaró que debía perecer toda la familia del sacerdote. Y el terrible decreto fue ejecutado. No sólo se mató a Ahimelec, sino que también a los mismos miembros de la casa de su padre —"ochenta y cinco varones que vestían efod de lino"—, les dio muerte, por orden del rey, la mano homicida de Doeg.

"Y a Nob, ciudad de los sacerdotes, hirió a filo de espada; así a hombres como a mujeres, niños hasta los de pecho, bueyes, asnos y ovejas, todo lo hirió a filo de espada". Esto era lo que Saúl podía hacer bajo el dominio de Satanás. Cuando Dios declaró que la iniquidad de los amalecitas estaba rebosando, y le ordenó que los destruyera totalmente, Saúl se creyó demasiado compasivo para ejecutar la sentencia divina, y salvó lo que estaba dedicado a la destrucción; pero ahora, sin ningún mandamiento de Dios, bajo la dirección de Satanás, podía dar muerte a los sacerdotes del Señor, y llevar la ruina a los habitantes de Nob. Tal es la perversidad del corazón humano que ha rechazado la dirección de Dios.

Esta acción llenó a todo Israel de horror. El rey a quien ellos habían escogido era el que había cometido semejante ultraje; y sólo había procedido a la usanza de los reyes de otras naciones que no temían a Dios. El arca estaba con ellos; pero los sacerdotes a quienes solían consultar, yacían muertos por la espada. ¿Qué sucedería luego?

CAPITULO 65

Este capítulo está basado en 1 Samuel 22: 20-23; 23 a 27.

La Magnanimidad de David

DESPUES de la atroz matanza de los sacerdotes del Señor por Saúl, "uno de los hijos de Ahimelec hijo de Ahitob, que se llamaba Abiatar, escapó, y huyó tras David. Y Abiatar dio aviso a David de cómo Saúl había dado muerte a los sacerdotes de Jehová. Y dijo David a Abiatar: Yo sabía que estando allí aquel día Doeg el edomita, él lo había de hacer saber a Saúl. Yo he ocasionado la muerte a todas las personas de la casa de tu padre. Quédate conmigo, no temas; quien buscare mi vida, buscará también la tuya; pues conmigo estarás a salvo" (1 Samuel 22: 20-23).

Siempre perseguido por el rey, David no hallaba lugar de descanso ni de seguridad. En Keila su valerosa banda salvó al pueblo de ser capturado por los filisteos, pero esa banda no estaba segura ni aun entre la gente que había salvado. De Keila se fue al desierto de Zif.

Durante ese tiempo, cuando había tan pocos puntos luminosos en el sendero de David, tuvo el gozo de recibir la inesperada visita de Jonatán, quien había sabido dónde estaba refugiado. Los momentos que estos dos amigos pasaron juntos fueron preciosos. Se relataron mutuamente las distintas cosas de su vida, y Jonatán fortaleció el corazón de David diciéndole: "No temas, pues no te hallará la mano de Saúl mi padre, y tú reinarás sobre Israel, y yo seré segundo después de ti; y aun Saúl mi padre así lo sabe" (véase 1 Samuel 23-27). Mientras conversaba de cuán maravillosamente Dios había obrado con David, el perseguido fugitivo fue muy alentado. "Y ambos hicieron pacto delante de Jehová; y David se quedó en Hores, y Jonatán se volvió a su casa".

Después de la visita de Jonatán, David animó su alma con cantos de alabanza, acompañando su voz con el arpa mientras cantaba:

"En Jehová he confiado;
¿cómo decís a mi alma,
que escape al monte cual ave?
Porque he aquí, los malos tienden el arco,
disponen sus saetas sobre la cuerda,
para asaetear en oculto
a los rectos de corazón.
Si fueren destruidos los fundamentos,
¿qué ha de hacer el justo?
Jehová está en su santo templo;
Jehová tiene en el cielo su trono;
sus ojos ven, sus párpados examinan
a los hijos de los hombres.
Jehová prueba al justo;
pero al malo y al que ama la violencia,
su alma los aborrece" (Salmo 11: 1-5).

Los zifitas a cuya región salvaje David había huido desde Keila, avisaron a Saúl, en Gabaa, de que sabían donde se ocultaba David, y que guiarían al rey a su retiro. Pero David, advertido de las intenciones de ellos, cambió de posición, y buscó refugio en las montañas entre Maón y el mar Muerto.

Nuevamente se le comunicó a Saúl: "He aquí David está en el desierto de En-gadi. Y tomando Saúl tres mil hombres escogidos de todo Israel, fue en busca de David y de sus hombres, por las cumbres de los peñascos de las cabras monteses". David sólo tenía seiscientos hombres en su compañía, en tanto que Saúl avanzaba contra él con un ejército de tres mil.

En una cueva retirada el hijo de Isaí y sus hombres esperaban la dirección de Dios acerca de lo que habían de hacer. Mientras Saúl se abría paso montaña arriba, se desvió, y entró solo en la caverna misma donde David y su grupo estaban escondidos. Cuando los hombres de David vieron esto, le instaron a que diera muerte a Saúl. Interpretaban ellos el hecho de que el rey estaba ahora en su poder, como una evidencia segura de que Dios mismo había entregado al enemigo en sus manos, para que lo mataran. David estuvo tentado a mirar así el asunto; pero la voz de la conciencia le habló, diciéndole: No toques al ungido de Jehová.

Los hombres de David aun no querían dejar a Saúl irse en paz, y le recordaron a su jefe las palabras de Dios: "He aquí que entrego a tu enemigo en tu mano, y harás con él como te pareciere. Y se levantó David, y calladamente cortó la orilla del manto de Saúl". Pero su conciencia le remordió después, porque había dañado el manto del rey.

Saúl se levantó y salió de la cueva para continuar su búsqueda, cuando sus oídos sorprendidos oyeron una voz que le decía: "¡Mi Señor el rey!" Se volvió para ver quién se dirigía a él, y he aquí que era el hijo de Isaí, el hombre a quien por tanto tiempo había deseado tener en su poder para matarlo. David se postró ante el rey, reconociéndole como su señor. Dirigió luego estas palabras a Saúl: "¿Por qué oyes las palabras de los que dicen: Mira que David procura tu mal? He aquí han visto hoy tus ojos cómo Jehová te ha puesto hoy en mis manos en la cueva; y me dijeron que te matase, pero te perdoné, porque dije: No extenderé mi mano contra mi señor, porque es el ungido de Jehová. Y mira, padre mío, mira la orilla de tu manto en mi mano; porque yo corté la orilla de tu manto, y no te maté. Conoce, pues, y ve que no hay mal ni traición en mi mano, ni he pecado contra ti; sin embargo, tú andas a caza de mi vida para quitármela".

Cuando Saúl oyó las palabras de David, se humilló, y no pudo menos de admitir su veracidad. Sus sentimientos se conmovieron profundamente al darse cuenta de cuán completamente había estado él en el poder del hombre cuya vida buscaba. David estaba en pie ante él, consciente de su inocencia. Con ánimo enternecido, Saúl exclamó: "¿No es esta la voz tuya, hijo mío David? Y alzó Saúl su voz y lloró". Luego Saúl le dijo: "Más justo eres tú que yo, que me has pagado con bien, habiéndote yo pagado con mal... Porque ¿quién hallará a su enemigo, y lo dejará ir sano y salvo? Jehová te pague con bien por lo que en este día has hecho conmigo. Y ahora, ... yo entiendo que tú has de reinar, y que el reino de Israel ha de ser en tu mano firme y estable". Y David hizo un pacto con Saúl, a saber, que cuando esto sucediera, miraría con favor la casa de Saúl, y no raería su nombre.

Conociendo la conducta pasada de Saúl como la conocía, David no podía depositar ninguna confianza en las seguridades que el rey le había dado, ni esperar que su arrepentimiento continuase por mucho tiempo. Así que cuando Saúl regresó a su casa, David se quedó en las fortalezas de las montañas.

La enemistad que alimentan hacia los siervos de Dios los que han cedido al poder de Satanás se trueca a veces en sentimiento de reconciliación y favor; pero este cambio no siempre resulta duradero. A veces, después que los hombres de mente corrompida se dedicaron a hacer y decir cosas inicuas contra los siervos del Señor, se arraiga en su mente la convicción de que obraban mal. El Espíritu del Señor contiende con ellos, y humillan su corazón ante Dios y ante aquellos cuya influencia procuraron destruir, y es posible que cambien de conducta para con ellos. Pero cuando vuelven a abrir las puertas a las sugestiones del maligno, reviven las antiguas dudas, la vieja enemistad se despierta, y vuelven a dedicarse a la misma obra de la cual se habían arrepentido, y que por algún tiempo abandonaron. Vuelven a entregarse a la maledicencia, acusando y condenando en forma acérrima a los mismos a quienes habían hecho la más humilde confesión. A las tales personas Satanás puede usarlas, después que adoptaron esa conducta, con mucho más poder que antes, porque han pecado contra una luz mayor.

"Murió Samuel, y se juntó todo Israel, y lo lloraron, y lo sepultaron en su casa en Ramá". La nación de Israel consideró la muerte de Samuel como una pérdida irreparable. Había caído un profeta grande y

757

bueno, y un juez eminente; y el dolor del pueblo era profundo y sincero. Desde su juventud, Samuel había caminado ante Israel con corazón íntegro. Aunque Saúl había sido el rey reconocido, Samuel había ejercido una influencia mucho más poderosa que él, porque tenía en su haber una vida de fidelidad, obediencia y devoción. Leemos que juzgó a Israel todos los días de su vida.

Cuando el pueblo comparaba la conducta de Saúl con la de Samuel, veía el error que había cometido al desear un rey para no ser diferente de las naciones que lo circundaban. Muchos veían con alarma las condiciones imperantes en la sociedad, la cual se impregnaba rápidamente de irreligión e iniquidad. El ejemplo de su soberano ejercía una vasta influencia, y muy bien podía Israel lamentar el hecho de que había muerto Samuel, el profeta de Jehová.

La nación había perdido al fundador y presidente de las escuelas sagradas; pero eso no era todo. Había perdido al hombre a quien el pueblo solía acudir con sus grandes aflicciones, había perdido al que constantemente intercedía ante Dios en beneficio de los mejores intereses de su pueblo. La intercesión de Samuel le había impartido un sentimiento de seguridad, pues "la oración eficaz del justo puede mucho" (Santiago 5: 16). El pueblo creyó ahora que Dios le abandonaba. El rey no le parecía sino un poco menos que un loco. La justicia se había pervertido, y el orden se había trocado en confusión.

Dios llamó al descanso a su anciano siervo precisamente cuando la nación estaba agobiada por luchas internas, y parecía más necesario que nunca el consejo sereno y piadoso de Samuel. El pueblo se hacía amargas reflexiones cuando miraba el silencioso sepulcro del profeta y recordaba cuán insensato había sido al rechazarle como gobernante; porque había estado tan estrechamente relacionado con el cielo, que parecía vincular a todo Israel ante el trono de Jehová. Samuel era quien les había enseñado a amar y obedecer a Dios; pero ahora que había muerto, el pueblo se veía abandonado a la merced de un rey unido a Satanás, que iba separándolo de Dios y del cielo.

David no pudo asistir al entierro de Samuel; pero lloró por él tan profunda y tiernamente como un hijo fiel hubiera llorado por un padre amante. Sabía que la muerte de Samuel había roto otra ligadura que refrenaba las acciones de Saúl, y se sintió menos seguro que cuando el profeta vivía. Mientras Saúl dedicaba su atención a lamentar la muerte de Samuel, David aprovechó la ocasión para buscar un sitio más seguro, y huyó al desierto de Parán. Allí fue donde compuso los salmos 120 y 121. En ese desierto desolado, sabiendo que el profeta estaba muerto y que el rey era su enemigo, cantó así:

"Mi socorro viene de Jehová,
que hizo los cielos y la tierra.
No dará tu pie al resbaladero,
ni se dormirá el que te guarda.
He aquí, no se adormecerá ni dormirá
el que guarda a Israel.
Jehová es tu guardador;
Jehová es tu sombra a tu mano derecha.
El sol no te fatigará de día,
ni la luna de noche.
Jehová te guardará de todo mal;
el guardará tu alma.
Jehová guardará tu salida y tu entrada
desde ahora y para siempre" (Salmo 121: 2-8).

Mientras David y sus hombres estaban en el desierto de Parán, protegieron de las depredaciones de los merodeadores los rebaños y manadas de un hombre rico llamado Nabal, que tenía vastas propiedades en aquella región. Nabal era descendiente de Caleb, pero tenía un carácter brutal y mezquino.

Era la época de la esquila, tiempo de hospitalidad. David y sus hombres estaban en suma necesidad de provisiones; y en conformidad con las costumbres de aquel entonces, el hijo de Isaí envió a diez jóvenes a Nabal, para que le saludaran en nombre de su jefe y le dijeran de su parte: "Sea paz a ti, y paz a tu familia, y paz a todo cuanto tienes. He sabido que tienes esquiladores. Ahora, tus pastores han estado con nosotros; no les tratamos mal, ni les faltó nada en todo el tiempo que han estado en Carmel. * Pregunta a tus criados, y ellos te lo dirán. Hallen, por tanto, estos jóvenes gracia en tus ojos, porque hemos venido en buen día; te ruego que des lo que tuvieres a mano a tus siervos, y a tu hijo David".

David y sus hombres habían sido algo así como una muralla protectora para los pastores y los rebaños de Nabal; y ahora a este rico se le pedía que de su abundancia aliviara en algo las necesidades de aquellos que le habían prestado tan valiosos servicios. Bien podían David y sus hombres haber tomado de los rebaños y manadas de Nabal; pero no lo hicieron. Se comportaron honradamente. Pero Nabal no reconoció la bondad de ellos. La contestación que envió a David delataba su carácter: "¿Quién es David, y quién es el hijo de Isaí? Muchos siervos hay hoy que huyen de sus señores. ¿He de tomar yo ahora mi pan, mi agua, y la carne que he preparado para mis esquiladores, y darla a hombres que no sé de dónde son?"

Cuando los jóvenes regresaron con las manos vacías, y relataron lo acontecido a David, éste se llenó de indignación. Ordenó a sus hombres que se preparasen para un encuentro; pues había decidido castigar al hombre que le había negado su derecho, y había agregado al daño insultos. Este movimiento impulsivo estaba más en armonía con el carácter de Saúl que con el de David; pero el hijo de Isaí tenía que aprender todavía lecciones de paciencia en la escuela de la aflicción.

Después que Nabal hubo despedido a los jóvenes de David, uno de los criados de Nabal se dirigió apresuradamente a Abigail, esposa de Nabal, y la puso al tanto de lo que había sucedido. "He aquí —dijo él— David envió mensajeros del desierto que saludasen a nuestro amo, y él los ha zaherido. Y aquellos hombres han sido muy buenos con nosotros, y nunca nos trataron mal, ni nos faltó nada en todo el tiempo que anduvimos con ellos, cuando estábamos en el campo. Muro fueron para nosotros de día y de noche, todos los días que hemos estado con ellos apacentando las ovejas. Ahora, pues, reflexiona y ve lo que has de hacer, porque el mal está ya resuelto contra nuestro amo y contra toda su casa".

Sin consultar a su marido ni decirle su intención, Abigail hizo una provisión amplia de abastecimientos y, cargada en asnos, la envió a David bajo el cuidado de sus siervos, y fue ella misma en busca de la compañía de David. La encontró en un lugar protegido de una colina. "Y cuando Abigail vio a David, se bajó prontamente del asno, y postrándose sobre su rostro delante de David, se inclinó a tierra; y se echó a sus pies, y dijo: Señor mío, sobre mí sea el pecado; mas te ruego que permitas que tu sierva hable a tus oídos, y escucha las palabras de tu sierva".

Abigail se dirigió a David con tanta reverencia como si hubiese hablado a un monarca coronado. Nabal había exclamado desdeñosamente: "¿Quién es David?" Pero Abigail le llamó: "Señor mío". Con palabras bondadosas procuró calmar los sentimientos irritados de él, y le suplicó en favor de su marido. Sin ninguna ostentación ni orgullo, pero llena de sabiduría y del amor de Dios, Abigail reveló la fortaleza de su devoción a su casa; y explicó claramente a David que la conducta hostil de su marido no había sido premeditada contra él como una afrenta personal, sino que era simplemente el arrebato de una naturaleza desgraciada y egoísta.

"Ahora pues, señor mío, vive Jehová, y vive tu alma, que Jehová te ha impedido el venir a derramar sangre y vengarte por tu propia mano. Sean, pues, como Nabal tus enemigos, y todos los que procuran mal contra mi señor". Abigail no atribuyó a sí misma el razonamiento que desvió a David de su propósito precipitado, sino que dio a Dios el honor y la alabanza. Luego le ofreció sus ricos abastecimientos como ofrenda de paz a los hombres de David, y aun siguió rogando como si ella misma hubiese sido la persona que había provocado el resentimiento del jefe.

"Yo te ruego —dijo ella— que perdones a tu sierva esta ofensa; pues Jehová de cierto hará casa estable a mi señor, por cuanto mi señor pelea las batallas de Jehová, y mal no se ha hallado en ti en tus días". Abigail insinuó el curso que David debía seguir. Debía librar las batallas del Señor. No debía procurar vengarse por los agravios personales, aun cuando se le perseguía como a un traidor. Continuó diciendo: "Aunque alguien se haya levantado para perseguirte y atentar contra tu vida, con todo, la vida de mi señor será ligada en el haz de los que viven delante de Jehová tu Dios… Y acontecerá que cuando Jehová haga con mi señor conforme a todo el bien que ha hablado de ti, y te establezca por prínci-

pe sobre Israel, entonces, señor mío, no tendrás motivo de pena ni remordimientos por haber derramado sangre sin causa, o por haberte vengado por ti mismo. Guárdese, pues, mi señor, y cuando Jehová haga bien a mi señor, acuérdate de tu sierva".

Estas palabras sólo pudieron brotar de los labios de una persona que participaba de la sabiduría de lo alto. La piedad de Abigail, como la fragancia de una flor, se expresaba inconscientemente en su semblante, sus palabras y sus acciones. El Espíritu del Hijo de Dios moraba en su alma. Su palabra, sazonada de gracia, y henchida de bondad y de paz, derramaba una influencia celestial. Impulsos mejores se apoderaron de David, y tembló al pensar en lo que pudiera haber resultado de su propósito temerario. "Bienaventurados los pacificadores, porque ellos serán llamados hijos de Dios" (S. Mateo 5: 9). ¡Ojalá que hubiera muchas personas como esta mujer de Israel, que suavizaran los sentimientos irritados y sofocaran los impulsos temerarios y evitaran grandes males por medio de palabras impregnadas de una sabiduría serena y bien dirigida!

Una vida cristiana consagrada derrama siempre luz, consuelo y paz. Se caracteriza por la pureza, el tino, la sencillez y el deseo de servir a los semejantes. Está dominada por ese amor desinteresado que santifica la influencia. Está henchida del Espíritu de Cristo, y doquiera vaya quien la posee deja una huella de luz.

Abigail era sabia para aconsejar y reprender. La ira de David se disipó bajo el poder de su influencia y razonamiento. Quedó convencido de que había tomado un camino malo, y que había perdido el dominio de su propio espíritu. Con corazón humilde recibió la reprensión, en armonía con sus propias palabras: "Que el justo me castigue, será un favor, y que me reprenda será un excelente bálsamo" (Salmo 141: 5). Le dio las gracias y la bendijo por haberle aconsejado tan rectamente. Son muchos los que, cuando se les reprende, se creen dignos de alabanza si reciben el reproche sin impacientarse; pero ¡cuán pocos aceptan la reprensión con gratitud de corazón, y bendicen a los que tratan de evitarles que sigan un sendero malo!

Cuando Abigail regresó a casa, encontró a Nabal y sus huéspedes

Abigail rogó humildemente a David que perdonara el comportamiento rudo de su esposo, pues era hombre insensato e ignorante.

JOHN STEEL © PPPA

gozándose en un gran festín, que habían convertido en una borrachera alborotada. Hasta la mañana siguiente, no relató ella a su marido lo que había ocurrido en su entrevista con David. En lo íntimo de su corazón, Nabal era un cobarde; y cuando se dio cuenta de cuán cerca su tontería le había llevado de una muerte repentina, quedó como herido de un ataque de parálisis. Temeroso de que David continuase con su propósito de venganza, se llenó de horror, y cayó en una condición de insensibilidad inconsciente. Diez días después falleció. La vida que Dios le había dado, sólo había sido una maldición para el mundo. En medio de su alegría y regocijo, Dios le había dicho, como le dijo al rico de la parábola: "Esta noche vienen a pedirte tu alma" (S. Lucas 12: 20).

David se casó después con Abigail. Ya era el marido de una esposa; pero la costumbre de las naciones de su tiempo había pervertido su juicio e influía en sus acciones. Aun hombres grandes y buenos erraron al seguir prácticas del mundo. Los resultados amargos de casarse con muchas esposas fueron gravemente sentidos por David en toda su vida.

Después de la muerte de Samuel, David fue dejado en paz por algunos meses. Volvió a retirarse a la soledad de los zifitas; pero estos enemigos, con la esperanza de obtener el favor del rey, le revelaron el escondite de David. Estas noticias despertaron al demonio de las pasiones que habían estado adormecidas en el corazón de Saúl. Una vez más, reunió a sus hombres de armas, y los dirigió en persecución de David. Pero algunos espías de éste avisaron al hijo de Isaí que Saúl le perseguía otra vez; y con unos pocos de sus hombres salió David a averiguar el sitio donde estaban sus enemigos. Ya era de noche cuando, avanzando sigilosamente, llegaron a un campamento, y vieron delante de sí las tiendas del rey y sus sirvientes. Nadie los veía; pues el campamento estaba tranquilo y entregado al sueño. David invitó a sus amigos a que le acompañaran hasta llegar en medio de sus enemigos. En contestación a su pregunta: "¿Quién descenderá conmigo a Saúl en el campamento?", dijo Abisai en seguida: "Yo descenderé contigo".

Protegidos por las oscuras sombras de las colinas, David y su asistente entraron en el campamento del enemigo. Mientras trataban de averiguar el número exacto de sus enemigos, llegaron adonde Saúl dormía.

LA MAGNANIMIDAD DE DAVID

Su lanza estaba hincada en la tierra, y había un jarro de agua a su cabecera; al lado de él yacía Abner, su comandante en jefe; alrededor de todos ellos estaban los soldados, sumidos en el sueño. Abisai levantó su lanza, y dijo a David: "Hoy ha entregado Dios a tu enemigo en tus manos; ahora, pues, déjame que le hiera con la lanza, y lo enclavaré en la tierra de un golpe, y no le daré segundo golpe". Y esperó la palabra que le diera el permiso; pero sus oídos escucharon las palabras susurradas:

"No le mates; porque ¿quién extenderá su mano contra el ungido de Jehová, y será inocente?... Vive Jehová, que si Jehová no lo hiriere, o su día llegue para que muera, o descendiendo en batalla perezca, guárdeme Jehová de extender mi mano contra el ungido de Jehová. Pero toma ahora la lanza que está a su cabecera, y la vasija de agua, y vámonos. Se llevó, pues, David la lanza y la vasija de agua de la cabecera de Saúl, y se fueron; y no hubo nadie que viese, ni entendiese, ni velase, pues todos dormían; porque un profundo sueño enviado de Jehová había caído sobre ellos". ¡Cuán fácilmente puede el Señor debilitar al más fuerte, quitar la prudencia del más sabio, y confundir la pericia del más cuidadoso!

Cuando David estuvo a una distancia segura del campamento, se paró en la cumbre de una colina, y gritó a voz en cuello a la gente y a Abner, diciéndole: "¿No eres tú un hombre? ¿y quién hay como tú en Israel? ¿Por qué, pues, no has guardado al rey tu señor? Porque uno del pueblo ha entrado a matar a tu señor el rey. Esto que has hecho no está bien. Vive Jehová, que sois dignos de muerte, porque no habéis guardado a vuestro señor, al ungido de Jehová. Mira pues, ahora, dónde está la lanza del rey, y la vasija de agua que estaba a su cabecera. Y conociendo Saúl la voz de David, dijo: ¿No es esta tu voz, hijo mío David? Y David respondió: Mi voz es, rey señor mío. Y dijo: ¿Por qué persigue así mi señor a su siervo? ¿Qué he hecho? ¿Qué mal hay en mi mano? Ruego, pues, que el rey mi señor oiga ahora las palabras de su siervo".

Nuevamente confesó el rey, diciendo: "He pecado; vuélvete, hijo mío David, que ningún mal te haré más, porque mi vida ha sido estimada preciosa hoy a tus ojos. He aquí yo he hecho neciamente, y he errado en gran manera. Y David respondió y dijo: He aquí la lanza del rey; pase acá uno de los criados y tómela". No obstante que Saúl había hecho la

promesa: "Ningún mal te haré", David no se entregó en sus manos.

Este segundo caso en que David respetaba la vida de su soberano hizo una impresión aún más profunda en la mente de Saúl, y arrancó de él un reconocimiento más humilde de su falta. Le asombraba y subyugaba la manifestación de tanta bondad. Al despedirse de David, Saúl exclamó: "Bendito eres tú, hijo mío David; sin duda emprenderás tú cosas grandes, y prevalecerás". Pero el hijo de Isaí no tenía esperanza de que él siguiera por mucho tiempo en esta actitud.

David perdió la esperanza de reconciliarse con Saúl. Parecía inevitable que cayera finalmente víctima de la malicia del rey, y decidió otra vez buscar refugio en tierra de los filisteos. Con los seiscientos hombres que mandaba, se fue a Aquis, rey de Gat.

La conclusión de David, de que Saúl ciertamente alcanzaría su propósito homicida, se formó sin el consejo de Dios. Aun cuando Saúl estaba maquinando y procurando su destrucción, el Señor obraba para asegurarle el reino a David. El Señor lleva a cabo sus planes, aunque muchas veces para los ojos humanos parezcan velados por el misterio. Los hombres no pueden comprender las maneras de proceder de Dios; y, mirando las apariencias, interpretan las dificultades, las pruebas y las aflicciones que Dios permite que les sobrevengan, como cosas que van encaminadas contra ellos, y que sólo les causarán la ruina. Así miró David las apariencias, y pasó por alto las promesas de Dios. Dudó que jamás llegara a ocupar el trono. Las largas pruebas habían debilitado su fe y agotado su paciencia.

El Señor no envió a David para que buscara protección entre los filisteos, los enemigos acérrimos de Israel. Esa nación se iba a contar entre sus peores enemigos hasta el final; y sin embargo, huyó a ella en busca de ayuda cuando la necesitó. Habiendo perdido toda fe en Saúl y en los que le servían, se entregó a la merced de los enemigos de su pueblo. David era un general valeroso; había dado muestras de ser un guerrero sabio y había salido siempre victorioso en sus batallas; pero ahora estaba obrando directamente contra sus propios intereses al dirigirse a los filisteos. Dios le había designado para que levantase su estandarte en la tierra de Judá, y fue la falta de fe lo que le llevó a abandonar su puesto

David rehusó matar a Saúl, pero se llevó la
vasija de agua como prueba de que había estado
junto a él.

FRED COLLINS © PPPA

del deber sin un mandamiento del Señor.

La incredulidad de David deshonró a Dios. Los filisteos habían temido más a David que a Saúl y sus ejércitos; y al ponerse bajo la protección de los filisteos, David les reveló las debilidades de su propio pueblo. Así animó a estos implacables enemigos a oprimir a Israel. David había sido ungido para que defendiera al pueblo de Dios; y el Señor no quería que sus siervos alentaran a los impíos revelando la debilidad de su pueblo ni aparentando indiferencia hacia el bienestar de dicho pueblo. Además, sus hermanos recibieron la impresión que él se había ido con los paganos para servir a sus dioses. Su acto dio lugar a que se interpretaran mal sus móviles, y muchos se sintieron inducidos a tener prejuicio contra él. Aquello mismo que Satanás quería que hiciera, fue inducido a hacerlo; pues, al buscar refugio entre los filisteos, David causó gran alegría a los enemigos de Dios y de su pueblo. David no renunció al culto que rendía a Dios, ni dejó de dedicarse a su causa; pero sacrificó su confianza en él en favor de la seguridad personal, y así empañó el carácter recto y fiel que Dios exige que sus siervos tengan.

El rey de los filisteos recibió cordialmente a David. Lo caluroso de esta recepción se debió en parte a que el rey le admiraba, y en parte al hecho de que halagaba su vanidad el que un hebreo buscaba su protección. David se sentía seguro contra la traición en los dominios de Aquis. Llevó a su familia, a los miembros de su casa, y sus posesiones, como lo hicieron también sus hombres; y a juzgar por todas las apariencias, había ido allí para establecerse permanentemente en la tierra de los filisteos. Todo esto agradaba mucho al rey Aquis, quien prometió proteger a los israelitas fugitivos.

Al pedir David una residencia en el campo, lejos de la ciudad real, el rey le otorgó generosamente Siclag como posesión. David se percataba de que estar bajo la influencia de los idólatras sería peligroso para él y sus hombres. En una ciudad enteramente separada para su propio uso, podrían adorar a Dios con más libertad que si permanecieran en Gat, donde los ritos paganos no podían menos de resultar en una fuente de iniquidad y molestia.

Mientras moraba en esa ciudad remota, David hizo guerra a los gesuritas, a los gezritas y a los amalecitas, sin dejar nunca uno solo vivo que llevara las noticias a Gat. Cuando volvía de la batalla, daba a entender a Aquis que había estado guerreando contra los de su propia nación, los hombres de Judá. Con este fingimiento, se convirtió en el medio de fortalecer la mano de los filisteos; pues el rey razonaba: "El se ha hecho abominable a su pueblo de Israel, y será siempre mi siervo". David sabía que era la voluntad de Dios que aquellas tribus paganas fueran destruidas, y también sabía que él había sido designado para llevar a cabo esa obra; pero no seguía los caminos y consejos de Dios al practicar el engaño.

"Aconteció en aquellos días, que los filisteos reunieron sus fuerzas para pelear contra Israel. Y dijo Aquis a David: Ten entendido que has de salir conmigo a campaña, tú y tus hombres". David no tenía intención de alzar su mano contra su pueblo; pero no estaba seguro de la conducta que debía seguir, hasta que las circunstancias le indicaran su deber. Contestó al rey evasivamente, y le dijo: "Muy bien, tú sabrás lo que hará tu siervo". Aquis interpretó estas palabras como una promesa de ayuda en la guerra que se aproximaba, y prometió otorgarle a David grandes honores, y darle un elevado cargo en la corte filistea.

Pero aunque la fe de David había vacilado un tanto acerca de las promesas de Dios, aún recordaba que Samuel le había ungido como rey de Israel. No olvidaba las victorias que Dios le había dado sobre sus enemigos en el pasado. Consideró en una mirada retrospectiva la gran misericordia de Dios al preservarle de la mano de Saúl, y decidió no traicionar el cometido sagrado. Aunque el rey de Israel había procurado matarle, decidió no unir sus fuerzas a las de los enemigos de su pueblo.

---

*No el monte Carmelo, sino una localidad de Judá, cercana al pueblo de Maón, en las montañas.

CAPITULO 66

La Muerte de Saúl

OTRA vez se declaró la guerra entre Israel y los filisteos. "Se juntaron, pues, los filisteos, y vinieron y acamparon en Sunem", en la orilla norte de la llanura de Jezreel; mientras que Saúl y sus fuerzas acamparon sólo a pocos kilómetros de distancia, al pie del monte de Gilboa, en el borde meridional de la llanura. En esta llanura era donde Gedeón, con trescientos hombres, había derrotado a las huestes de Madián. Pero el espíritu que animaba al libertador de Israel era muy distinto del que agitaba ahora el corazón del rey. Gedeón salió al campo de batalla, fortalecido por su fe en el poderoso Dios de Jacob; mientras que Saúl se sentía solo e indefenso, porque Dios le había abandonado. Al mirar a lo lejos a las huestes filisteas, "tuvo miedo, y se turbó su corazón en gran manera" (véase 1 Samuel 28, 31).

Saúl sabía que David y su fuerza estaban con los filisteos, y pensó que el hijo de Isaí aprovecharía esta oportunidad para vengarse de los agravios que había recibido. El rey estaba muy angustiado. Su propio odio irracional, al incitarle a destruir al escogido de Dios, había envuelto a la nación en tan grande peligro. Mientras se había empeñado en

Saúl, desesperado, buscó la ayuda de la pitonisa de Endor para saber, si era posible, si Israel iba a vencer.

JOE MANISCALCO © PPPA

perseguir a David, había descuidado la defensa del reino. Los filisteos, aprovechándose de su condición desamparada, habían penetrado hasta el mismo corazón del país. Mientras Satanás instaba a Saúl a que empleara toda su energía para perseguir a David, su mismo espíritu maligno había inducido a los filisteos a que aprovecharan la oportunidad de labrar la ruina de Saúl, y derrocar al pueblo de Dios. ¡Cuán a menudo usa la misma política y el mismo procedimiento el gran enemigo! Obra sobre un corazón falto de consagración para encender la envidia y la lucha en la iglesia, y luego, aprovechándose de la condición dividida en que está el pueblo de Dios, mueve a sus agentes para que labren la ruina de dicho pueblo.

Al día siguiente, Saúl debía entablar batalla con los filisteos. Le rodeaban las oscuras sombras de la destrucción inminente; anhelaba tener ayuda y dirección. Pero era en vano que buscara el consejo de Dios. "Jehová no le respondió ni por sueños, ni por Urim, ni por profetas".

Nunca se apartó el Señor de un alma que acudiera a él con sinceridad y humildad. ¿Por qué dejó a Saúl sin contestación? Por sus propios actos, el rey había desechado los beneficios de todos los métodos de interrogar a Dios. Había rechazado el consejo de Samuel el profeta; había desterrado a David, el escogido de Dios; había dado muerte a los sacerdotes de Jehová. ¿Podía esperar que Dios le contestara, cuando había cortado por completo los medios de comunicación que había ordenado el cielo? Habiendo ahuyentado por sus pecados al Espíritu de gracia, ¿podía acaso recibir contestación del Señor mediante sueños y revelaciones?

Saúl no se volvió a Dios con humildad y arrepentimiento. Lo que él buscaba no era el perdón de su pecado ni la reconciliación con Dios, sino que se le librara de sus enemigos. Por su propia obstinación y rebelión, se había separado de Dios. No podía retornar a él sino por medio del arrepentimiento y de la contrición; pero el monarca orgulloso, en su angustia y desesperación, decidió solicitar ayuda de otra fuente.

Dijo entonces Saúl a sus siervos: "Buscadme una mujer que tenga espíritu de adivinación, para que yo vaya a ella y por medio de ella pregunte". Saúl conocía perfectamente el carácter de la necromancia. Esta había sido expresamente prohibida por el Señor, y se había pronunciado sentencia de muerte contra todos los que practicaran sus artes inicuas. Mientras vivía Samuel, Saúl había mandado que se diese muerte a todos los magos y a los que tuviesen espíritu de adivinación; pero ahora, en un arrebato de desesperación, recurría al oráculo que él mismo había condenado como abominación.

Se le dijo al rey que una mujer que tenía espíritu de adivinación vivía oculta en Endor. Esta mujer había pactado con Satanás entregarse por completo a su dominio y cumplir sus propósitos; y en cambio, el príncipe del mal hacía milagros para ella, y le revelaba cosas secretas.

Disfrazándose, Saúl salió protegido por las sombras de la noche con sólo dos acompañantes, para buscar el retiro de la pitonisa. ¡Oh, cuánta lástima inspira esta escena en la que vemos al rey de Israel conducido cautivo a voluntad de Satanás! ¡Cuán oscuro es el sendero que elige para sus pies el que insistió en hacer su propia voluntad, y resistió a la santa influencia del Espíritu de Dios! ¡Cuán terrible es la servidumbre del que se entrega al dominio del peor de los tiranos, a saber, él mismo! La confianza en Dios, y la obediencia a su voluntad, eran las únicas condiciones bajo las cuales Saúl podía ser rey de Israel. Si hubiera cumplido con estas condiciones durante todo su reinado, su reino habría estado seguro; Dios habría sido su guía, el Omnipotente su escudo. Dios había soportado mucho tiempo a Saúl; y aunque su rebelión y su obstinación casi habían acallado la voz divina en su alma, aún tenía oportunidad de arrepentirse. Pero cuando en su peligro se apartó de Dios para obtener luz de una aliada de Satanás, cortó el último vínculo que le ataba a su Creador; se puso completamente bajo el dominio de aquel poder diabólico que desde hacía muchos años se ejercía sobre él, y le había llevado al mismo borde de la destrucción.

Bajo la protección de las tinieblas nocturnas, Saúl y sus asistentes avanzaron a través de la llanura, y dejando sin tropiezo a un lado la hueste filistea, cruzaron la montaña para llegar al solitario domicilio de la pitonisa de Endor. Allí se había ocultado la adivina para continuar secretamente la práctica de sus encantamientos profanos. Aunque Saúl estaba disfrazado, su elevada estatura y regio porte indicaban que no era un soldado común. La mujer sospechó que el visitante fuese Saúl, y los ricos regalos que le ofreció reforzaron sus sospechas. Al pedido que le dirigió: "Yo te ruego que me adivines por el espíritu de adivinación, y me hagas subir a quien yo te dijere", la mujer contestó: "He aquí tú sabes lo que Saúl ha hecho, cómo ha cortado de la tierra a los evocadores y a los adivinos. ¿Por qué, pues, pones tropiezo a mi vida, para hacerme morir? Entonces Saúl le juró por Jehová, diciendo: Vive Jehová, que ningún mal te vendrá por esto". Y cuando ella dijo: "¿A quién te haré venir?", él contestó: "A Samuel".

Después de practicar sus encantamientos, ella le dijo: "He visto dioses que suben de la tierra... Un hombre anciano viene, cubierto de un manto. Saúl entonces entendió que era Samuel, y humillando el rostro a tierra, hizo gran reverencia".

No fue el santo profeta de Dios el que vino, evocado por los encantamientos de la pitonisa. Samuel no estuvo presente en aquella guarida de los espíritus malos. Aquella aparición sobrenatural fue producida solamente por el poder de Satanás. Le resultó tan fácil asumir entonces la forma de Samuel como tomar la de un ángel de luz cuando tentó a Cristo en el desierto.

Las primeras palabras de la mujer cuando estuvo bajo la influencia de su encantamiento se dirigieron al rey: "¿Por qué me has engañado? pues tú eres Saúl". De modo que el primer acto del espíritu malo que se presentó como el profeta, consistió en comunicarse secretamente con esta mujer impía para advertirla de cómo se la había engañado. El mensaje que el profeta fingido le dio a Saúl fue: "¿Por qué me has inquietado haciéndome venir? Y Saúl respondió: Estoy muy angustiado, pues los filisteos pelean contra mí, y Dios se ha apartado de mí, y no me responde más, ni por medio de profetas ni por sueños; por esto te he llamado, para que me declares lo que tengo que hacer".

Mientras vivía Samuel, Saúl había menospreciado su consejo, y manifestado resentimiento por sus reproches. Pero ahora, en la hora de su aflicción y calamidad, consideró la dirección del profeta como la única esperanza, y para comunicarse con el embajador del cielo, recurrió en vano a la mensajera del infierno. Saúl se había colocado totalmente en poder de Satanás; y ahora aquel que se deleita únicamente en causar miseria y destrucción aprovechó bien la oportunidad para labrar la ruina del desgraciado rey. En contestación a la súplica de Saúl en su agonía, recibió de los supuestos labios de Samuel el terrible mensaje:

"¿Y para qué me preguntas a mí, si Jehová se ha apartado de ti y es tu enemigo? Jehová te ha hecho como dijo por medio de mí; pues Jehová ha quitado el reino de tu mano, y lo ha dado a tu compañero, David. Como tú no obedeciste a la voz de Jehová, ni cumpliste el ardor de su ira contra Amalec, por eso Jehová te ha hecho esto hoy. Y Jehová entregará a Israel también contigo en manos de los filisteos; y mañana estaréis conmigo, tú y tus hijos; y Jehová entregará también al ejército de Israel en mano de los filisteos".

A través de toda su carrera de rebelión, Saúl había sido halagado y engañado por Satanás. Es obra del tentador empequeñecer el pecado, hacer el sendero de la transgresión fácil y agradable, cegar la mente a las advertencias y las amenazas del Señor. Satanás, por su poder hechicero, había inducido a Saúl a justificarse en desafío de las represiones y advertencias de Samuel. Pero ahora, en su extrema necesidad, se volvía contra él, presentándole la enormidad de su pecado y la imposibilidad de esperar perdón para incitarle a la desesperación. No podría haber elegido una manera mejor para destruir su valor y confundir su juicio, o para inducirle a desesperarse y a destruirse él mismo.

El cansancio y el ayuno habían debilitado a Saúl, que se sentía, además, aterrorizado y atormentado por su conciencia. Cuando oyó aquella espantosa predicción, su cuerpo osciló como una encina ante la tempestad, y cayó postrado en tierra.

La pitonisa se llenó de alarma. El rey de Israel yacía ante ella como muerto. ¿Cuáles serían las consecuencias para ella, si perecía en su retiro? Le pidió que se levantara y comiera algo, alegando que como ella había puesto en peligro su vida al otorgarle lo que deseara, él debía ceder a la súplica de ella para conservar su propia vida. Los criados de Saúl unieron sus súplicas a las de la pitonisa; el rey cedió por fin, y la mujer puso en su mesa el "ternero engordado" y el pan sin levadura que preparó apresuradamente. ¡Qué escena aquella! En la rústica cueva de la pitonisa, donde poco antes habían resonado las palabras de condenación, y en presencia de la mensajera de Satanás, el que había sido ungido por Dios como rey de todo Israel se sentó a comer, en preparación para la lucha mortal del día que se avecinaba.

Antes del amanecer volvió con sus acompañantes al campamento israelita, a fin de hacer preparativos para el combate. Al consultar aquel espíritu de las tinieblas, Saúl se había destruido. Oprimido por los horrores de la desesperación, le iba a resultar imposible inspirar ánimo a su ejército. Separado de la Fuente de fortaleza, no podía dirigir la mente de Israel para que buscara y mirara a Dios como su ayudador. De esta manera la predicción del mal iba a labrar su propio cumplimiento.

En las llanuras de Sunem y en las laderas del monte Gilboa, los ejércitos de Israel y las huestes filisteas se trabaron en mortal combate. Aunque la temible escena de la cueva de Endor había ahuyentado toda esperanza de su corazón, Saúl luchó con valor desesperado por su trono y por su reino. Pero fue en vano. "Los de Israel huyeron delante de los filisteos, y cayeron muertos en el monte de Gilboa". Tres hijos valerosos del rey perecieron a su lado.

Los arqueros apremiaban más y más a Saúl. Había visto a sus soldados caer en derredor suyo, y a sus nobles hijos abatidos por la espada. Herido él mismo, ya no podía pelear ni huir. Le era imposible escapar, y resuelto a no ser capturado vivo por los filisteos, ordenó a su escudero: "Saca tu espada, y traspásame con ella". Cuando el hombre se negó a levantar la mano contra el ungido del Señor, Saúl se quitó él mismo la vida dejándose caer sobre su propia espada. Así pereció el primer rey de Israel cargando su alma con la culpa del suicidio. Su vida había fracasado y cayó sin honor y desesperado, porque había opuesto su perversa voluntad a la de Dios.

Las noticias de la derrota cundieron por todas partes, e infundieron terror a todo Israel. El pueblo huyó de las ciudades, y los filisteos tomaron posesión de ellas sin molestia alguna. El reinado de Saúl, independiente de Dios, casi había resultado en la ruina de su pueblo.

Al día siguiente de la lucha, mientras los filisteos examinaban el campo de batalla para despojar a los muertos, descubrieron los cuerpos de Saúl y de sus tres hijos. Para completar su triunfo, cortaron la cabeza de Saúl y quitaron la armadura del resto de su cuerpo; luego esta cabeza sangrienta y la armadura fueron enviadas al país de los filisteos como trofeo de victoria, "para que llevaran las buenas nuevas al templo de sus ídolos y al pueblo". La armadura fue por fin colocada en el "templo de Astarot", mientras que la cabeza fue fijada en el templo de Dagón. Así se dio la gloria de la victoria al poder de los dioses falsos y se deshonró el nombre de Jehová.

Los cadáveres de Saúl y de sus hijos fueron arrastrados a Bet-sán, ciudad que no estaba muy lejos de Gilboa, y cerca del río Jordán. Allí fueron colgados con cadenas para que los devorasen las aves de rapiña. Pero los hombres valientes de Jabes de Galaad, recordando cómo Saúl había liberado su ciudad en años anteriores y más felices, manifestaron su gratitud rescatando los cadáveres del rey y de los príncipes, y dándoles sepultura honorable. Cruzando el Jordán durante la noche, "quitaron el cuerpo de Saúl y los cuerpos de sus hijos del muro de Bet-sán; y viniendo a Jabes, los quemaron allí. Y tomando sus huesos, los sepultaron debajo de un árbol en Jabes, y ayunaron siete días". Así fue como una acción noble, realizada hacía cuarenta años, aseguró para Saúl y sus hijos que los enterraran manos tiernas y misericordes en aquella hora negra de la derrota y de la deshonra.

CAPITULO 67

Magia Antigua y Moderna

EL RELATO que hace la Escritura de la visita de Saúl a la mujer de Endor, ha ocasionado perplejidad a muchos estudiantes de la Biblia. Algunos sostienen que Samuel estuvo realmente presente en la entrevista con Saúl, pero la Biblia misma suministra bases suficientes para llegar a una conclusión contraria. Si, como algunos alegan, Samuel hubiera estado en el cielo, habría sido necesario hacerle bajar de allí, ya sea por el poder de Dios o por el poder de Satanás. Nadie puede creer que Satanás tenía poder para hacer bajar del cielo al santo profeta de Dios para honrar las hechicerías de una mujer impía. Tampoco podemos concluir que Dios le mandó a la cueva de la bruja; pues el Señor ya se había negado a comunicarse con Saúl por medio de sueños, del Urim [luz del pectoral], o por medio de los profetas (1 Samuel 28: 6). Estos eran los medios designados por Dios para comunicarse con su pueblo, y no los iba a pasar por alto para dar un mensaje por medio de un agente de Satanás.

El mensaje mismo da suficiente evidencia de su origen. Su objeto no era inducir a Saúl al arrepentimiento, sino más bien incitarle a destruirse; y tal no es la obra de Dios, sino la de Satanás. Además, el acto de Saúl al consultar a una hechicera se cita en la Escritura como una de

Las apariciones que afirman que son los espíritus de los muertos, se presentan en las sesiones espiritistas y engañan a los incautos.

JOE MANISCALCO © PPPA

las razones por las cuales fue rechazado por Dios y entregado a la destrucción: "Así murió Saúl por su rebelión con que prevaricó contra Jehová, contra la palabra de Jehová, la cual no guardó, y porque consultó a una adivina, y no consultó a Jehová; por esta causa lo mató, y traspasó el reino a David hijo de Isaí" (1 Crónicas 10: 13, 14). Este pasaje dice claramente que Saúl interrogó "a una adivina" o espíritu malo, y no al Espíritu del Señor. No se comunicó con Samuel, el profeta de Dios; sino que por medio de la hechicera se comunicó con Satanás. Este no podía presentar al verdadero Samuel, pero sí presentó uno falso, que le sirvió para llevar a cabo sus propósitos de engaño.

Casi todas las formas de la hechicería y brujería antiguas se fundaban en la creencia de que es posible comunicarse con los muertos. Los que practicaban las artes de la necromancia aseveraban tener relaciones con los espíritus de los difuntos para conocer los acontecimientos futuros. A esta costumbre de consultar a los muertos se alude en la profecía de Isaías: "Y si os dijeren: Preguntad a los encantadores y a los adivinos, que susurran hablando, responded: ¿No consultará el pueblo a su Dios? ¿Consultará a los muertos por los vivos?" (Isaías 8: 19).

Esta misma creencia en la posibilidad de comunicarse con los muertos era la piedra angular de la idolatría pagana. Se creía que los dioses de los paganos eran los espíritus deificados de héroes desaparecidos. La religión de los paganos era así un culto a los muertos. Las Escrituras lo evidencian. Al relatar el pecado de Israel en Bet-peor nos dice: "Moraba Israel en Sitim; y el pueblo empezó a fornicar con las hijas de Moab, las cuales invitaban al pueblo a los sacrificios de sus dioses; y el pueblo comió, y se inclinó a sus dioses. Así acudió el pueblo a Baal-peor" (Números 25: 1-3). El salmista dice a qué dioses eran ofrecidos esos sacrificios. Hablando de la misma apostasía de los israelitas, dice: "Se unieron asimismo a Baal-peor, y *comieron los sacrificios de los muertos*" (Salmo 106: 28), es decir, sacrificios que habían sido ofrecidos a los difuntos.

La deificación de los muertos ocupaba un lugar preeminente en casi todo sistema pagano, como también lo ocupaba la supuesta comunión con los muertos. Se creía que los dioses comunicaban su voluntad a los hombres, y que, cuando los consultaban, les daban consejos. De esta índole eran los famosos oráculos de Grecia y de Roma.

La creencia en la comunión con los muertos prevalece aún hoy día, hasta entre los pueblos que profesan ser cristianos. Bajo el nombre de espiritismo, la práctica de comunicarse con seres que dicen ser los espíritus de los desaparecidos se ha generalizado mucho. Tiende a conquistar la simpatía de quienes perdieron seres queridos. A veces se presentan a ciertas personas seres espirituales en la forma de sus amigos difuntos, y les describen incidentes relacionados con la vida de ellos, o realizan actos que ejecutaban mientras vivían. En esta forma inducen a los hombres a creer que sus amigos difuntos son ángeles, que se ciernen sobre ellos y se comunican con ellos. Los seres que son así considerados como espíritus de los desaparecidos, son mirados con cierta idolatría, y para muchos la palabra de ellos tiene más peso que la palabra de Dios.

Pero muchos consideran al espiritismo como un simple engaño. Atribuyen a fraudes de los médiums las manifestaciones mediante las cuales pretenden demostrar que poseen un carácter sobrenatural. Sin embargo, si bien es cierto que con frecuencia se han presentado los resultados de alguna superchería como manifestaciones genuinas, ha habido también evidencias notables de un poder sobrenatural. Y muchos de los que rechazan el espiritismo como resultado de la pericia o la astucia humana, al comprobar manifestaciones que no pueden explicar en este sentido, se verán inducidos a reconocer sus asertos como veraces.

El espiritismo moderno y las formas de brujería antigua y culto idólatra, por tener relación con los muertos como principio básico, se basan en aquella primera mentira mediante la cual Satanás engañó a Adán y a Eva: "No moriréis; sino que sabe Dios que el día que comáis de él, ... seréis como Dios" (Génesis 3: 4, 5). Como se basan igualmente en la mentira y la perpetúan, provienen por igual del padre de las mentiras.

A los hebreos se les prohibía expresamente que participaran en cualquier forma de supuesta comunión con los muertos. Dios cerró esta puerta eficazmente cuando dijo: "Los muertos nada saben, ... y nunca más tendrán parte en todo lo que se hace debajo del sol" (Eclesiastés 9: 5, 6). "Pues sale su aliento, y vuelve a la tierra; en ese mismo día perecen sus pensamientos" (Salmo 146: 4). Y el Señor le declaró a Israel:

"La persona que atendiere a encantadores o adivinos, para prostituirse tras de ellos, yo pondré mi rostro contra la tal persona, y la cortaré de entre su pueblo" (Levítico 20: 6).

Los espíritus adivinadores no eran los espíritus de los muertos, sino ángeles malos, mensajeros de Satanás. La idolatría antigua, que, según hemos visto, abarca tanto el culto de los muertos como la pretendida comunicación con ellos, era, declara la Biblia, una manifestación del culto de los demonios. El apóstol Pablo, al amonestar a sus hermanos contra cualquier participación en la idolatría de sus vecinos paganos, dice: "Lo que los gentiles sacrifican, a los demonios lo sacrifican, y no a Dios; y no quiero que vosotros os hagáis partícipes con los demonios" (1 Corintios 10: 20). Hablando de Israel el salmista dice: "Sacrificaron sus hijos y sus hijas a los demonios", y explica que los "ofrecieron en sacrificio a los ídolos de Canaán" (Salmo 106: 37, 38). En su supuesta adoración de los muertos, adoraban, en realidad, a los demonios.

Ese espiritismo moderno, basado en el mismo fundamento, no es sino un renacimiento, en nueva forma, de la hechicería y del culto demoníaco que Dios había condenado y prohibido en la antigüedad. Estaba predicho en las Escrituras, las cuales declaraban: "En los postreros tiempos algunos apostatarán de la fe, escuchando a espíritus engañadores y a doctrinas de demonios" (1 Timoteo 4: 1). El apóstol Pablo, en su segunda Epístola a los Tesalonicenses, señala la obra especial de Satanás en el espiritismo como cosa que había de suceder inmediatamente antes de la segunda venida de Cristo. Hablando del segundo advenimiento de Cristo, declara que habría antes "obra de Satanás, con gran poder y señales y prodigios mentirosos" (2 Tesalonicenses 2: 9). Y Pedro, refiriéndose a los peligros a los cuales la iglesia se vería expuesta en los últimos días, dice que como hubo falsos profetas que indujeron a Israel a pecar, habrá falsos maestros, "que introducirán encubiertamente herejías destructoras, y aun negarán al Señor que los rescató, ... y muchos seguirán sus disoluciones" (2 S. Pedro 2: 1, 2).

Así anunció el apóstol una de las características más señaladas de los maestros espiritistas. Se niegan a reconocer a Cristo como el Hijo de Dios. Tocante a esta clase de maestros, el amado apóstol Juan declara:

"¿Quién es el mentiroso, sino el que niega que Jesús es el Cristo? Este es anticristo, el que niega al Padre y al Hijo. Todo aquel que niega al Hijo, tampoco tiene al Padre" (1 S. Juan 2: 22, 23). El espiritismo, al negar a Cristo, niega tanto al Padre como al Hijo, y la Biblia declara que es manifestación del anticristo.

Al predecir la perdición de Saúl por medio de la pitonisa de Endor, Satanás quería entrampar al pueblo de Israel. Esperaba que dicho pueblo llegaría a tener confianza en la pitonisa, y se vería inducido a consultarla. Así se apartaría de Dios como su consejero, y se colocaría bajo la dirección de Satanás. La seducción por medio de la cual el espiritismo atrae a las multitudes es su supuesto poder de descorrer el velo del futuro y revelar a los hombres lo que Dios ocultó. Dios nos reveló en su Palabra los grandes acontecimientos del porvenir, todo lo que es esencial que sepamos, y nos ha dado una guía segura para nuestros pies en medio de los peligros; pero Satanás quiere destruir la confianza y la fe de los hombres en Dios, dejarlos descontentos de su condición en la vida, e inducirlos a procurar el conocimiento de lo que Dios sabiamente les vedó y a menospreciar lo que les reveló en su santa Palabra.

Muchos se agitan cuando no pueden saber qué resultará en definitiva de los asuntos. No pueden soportar la incertidumbre, y en su impaciencia rehúsan esperar para ver la salvación de Dios. Los males que presienten casi los enloquecen. Ceden a sus sentimientos de rebelión, y corren de aquí para allá en dolor apasionado, procurando entender lo que no se ha revelado. Si tan sólo confiaran en Dios y velaran en oración, hallarían consuelo divino. Su espíritu sería calmado por la comunión con Dios. Los cansados y trabajados hallarían descanso para sus almas, con sólo ir a Jesús; pero cuando descuidan los medios que Dios dispuso para su consuelo, y recurren a otras fuentes, con la esperanza de averiguar lo que Dios vedó, cometen el error de Saúl, y con ello sólo adquieren un conocimiento del mal.

A Dios no le agrada esta conducta, y lo ha declarado en los términos más explícitos. Esta premura impaciente por rasgar el velo del futuro revela una falta de fe en Dios, y deja el alma expuesta a las sugestiones del maestro de los engañadores. Satanás induce a los hombres a que consulten a los que poseen espíritus adivinadores; y mediante la revelación de cosas pasadas ocultas, les inspira confianza en su poder de predecir lo porvenir. En virtud de la experiencia que obtuvo a través de largos siglos, puede razonar de la causa al efecto, y a menudo predecir con cierta exactitud algunos de los acontecimientos futuros de la vida del hombre. Así puede engañar a ciertas pobres almas mal encaminadas, ponerlas bajo su poder y llevarlas cautivas a voluntad.

Dios nos ha advertido por su profeta: "Si os dijeren: Preguntad a los encantadores y a los adivinos, que susurran hablando, responded: ¿No consultará el pueblo a su Dios? ¿Consultará a los muertos por los vivos? ¡A la ley y al testimonio! Si no dijeren conforme a esto, es porque no les ha amanecido" (Isaías 8: 19, 20).

¿Irán los que tienen un Dios santo, infinito en sabiduría y poder, a buscar ayuda en los adivinos cuya sabiduría procede de la intimidad con el enemigo de nuestro Señor? Dios mismo es la luz de su pueblo; le ordena que fije por la fe los ojos en las glorias que están veladas para el ojo humano. El Sol de justicia derrama sus brillantes rayos en los corazones de sus hijos; ellos tienen la luz que emana del trono celestial, y no tienen ningún deseo de apartarse de la fuente de la luz para acercarse a los mensajeros de Satanás.

El mensaje del demonio para Saúl, a pesar de que denunciaba el pecado y predecía su retribución, no tenía por objeto reformarlo, sino incitarle a la desesperación y a la ruina. Sin embargo, con más frecuencia conviene mejor a los propósitos del tentador seducir al hombre y llevarlo a la destrucción por medio de la alabanza y la lisonja. En tiempos antiguos, la enseñanza de los dioses falsos o demonios fomentaban el libertinaje más vil. Los preceptos divinos que condenan el pecado e imponen la justicia y rectitud, eran puestos de lado; la verdad era considerada livianamente, y no sólo era permitida la impureza, sino también ordenada. El espiritismo declara que no hay muerte, ni pecado, ni juicio ni castigo; que los hombres son "semidioses no caídos", que el deseo es la ley más elevada; que el hombre responde sólo ante sí mismo por sus actos. Las barreras que Dios erigió para salvaguardar la verdad, la pureza y la reverencia, son quebrantadas, y así muchos se envalentonan en el pecado. ¿No sugiere todo esto que una enseñanza tal tiene el mismo origen que el culto de los demonios?

En las abominaciones de los cananeos, el Señor presentó a Israel los resultados que tiene la comunión con los espíritus malos; eran sin afectos naturales, idólatras, adúlteros, asesinos y abominables por todos sus pensamientos corrompidos y prácticas degradantes. Los hombres no conocen su propio corazón; pues "engañoso es el corazón más que todas las cosas, y perverso" (Jeremías 17: 9). Pero Dios sabe cuáles son las tendencias de la naturaleza depravada del hombre. Entonces como ahora, Satanás vigilaba para producir condiciones favorables a la rebelión, a fin de que el pueblo de Israel se hiciera tan aborrecible para Dios como lo eran los cananeos. El enemigo de las almas está siempre alerta para abrir canales por los cuales fluya sin impedimento alguno lo malo que hay en nosotros, pues desea vernos arruinados y condenados ante Dios.

Satanás estaba resuelto a seguir dominando la tierra de Canaán, y cuando ella fue hecha morada de los hijos de Israel, y la ley de Dios fue hecha la norma de esa tierra, aborreció a Israel con un odio cruel y maligno, y tramó su destrucción. Por medio de los espíritus malignos, se introdujeron dioses extraños; y a causa de la transgresión, el pueblo escogido fue finalmente echado de la tierra prometida y dispersado.

Hoy procura Satanás repetir esta historia. Dios está apartando a sus hijos de las abominaciones del mundo, para que puedan guardar su ley; y a causa de esto, la ira del "acusador de nuestros hermanos" no tiene límite. "Porque el diablo ha descendido a vosotros con gran ira, sabiendo que tiene poco tiempo" (Apocalipsis 12: 10, 12). La verdadera tierra de promisión está delante de nosotros, y Satanás está resuelto a destruir al pueblo de Dios, y privarlo de su herencia. Nunca fue más necesario que hoy oír la advertencia: "Velad y orad, para que no entréis en tentación" (S. Marcos 14: 38).

Las palabras que el Señor dirigió al antiguo Israel se dirigen también a su pueblo en esta época: "No os volváis a los encantadores ni a los adivinos; no los consultéis, contaminándoos con ellos", "porque es abominación para con Jehová cualquiera que hace estas cosas" (Levítico 19: 31; Deuteronomio 18: 12).

CAPITULO 68

Este capítulo está basado en 1 Samuel 29 y 30; 2 Samuel 1.

David en Siclag

DAVID y sus hombres no habían tomado parte en la batalla entre Saúl y los filisteos, a pesar de que habían acompañado a los filisteos al campo de batalla. Mientras los dos ejércitos se preparaban para el combate, el hijo de Isaí se encontró en una situación de suma perplejidad. Se esperaba que lidiara en favor de los filisteos. Si durante la lucha abandonaba el puesto que se le asignara, y se retiraba del campo, no sólo se haría tachar de cobarde, sino también de ingrato y traidor a Aquis, que le había protegido y había confiado en él. Una acción tal cubriría su nombre de infamia, y le expondría a la ira de enemigos mucho más temibles que Saúl. No obstante, no podía consentir en luchar contra Israel. Si lo hiciera sería traidor a su país, enemigo de Dios y de su pueblo. Perdería para siempre el derecho de subir al trono de Israel; y si mataban a Saúl en la batalla, se acusaría a David de haber causado esa muerte.

Se le hizo entender a David que había errado el camino. Hubiera sido mucho mejor para él hallar refugio en las poderosas fortalezas de las montañas de Dios que entre los enemigos declarados de Jehová y de su pueblo. Pero el Señor, en su gran misericordia, no castigó este error de su siervo ni le dejó solo en su angustia y perplejidad; pues aunque David, al perder su confianza en el poder divino, había vacilado y se había desviado del sendero de la integridad estricta, seguía teniendo en su corazón el propósito de ser fiel a Dios. Mientras que Satanás y su hueste estaban activos y ayudaban a los adversarios de Dios y de Israel a hacer planes contra un rey que había abandonado a Dios, los ángeles del Señor obraban para librar a David del peligro en que había caído. Los mensajeros celestiales movieron a los príncipes filisteos a que protestaran contra la presencia de David y de su fuerza … en el conflicto que se avecinaba.

"¿Qué hacen aquí estos hebreos?", gritaron los señores filisteos, agolpándose en derredor de Aquis. (Véase 1 Samuel 29, 30.) Este, no queriendo separarse de tan importante aliado, contestó: "¿No es éste David, el siervo de Saúl rey de Israel, que ha estado conmigo por días y años, y no he hallado falta en él desde el día que se pasó a mí hasta hoy?"

Pero los príncipes insistieron airadamente en su exigencia: "Despide a este hombre, que se vuelva al lugar que le señalaste, y no venga con nosotros a la batalla, no sea que en la batalla se nos vuelva enemigo; porque ¿con qué cosa volvería mejor a la gracia de su señor que con las cabezas de estos hombres? ¿No es este David, de quien cantaban en las danzas, diciendo: Saúl hirió a sus miles, y David a sus diez miles?" Aun recordaban los señores filisteos la muerte de su famoso campeón y el triunfo de Israel en aquella ocasión. No creían que David peleara contra su propio pueblo; y si en el ardor de la batalla, se ponía de su parte, podría infligir a los filisteos mayores daños que todo el ejército de Saúl.

Aquis se vio así obligado a ceder, y llamando a David, le dijo: "Vive Jehová, que tú has sido recto, y que me ha parecido bien tu salida y tu entrada en el campamento conmigo, y que ninguna cosa mala he hallado en ti desde el día que viniste a mí hasta hoy; mas en los ojos de los príncipes no agradas. Vuélvete, pues, y vete en paz, para no desagradar a los príncipes de los filisteos".

David, temiendo traicionar sus verdaderos sentimientos, contestó: "¿Qué he hecho? ¿Qué has hallado en tu siervo desde el día que estoy contigo hasta hoy, para que yo no vaya y pelee contra los enemigos de mi señor el rey?"

La contestación de Aquis debió causar al corazón de David un estremecimiento de vergüenza y remordimiento al recordarle cuán indignos de un siervo de Jehová eran los engaños hasta los cuales se había rebajado. "Yo sé que tú eres bueno ante mis ojos, como un ángel de Dios —le dijo Aquis—; pero los príncipes de los filisteos me han dicho: No venga con nosotros a la batalla. Levántate, pues, de mañana, tú y los siervos de tu señor que han venido contigo; y levantándoos al amanecer, marchad". Así se rompió la trampa en que David se había aprisionado.

Después de un viaje de tres días, David y su compañía de seiscientos hombres llegaron a Siclag, su hogar filisteo. Pero sus ojos encontraron una escena de desolación. Los amalecitas, aprovechando la ausencia de David y su fuerza, se habían vengado de sus incursiones en la tierra de ellos. Habían sorprendido la pequeña ciudad mientras estaba indefensa, y después de saquearla y quemarla, habían partido, llevándose a todas las mujeres y los niños como cautivos, con mucho botín.

Mudos de horror y de asombro, David y sus hombres se quedaron un momento mirando en silencio las ruinas negras y humeantes. Luego se apoderó de ellos un sentido de terrible desolación, y aquellos guerreros con cicatrices de antiguas batallas, "alzaron su voz y lloraron, hasta que les faltaron las fuerzas para llorar".

Con esto David era castigado nuevamente por la falta de fe que le había llevado a colocarse entre las filas de los filisteos. Tenía ahora oportunidad de ver cuánta seguridad había entre los enemigos de Dios y de su pueblo. Los seguidores de David se volvieron contra él y le acusaron de ser la causa de sus calamidades. Había provocado la venganza de los amalecitas al atacarlos; y sin embargo, confiando demasiado en su seguridad entre sus enemigos, había dejado la ciudad sin resguardo alguno. Enloquecidos de dolor y de ira, sus soldados estaban ahora dispuestos a tomar cualquier medida desesperada, y hasta llegaron a amenazar con apedrear a su jefe.

David parecía privado de todo apoyo humano. Había perdido todo lo que apreciaba en la tierra. Saúl le había expulsado de su país; los filisteos le habían echado de su campamento; los amalecitas habían saqueado su ciudad; sus esposas e hijos habían sido hechos prisioneros; y sus propios amigos y familiares se habían unido contra él y hasta le amenazaban con la muerte. En esta hora de suma gravedad, David, en lugar de permitir que su mente se espaciara en esas circunstancias dolorosas, imploró vehementemente la ayuda de Dios. "Se fortaleció en Jehová su Dios". Repasó su vida agitada por tantos acontecimientos. ¿En qué circunstancias le había abandonado el Señor? Su alma se refrigeró recordando las muchas evidencias del favor de Dios. Los hombres de David, por su descontento y su impaciencia, hacían doblemente penosa su aflicción; mas el hombre de Dios, teniendo aun mayores motivos para acongojarse, se portó con valor. "En el día que temo, yo en ti confío" (Salmo 56: 3), fue lo que expresó su corazón. No acertaba a discernir una salida, pero Dios podía verla, y le enseñaría lo que debía hacer.

Mandó llamar a Abiatar, el sacerdote, hijo de Ahimelec, y "consultó a Jehová, diciendo: ¿Perseguiré a estos merodeadores? ¿Los podré alcanzar?" La respuesta fue: "Síguelos, porque ciertamente los alcanzarás, y de cierto librarás a los cautivos".

Cuando se oyeron estas palabras, el tumulto, producido por la aflicción y por la ira, cesó. David en seguida persiguió a sus enemigos que huían. Fue tan rápida su marcha que al llegar al arroyo de Besor, que desemboca en el Mediterráneo cerca de Gaza, doscientos hombres de la compañía fueron obligados a rezagarse por el cansancio. Pero David, con los cuatrocientos restantes, siguió avanzando indómito.

Encontraron un esclavo egipcio, aparentemente moribundo de cansancio y de hambre. Pero al recibir alimentos y agua revivió, y se supo que lo había abandonado allí, para que muriera, su amo cruel, un amalecita que pertenecía a la fuerza invasora. Contó la historia del ataque y del saqueo; y luego, habiendo obtenido la promesa de que no sería muerto ni entregado a su amo, consintió en dirigir a la compañía de David al campamento de sus enemigos.

Cuando avistaron el campamento presenciaron una escena de orgía. Las huestes victoriosas celebraban una gran fiesta. "Y he aquí que estaban desparramados sobre toda aquella tierra, comiendo y bebiendo y haciendo fiesta, por todo aquel gran botín que habían tomado de la tierra de los filisteos, y de la tierra de Judá". David ordenó atacar y los perseguidores se precipitaron fieramente contra su presa.

Los amalecitas fueron sorprendidos y sumidos en confusión. La batalla continuó toda aquella noche y el siguiente día, hasta que casi toda la hueste hubo perecido. Sólo alcanzó a escapar un grupo de cuatrocientos hombres, montados en camellos. La palabra del Señor se había cumplido. "Y libró David todo lo que los amalecitas habían tomado, y asimismo libertó David a sus dos mujeres. Y no les faltó cosa alguna, chica ni grande, así de hijos como de hijas, del robo, y de todas las cosas que les habían tomado; todo lo recuperó David".

Una vez que David invadió el territorio de los amalecitas, pasó a cuchillo a todos los habitantes que cayeron en sus manos. Si no hubiera sido por el poder refrenador de Dios, los amalecitas habrían tomado represalias destruyendo a la gente de Siclag. Resolvieron dejar con vida a los cautivos para honrar más su triunfo con un gran número de prisioneros, pero pensaban venderlos después como esclavos. Así, sin quererlo, cumplieron los propósitos de Dios, guardando a los prisioneros para ser devueltos a sus maridos y a sus padres.

Todos los poderes terrenales están bajo el dominio del Ser infinito. Al soberano más poderoso, al opresor más cruel, les dice: "Hasta aquí

llegarás, y no pasarás adelante" (Job 38: 11). El poder de Dios contrarresta constantemente los agentes del mal. Obra sin cesar entre los hombres, no para destruirlos, sino para corregirlos y cuidarlos.

Con gran regocijo, los vencedores regresaron a sus casas. Al llegar adonde estaban los compañeros que se habían quedado atrás, los más egoístas e indisciplinados de los cuatrocientos insistieron en que aquellos que no habían tomado parte en la batalla no debían compartir el botín; que era suficiente que recobraran a sus esposas e hijos. Pero David no quiso permitir tal arreglo. "No hagáis eso, hermanos míos —les dijo—, de lo que nos ha dado Jehová... Porque conforme a la parte del que desciende a la batalla, así ha de ser la parte del que queda con el bagaje; les tocará parte igual". Así se arregló el asunto, y llegó a ser desde entonces ordenanza de Israel que todo el que estuviera relacionado honorablemente con una campaña militar debía participar del botín igualmente con los que habían tomado parte activa en el combate.

Además de haber recuperado todo el botín que les había sido tomado en Siclag, David y sus compañeros habían capturado grandes rebaños y manadas que pertenecían a los amalecitas. Estos rebaños y manadas fueron llamados "presa de David", y al regresar a Siclag, envió de este botín regalos a los ancianos de su propia tribu de Judá. En esta distribución recordó a todos los que le habían tratado amistosamente a él y a sus compañeros cuando estaban en las montañas y se veían obligados a huir de lugar a lugar para proteger su vida. Así reconoció, agradecido, la bondad y simpatía que fueron tan preciosas para el fugitivo perseguido.

Había llegado el tercer día de la vuelta de David y de sus guerreros a Siclag. Mientras trabajaban para reparar las ruinas de sus hogares, esperaban ansiosamente las noticias del resultado de la batalla que, por lo que sabían, debía haberse librado entre Israel y los filisteos. De repente llegó al pueblo un mensajero, "rotos sus vestidos, y tierra sobre su cabeza" (véase 2 Samuel 1: 2-16). Fue llevado en seguida a la presencia de David, ante quien se postró con reverencia, reconociendo en él a un príncipe poderoso cuyo favor deseaba. David inquirió ansiosamente por el resultado de la batalla. El fugitivo le informó de la derrota y muerte de Saúl, y de la muerte de Jonatán. Pero no se conformó con relatar sencillamente los hechos. Suponiendo evidentemente que David debía sentir enemistad hacia su perseguidor implacable, el forastero creyó conseguir honor para sí si se declaraba matador del rey. Con aire jactancioso el hombre prosiguió relatando que durante el curso de la batalla había encontrado al monarca de Israel herido, gravemente apremiado y acorralado por sus enemigos, y que, a pedido del propio Saúl, él mismo, es decir el mensajero, le había dado muerte; y traía a David la corona de la cabeza de Saúl y los brazaletes de oro de su brazo. El mensajero esperaba confiado que estas noticias serían oídas con regocijo, y que recibiría un premio cuantioso por la parte que había desempeñado.

Pero "entonces David, asiendo de sus vestidos, los rasgó; y lo mismo hicieron los hombres que estaban con él. Y lloraron y lamentaron y ayunaron hasta la noche, por Saúl y por Jonatán su hijo, por el pueblo de Jehová y por la casa de Israel, porque habían caído a filo de espada".

Pasada la primera impresión de las terribles noticias, los pensamientos de David se volvieron al heraldo extranjero, y al crimen del que era culpable, según su propia declaración. El jefe preguntó al joven: "¿De dónde eres tú? Y él respondió: Yo soy hijo de un extranjero, amalecita. Y le dijo David: ¿Cómo no tuviste temor de extender tu mano para matar al ungido de Jehová?" Dos veces había tenido David a Saúl en su poder; pero cuando se le exhortó a que le diera muerte, se negó a levantar la mano contra el que había sido consagrado por orden de Dios para gobernar a Israel. No obstante, el amalecita no temía jactarse de haber dado muerte al rey de Israel. Se había acusado a sí mismo de un crimen digno de muerte, y la pena se ejecutó en seguida. David dijo: "Tu sangre sea sobre tu cabeza, pues que tu boca atestiguó contra ti, diciendo: Yo maté al ungido de Jehová".

El dolor de David por la muerte de Saúl era sincero y profundo; y revelaba la generosidad de una naturaleza noble. No se alegró de la caída de su enemigo. El obstáculo que había impedido su ascensión al trono de Israel había sido eliminado, pero no se regocijó por ello. La muerte había borrado por completo todo recuerdo de la desconfianza y crueldad de Saúl, y de su historia David recordaba sólo lo que era regio y noble. El nombre de Saúl iba vinculado con el de Jonatán, cuya amistad había sido tan sincera y tan desinteresada.

El canto en que David derramó los sentimientos de su corazón, llegó a ser un tesoro para la nación, y para el pueblo de Dios para siempre:

"¡Ha perecido la gloria de Israel sobre tus alturas!
¡Cómo han caído los valientes!
No lo anunciéis en Gat,
ni deis las nuevas en las plazas de Ascalón;
para que no se alegren las hijas de los filisteos,
para que no salten de gozo las hijas de los incircuncisos.
Montes de Gilboa,
ni rocío ni lluvia caiga sobre vosotros, ni seáis tierras
    de ofrendas;
porque allí fue desechado el escudo de los valientes,
el escudo de Saúl, como si no hubiera sido ungido con aceite.
Sin sangre de los muertos, sin grosura de los valientes,
el arco de Jonatán no volvía atrás,
ni la espada de Saúl volvió vacía.
Saúl y Jonatán, amados y queridos;
inseparables en su vida, tampoco en su muerte fueron
    separados;
más ligeros eran que águilas,
más fuertes que leones.
Hijas de Israel, llorad por Saúl,
quien os vestía de escarlata con deleites,
quien adornaba vuestras ropas con ornamentos de oro.
¡Cómo han caído los valientes en medio de la batalla!
¡Jonatán, muerto en tus alturas!
Angustia tengo por ti, hermano mío Jonatán,
que me fuiste muy dulce.
Más maravilloso me fue tu amor
que el amor de las mujeres.
¡Cómo han caído los valientes,
han perecido las armas de guerra!" (2 Samuel 1: 19-27).

CAPITULO 69

Este capítulo está basado en 2 Samuel 2 a 5:5.

David es Llamado al Trono

LA MUERTE de Saúl eliminó los peligros que habían obligado a David a permanecer en el destierro. Ya no había nada que le impidiera volver a su tierra. Cuando terminaron los días de luto por la muerte de Saúl y Jonatán, "David consultó a Jehová, diciendo: ¿Subiré a alguna de las ciudades de Judá? Y Jehová le respondió: Sube. David volvió a decir: ¿A dónde subiré? Y él le dijo: A Hebrón" (véase 2 Samuel 2-4; 5: 1-10).

Hebrón se hallaba a unos treinta kilómetros al norte de Beerseba, y como a medio camino entre esa ciudad y el sitio futuro de Jerusalén. Originalmente se la llamaba Quiriat-arba, "ciudad de Arba", padre de Anac. Más tarde fue llamada Mamre, y era el sitio donde estaban sepultados los patriarcas, en "la cueva de Macpela". Hebrón había sido posesión de Caleb, y era ahora la ciudad principal de Judá. Estaba situada en un valle rodeado de fértiles colinas y tierras fructíferas. Los viñedos más hermosos de Palestina se encontraban en sus linderos, así como también muchos olivares y plantaciones de árboles frutales.

David y sus compañeros se dispusieron inmediatamente a obedecer

Después de la muerte de Saúl, Dios dijo a David que fuera a Hebrón, en donde sería ungido como rey de Judá.

JOHN STEEL © PPPA

las instrucciones que habían recibido de Dios. Pronto los seiscientos hombres armados, con sus esposas e hijos, sus rebaños y manadas, estaban en camino hacia Hebrón. Al entrar la caravana en la ciudad, los hombres de Judá la aguardaban para dar la bienvenida a David y saludarlo como al futuro rey de Israel. En seguida se hicieron arreglos para su coronación. "Y ungieron allí a David por rey sobre la casa de Judá". Pero no se hizo ningún esfuerzo para establecer su autoridad por medio de la fuerza sobre las otras tribus.

Uno de los primeros actos del monarca recién coronado consistió en expresar su tierna consideración y afecto por la memoria de Saúl y Jonatán. Al saber del acto heroico de los hombres de Jabes de Galaad, que habían rescatado los cuerpos de los jefes caídos en la batalla y les habían dado sepultura honorable, David envió a Jabes una embajada con el siguiente mensaje: "Benditos seáis vosotros de Jehová, que habéis hecho esta misericordia con vuestro señor, con Saúl, dándole sepultura. Ahora, pues, Jehová haga con vosotros misericordia y verdad; y yo también os haré bien por esto que habéis hecho". Anunció luego su ascensión al trono de Judá, y solicitó la lealtad de quienes habían demostrado tanta sinceridad.

Los filisteos no se opusieron al acuerdo de Judá para hacer rey a David. Le habían manifestado amistad cuando estaba desterrado, para molestar y debilitar el reino de Saúl, y ahora esperaban que, gracias a la bondad que habían mostrado a David, los beneficiaría la extensión de su poder. Pero el reinado de David no había de ser exento de dificultades. Con su coronación empezaron los anales negros de la conspiración y de la rebelión. David no se sentó en el trono como traidor; Dios le había escogido para ser rey de Israel, y no había dado ocasión para la desconfianza o la oposición. Sin embargo, apenas reconocieron su autoridad los hombres de Judá, cuando bajo la influencia de Abner, Is-boset, el hijo de Saúl, fue proclamado rey, y se estableció un trono rival en Israel.

Is-boset no era sino un débil e incompetente representante de la casa de Saúl, en tanto que David era preeminentemente capacitado para desempeñar las responsabilidades del reino. Abner, el principal instrumento de la elevación de Is-boset al poder regio, había sido comandante en jefe del ejército de Saúl, y era el hombre más distinguido de Israel. Abner sabía que David había sido designado por el Señor para ocupar el trono de Israel, pero habiéndole buscado y perseguido por tanto tiempo, no quería ahora que el hijo de Isaí sucediera en el reino que Saúl había gobernado.

Las circunstancias que rodeaban a Abner sirvieron para desenmascarar su verdadero carácter, y revelaron que era ambicioso y falto de principios. Había estado vinculado estrechamente con Saúl, y en él había influido el espíritu del rey para hacerle despreciar al hombre que Dios había escogido para que gobernara a Israel. El odio que le tenía había aumentado por el mordaz reproche que David le había dirigido cuando quitó del lado de Saúl el jarro de agua y la lanza del rey, mientras éste dormía en su campamento. Recordaba cómo David había gritado a oídos del rey y del pueblo de Israel: "¿No eres tú un hombre? ¿y quién hay como tú en Israel? ¿Por qué, pues, no has guardado al rey tu señor?... Esto que has hecho no está bien. Vive Jehová, que sois dignos de muerte, porque no habéis guardado a vuestro señor, al ungido de Jehová" (1 Samuel 26: 15, 16). Este reproche se había clavado en su pecho; decidió llevar a cabo sus propósitos de venganza, y crear una división en Israel que pudiera exaltarle. Se valió de los representantes del monarca fallecido para fomentar sus ambiciones y fines egoístas. Sabía que el pueblo amaba a Jonatán, que se le recordaba con afecto, y las primeras campañas victoriosas de Saúl no habían sido olvidadas por el ejército. Con una decisión digna de una causa mejor, este jefe rebelde siguió adelante con sus planes.

Como residencia real, eligió Mahanaim, localidad situada al otro lado del Jordán, porque ofrecía más seguridad contra un ataque de parte de David o los filisteos. Allí fue coronado Is-boset. Su reinado fue aceptado primeramente por las tribus del este del Jordán, y se extendió finalmente por toda la tierra de Israel a excepción de Judá. Durante dos años el hijo de Saúl gozó de los honores reales en su capital aislada. Pero Abner, resuelto a extender su poder sobre todo Israel, preparó una guerra de agresión. "Hubo larga guerra entre la casa de Saúl y la casa de David; pero David se iba fortaleciendo, y la casa de Saúl se iba debilitando".

Por último, la perfidia derrocó el trono que la malicia y la ambición habían establecido. Abner, indignado contra la debilidad y la incompetencia de Is-boset, desertó y se pasó a las filas de David, con el ofrecimiento de traerle todas las tribus de Israel. Las propuestas que hizo Abner fueron aceptadas por el rey, quien lo despachó con honor para que llevara a cabo su propósito. Pero el favorable recibimiento de un guerrero tan valiente y tan famoso despertó los celos de Joab, el comandante en jefe del ejército de David. Había pendiente una cuenta de sangre entre Abner y Joab. El hermano de éste, Asael, había sido muerto por aquél, durante la guerra entre Israel y Judá. Ahora Joab, viendo una oportunidad de vengar la muerte de su hermano y de deshacerse de un posible rival, vilmente aprovechó la oportunidad de acechar y asesinar a Abner.

Al saber de este asalto alevoso, David exclamó: "Inocente soy yo y mi reino, delante de Jehová, para siempre, de la sangre de Abner hijo de Ner. Caiga sobre la cabeza de Joab, y sobre toda la casa de su padre". En vista de la condición inestable del reino, y del poder y la posición de los asesinos —pues Abisai, hermano de Joab, se le había unido en el hecho—, David no pudo castigar el crimen con justa retribución; pero repudió públicamente el aborrecible hecho sangriento. El entierro de Abner se hizo con honores públicos. Se requirió del ejército encabezado por Joab, que tomara parte en los funerales, con hábitos rasgados y vistiendo sacos. El rey manifestó su dolor ayunando durante el día del entierro. Siguió el féretro como principal doliente; y en la tumba de él pronunció una elegía que fue un duro reproche para los asesinos. "Y endechando el rey al mismo Abner, decía:

"¿Había de morir Abner como muere un villano?
Tus manos no estaban atadas,
ni tus pies ligados con grillos;
caíste como los que caen delante de malos hombres".

El reconocimiento magnánime por parte de David del valor de quien había sido su enemigo acérrimo, le ganó la confianza y la admiración de todo Israel. "Todo el pueblo supo esto, y le agradó; pues todo lo que el rey hacía agradaba a todo el pueblo. Y todo el pueblo y todo Israel entendió aquel día, que no había procedido del rey el matar a Abner". En el círculo privado de sus consejeros y asistentes de confianza, el rey habló del crimen, y, reconociendo que no le era posible castigar a los asesinos, como lo deseaba, les dejó a la justicia de Dios: "¿No sabéis que un príncipe y grande ha caído hoy en Israel? Y yo soy débil hoy, aunque ungido rey; y estos hombres, los hijos de Sarvia, son muy duros para mí; Jehová dé el pago al que mal hace, conforme a su maldad".

Abner había sido sincero en sus ofrecimientos a David, pero sus móviles eran viles y egoístas. Se había opuesto obstinadamente al rey que Dios había designado, con la esperanza de obtener mucho honor para sí. El resentimiento, el orgullo herido y la ira fueron los motivos que le indujeron a abandonar la causa que por tanto tiempo había servido; y al pasarse a las filas de David esperaba recibir el puesto de más honor en su servicio. Si hubiera tenido éxito en su propósito, sus talentos y su ambición, su gran influencia y su falta de piedad, habrían hecho peligrar el trono de David así como la paz y prosperidad de la nación.

"Luego que oyó el hijo de Saúl que Abner había sido muerto en Hebrón, las manos se le debilitaron, y fue atemorizado todo Israel". Era evidente que el reino no podría sostenerse ya mucho más. Muy pronto otro acto de traición completó la caída del poder decreciente. Is-boset fue asesinado alevosamente por dos de sus capitanes, quienes, cortándole la cabeza, se apresuraron a llevársela al rey de Judá, esperando así congraciarse con él y ganar su favor.

Se presentaron a David con el testimonio sangriento de su crimen, diciendo: "He aquí la cabeza de Is-boset hijo de Saúl tu enemigo, que procuraba matarte; y Jehová ha vengado hoy a mi señor el rey, de Saúl y de su linaje".

Pero David cuyo trono había sido establecido por Dios mismo, y a quien Dios había librado de sus adversarios, no deseaba la ayuda de la traición para establecer su poder. Mencionó a estos asesinos la suerte fatal que impuso al que se jactara de haber dado muerte a Saúl. "¿Cuánto más —añadió— [he de matar] a los malos hombres que mataron a un hombre justo en su casa, y sobre su cama? Ahora, pues, ¿no he de demandar yo su sangre de vuestras manos, y quitaros de la tierra? Entonces David ordenó a sus servidores, y ellos los mataron... Luego tomaron la cabeza de Is-boset, y la enterraron en el sepulcro de Abner en Hebrón".

Después de la muerte de Is-boset, hubo entre todos los hombres principales de Israel el deseo general de que David reinase sobre todas las tribus. "Vinieron todas las tribus de Israel a David en Hebrón, y hablaron, diciendo: Henos aquí, hueso tuyo y carne tuya somos". Declararon además: "Eras tú quien sacabas a Israel a la guerra, y lo volvías a traer. Además Jehová te ha dicho: Tú apacentarás a mi pueblo Israel, y tú serás príncipe sobre Israel. Vinieron, pues, todos los ancianos de Israel al rey en Hebrón, y el rey David hizo pacto con ellos en Hebrón delante de Jehová". Así fue abierto por la providencia de Dios el camino que le condujo al trono. No tenía ambición personal que satisfacer, puesto que no había buscado el honor al cual se le había llevado.

Más de ocho mil de los descendientes de Aarón y de los levitas acompañaban a David. El cambio que experimentaron los sentimientos del pueblo fue pronunciado y decisivo. La revolución se llevó a cabo con calma y dignidad como convenía a la gran obra que se estaba haciendo. Cerca de medio millón de los antiguos súbditos de Saúl llenaron a Hebrón y sus inmediaciones. Las colinas y los valles rebosaban de multitudes. Se designó la hora para la coronación; el hombre que había sido expulsado de la corte de Saúl, que había huido a las montañas, las colinas y las cuevas de la tierra para salvar la vida iba a recibir el honor más alto que puedan conferir a hombre alguno sus semejantes. Los sacerdotes y los ancianos, vestidos con los hábitos de su sagrado oficio, los capitanes y los soldados con relumbrantes lanzas y yelmos, y los forasteros de lejanas comarcas, estaban allí para presenciar la coronación del rey escogido.

David estaba vestido con el manto real. El sumo sacerdote derramó el aceite sagrado sobre su frente, pues la unción hecha por Samuel había sido profética de lo que sucedería en la coronación del rey. La hora había llegado, y por este rito solemne David fue consagrado en su cargo como vicegerente de Dios. El cetro fue puesto en sus manos. Se escribió el pacto de su justa soberanía, y el pueblo formuló sus promesas de lealtad. Se le colocó la diadema en la frente, y así terminó la ceremonia de la coronación. Israel tenía ahora un rey designado por Dios. El que había esperado pacientemente al Señor, vio cumplirse la promesa de Dios. "Y David iba adelantando y engrandeciéndose, y Jehová Dios de los ejércitos estaba con él".

CAPITULO 70

Este capítulo está basado en 2 Samuel 5: 6-25; 6; 7; 9; 10.

El Reinado de David

TAN pronto como David se vio afianzado en el trono de Israel, comenzó a buscar una localidad más apropiada para la capital de su reino. A unos treinta kilómetros de Hebrón, se escogió un sitio como la futura metrópoli de la nación. Antes que Josué condujera los ejércitos de Israel a través del Jordán, ese lugar se había llamado Salem. Cerca de allí Abrahán había probado su lealtad a Dios. Ochocientos años antes de la coronación de David, había vivido allí Melquisedec, sacerdote del Altísimo. Ocupaba este sitio una posición central y elevada en el país, protegida por un cerco de colinas. Como se hallaba en el límite entre Benjamín y Judá, estaba también muy próxima a Efraín, y las otras tribus tenían fácil acceso a él.

Para conquistar esta localidad, los hebreos debían desalojar un remanente de los cananeos, que sostenía una posición fortificada en las montañas de Sión y Moriah. Este fuerte se llamaba Jebús, y a sus habitantes se les conocía por el nombre de jebuseos. Durante varios siglos, se había considerado a Jebús como inexpugnable; pero fue sitiado y tomado por los hebreos bajo el mando de Joab, a quien, como premio por

Durante su reinado, David recibió sabiduría divina, y resolvió con justicia los complejos problemas que le presentaban sus súbditos.

803

JOHN STEEL © PPPA

su valor, se le hizo comandante en jefe de los ejércitos de Israel. Jebús se convirtió en la capital nacional, y su nombre pagano fue cambiado al de Jerusalén.

Entonces Hiram, rey de la rica ciudad de Tiro, situada en la costa del Mediterráneo, procuró hacer alianza con el rey de Israel, y prestó ayuda a David en la construcción de un palacio en Jerusalén. Envió embajadores acompañados de arquitectos y trabajadores y de un gran cargamento de maderas costosas, cedros y otros materiales valiosos.

El aumento del poderío de Israel debido a su unión bajo el gobierno de David, la adquisición de la fortaleza de Jebús, y la alianza con Hiram, rey de Tiro, provocaron la hostilidad de los filisteos, y nuevamente invadieron el país con un poderoso ejército, tomando posiciones en el valle de Refaim, a poca distancia de la ciudad de Jerusalén. David y sus hombres de guerra se retiraron a la fortaleza de Sión, a esperar la dirección divina. "Entonces consultó David a Jehová, diciendo: ¿Iré contra los filisteos? ¿Los entregarás en mi mano? Y Jehová respondió a David: Ve, porque ciertamente entregaré a los filisteos en tu mano" (2 Samuel 5: 17-25).

David avanzó inmediatamente contra el enemigo, lo venció y destruyó, y le quitó los dioses que había llevado al campo de batalla para asegurar su victoria. Exasperados por la humillación de su derrota, los filisteos reunieron una fuerza aún mayor, y volvieron al conflicto. Y otra vez "se extendieron en el valle de Refaim". Nuevamente David buscó al Señor, y el gran YO SOY asumió la dirección de los ejércitos de Israel.

Dios le dio instrucciones a David, diciéndole: "No subas, sino rodéalos, y vendrás a ellos enfrente de las balsameras. Y cuando oigas ruido como de marcha por las copas de las balsameras, entonces te moverás; porque Jehová saldrá delante de ti a herir el campamento de los filisteos". Si David hubiera hecho como Saúl, es decir, hubiese decidido por su cuenta, el éxito no le habría acompañado. Pero hizo como el Señor le había ordenado, "y derrotaron al ejército de los filisteos desde Gabaón hasta Gezer. Y la fama de David fue divulgada por todas aquellas tierras; y Jehová puso el temor de David sobre todas las naciones" (1 Crónicas 14: 16, 17).

Una vez que David estuvo firmemente establecido en el trono, y libre de la invasión de enemigos extranjeros, quiso lograr un propósito que había abrigado por mucho tiempo en su corazón; el de traer el arca de Dios a Jerusalén. Durante muchos años, el arca había permanecido en Quiriat-jearim, a unos quince kilómetros de distancia; pero era propio que la capital de la nación fuera honrada con el símbolo de la presencia divina.

David citó a treinta mil de los hombres principales de Israel, pues quería hacer de la ocasión una escena de gran regocijo e imponente ostentación. El pueblo respondió alegremente a la invitación. El sumo sacerdote, acompañado de sus hermanos en el cargo sagrado, y los príncipes y hombres principales de las tribus se congregaron en Quiriat-jearim. David estaba encendido de celo divino. Se sacó el arca de la casa de Abinadab, y se la puso sobre una carreta nueva tirada por bueyes, y acompañada por dos de los hijos de Abinadab.

Los hombres de Israel la seguían, con gritos de alabanza y de regocijo, y con cantos de júbilo, pues era una gran multitud de voces la que se unía a la melodía y el sonido de los instrumentos musicales. "Y David y toda la casa de Israel danzaban delante de Jehová con toda clase de instrumentos" (véase 2 Samuel 6). Hacía mucho que Israel no presenciaba semejante escena de triunfo. Con regocijo solemne, la enorme procesión iba serpenteando entre las colinas y los valles, hacia la ciudad santa.

Pero "cuando llegaron a la era de Nacón, Uza extendió su mano al arca de Dios, y la sostuvo; porque los bueyes tropezaban. Y el furor de Jehová se encendió contra Uza, y lo hirió allí Dios por aquella temeridad, y cayó allí muerto junto al arca de Dios".

Un temor repentino se apoderó de la alegre multitud. David se asombró y alarmó, y en su corazón dudó del juicio de la justicia de Dios. El procuraba honrar el arca como símbolo de la presencia divina. ¿Por qué, entonces, se había mandado aquel terrible castigo para que cambiara la escena de alegría en una ocasión de dolor y luto? Creyendo que sería peligroso tener el arca cerca de sí, David resolvió dejarla donde estaba. Se encontró un lugar en las cercanías, en la casa del geteo Obed-edom.

La suerte de Uza fue un castigo divino por la violación de un mandamiento muy explícito. Por medio de Moisés el Señor había dado instrucciones especiales acerca de cómo transportar el arca. Sólo los sacerdotes, descendientes de Aarón, podían tocarla, o aun mirarla descubierta. El mandamiento divino era el siguiente: "Vendrán ... los hijos de Coat para llevarlos; pero no tocarán cosa santa, no sea que mueran" (Números 4: 15). Los sacerdotes habían de cubrir el arca, y luego los coatitas debían levantarla mediante los palos que pasaban por los anillos de cada lado del arca, y que nunca se quitaban. A los hijos de Gersón y de Merari, que tenían a su cargo las cortinas y las tablas y los pilares del tabernáculo, Moisés les dio carretas y bueyes para que transportaran en éstas lo que se les había encomendado a ellos. "A los hijos de Coat no les dio, porque llevaban sobre sí en los hombros el servicio del santuario" (Números 7: 9). Así al traer el arca de Quiriat-jearim se habían pasado por alto en forma directa e inexcusable las instrucciones del Señor.

David y su pueblo se habían congregado para llevar a cabo una obra sagrada, y la habían emprendido con corazón alegre y voluntario; pero el Señor no podía aceptar el servicio, porque no se cumplía de acuerdo con sus instrucciones. Los filisteos, que no conocían la ley de Dios, habían puesto el arca sobre una carreta cuando la devolvieron a Israel, y el Señor aceptó el esfuerzo que ellos habían hecho. Pero los israelitas tenían en sus manos una declaración precisa de lo que Dios quería en estos asuntos, y al descuidar estas instrucciones deshonraban a Dios.

Uza incurrió en la culpa mayor de presunción. Al transgredir la ley de Dios había aminorado su sentido de la santidad de ella, y con sus pecados inconfesos, a pesar de la prohibición divina, había presumido tocar el símbolo de la presencia de Dios. Dios no puede aceptar una obediencia parcial ni una conducta negligente con respecto a sus mandamientos. Mediante el castigo infligido a Uza, quiso hacer comprender a todo Israel cuán importante es dar estricta obediencia a sus requisitos. Así la muerte de ese solo hombre, al inducir al pueblo a arrepentirse, había de evitar la necesidad de aplicar castigos a miles.

Al ver caer a Uza, David, reconociendo que su propio corazón no estaba del todo en armonía con Dios, tuvo temor al arca, no fuese que

La muerte de Uza fue un juicio divino por la violación de la orden más explícita que Dios había dado.

807

JOHN STEEL © PPPA

alguno de sus pecados le acarreara castigos. Pero Obed-edom, aunque se alegró temblando, dio la bienvenida al sagrado símbolo como garantía del favor de Dios a los obedientes. La atención de todo Israel se dirigió ahora hacia el geteo y su casa, para observar cómo les iría con el arca. "Y bendijo Jehová a Obed-edom y a toda su casa".

La represión divina realizó su obra en David. Le indujo a comprender como nunca antes la santidad de la ley de Dios, y la necesidad de obedecerla estrictamente. El favor manifestado a la casa de Obed-edom infundió nuevamente en David la esperanza de que el arca pudiera reportarle bendiciones a él y a su pueblo.

Al cabo de tres meses, resolvió hacer un nuevo esfuerzo para transportar el arca, y esta vez tuvo especial cuidado de cumplir en todo detalle las instrucciones del Señor. Volvió a convocar a todos los hombres principales de la nación, y una congregación enorme se reunió alrededor de la morada del geteo. Con cuidado reverente se colocó el arca en los hombros de personas divinamente designadas; la multitud se puso en fila, y con corazones temblorosos los que participaban en la vasta procesión se pusieron en marcha. Cuando habían andado seis pasos, sonaba la trompeta mandando hacer alto. Por orden de David, se habían de ofrecer "un buey y un carnero engordado". El regocijo reinaba en lugar del temor entre la multitud. El rey había puesto a un lado los hábitos regios, y se había vestido de un efod de lino sencillo, como el que llevaban los sacerdotes. No quería indicar por este acto que asumía las funciones sacerdotales, pues el efod era llevado a veces por otras personas además de los sacerdotes. Pero en este santo servicio tomaba su lugar, ante Dios, en igualdad de condiciones con sus súbditos. En ese día debía adorarse a Jehová. Era el único que debía recibir reverencia.

Nuevamente el largo séquito se puso en movimiento, y flotó hacia el cielo la música de arpas y cornetas, de trompetas y címbalos, fusionada con la melodía de una multitud de voces. En su regocijo, David "saltaba y danzaba delante de Jehová", al compás de la música.

El hecho de que, en su alegría reverente, David bailó delante de Dios ha sido citado por los amantes de los placeres mundanos para justificar los bailes modernos; pero este argumento no tiene fundamento. En nuestros días, el baile va asociado con insensateces y festines de media-noche. La salud y la moral se sacrifican en aras del placer. Los que frecuentan los salones de baile no hacen de Dios el objeto de su contem-plación y reverencia. La oración a los cantos de alabanza serían conside-rados intempestivos en esas asambleas y reuniones. Esta prueba debiera ser decisiva. Los cristianos verdaderos no han de procurar las diversio-nes que tienden a debilitar el amor a las cosas sagradas y a aminorar nuestro gozo en el servicio de Dios. La música y la danza de alegre ala-banza a Dios mientras se transportaba el arca no se asemejaban para nada a la disipación de los bailes modernos. Las primeras tenían por objeto recordar a Dios y ensalzar su santo nombre. Los segundos son un medio que Satanás usa para hacer que los hombres se olviden de Dios y le deshonren.

En seguimiento del símbolo de su Rey invisible, la procesión triunfal se aproximó a la capital. Se produjo entonces una explosión de cánticos, para pedir a los espectadores que estaban en las murallas que las puertas de la ciudad santa se abrieran de par en par:

> "Alzad, oh puertas, vuestras cabezas,
> y alzaos vosotras, puertas eternas,
> y entrará el Rey de gloria".

Un grupo de cantantes y músicos preguntó:

> "¿Quién es este Rey de gloria?"

Y de otro grupo partió la respuesta:

> "Jehová el fuerte y valiente,
> Jehová el poderoso en batalla".

Entonces centenares de voces se unieron al coro triunfal:
> "Alzad, oh puertas, vuestras cabezas,
> y alzaos vosotras, puertas eternas,
> y entrará el Rey de gloria".

Nuevamente se oyó la regocijada pregunta:

> "¿Quién es este Rey de gloria?"

Y "como ruido de muchas aguas" se oyó la voz de la gran multitud en contestación arrobada:

"Jehová de los ejércitos,
él es el Rey de la gloria" (Salmo 24: 7-10).

Entonces las puertas se abrieron de par en par; entró la procesión, y con temor reverente se depositó el arca en la tienda que había sido preparada de antemano para recibirla. Delante del recinto sagrado, se habían erigido altares para los sacrificios; y ascendió al cielo el humo de los holocaustos y de las ofrendas de paz con las nubes de incienso y las alabanzas y las súplicas y oraciones de Israel. Terminado el servicio, el rey mismo pronunció una bendición sobre el pueblo. Luego con generosidad regia hizo distribuir regalos de alimentos y de vino para su refrigerio.

Todas las tribus habían estado representadas en este servicio, cuya celebración había sido el acontecimiento más sagrado que hasta entonces señalara el reinado de David. El Espíritu de la inspiración divina había reposado sobre el rey y, mientras los últimos rayos del sol poniente bañaban el tabernáculo con luz santificada, elevó él su corazón en gratitud hacia Dios porque el símbolo bendito de su presencia estaba ahora tan cerca del trono de Israel.

Meditando así, David se volvió hacia su palacio, "para bendecir su casa". Pero alguien había presenciado la escena de regocijo con un espíritu muy diferente del que impulsó el corazón de David. "Cuando el arca de Jehová llegó a la ciudad de David, aconteció que Mical hija de Saúl miró desde una ventana, y vio al rey David que saltaba y danzaba delante de Jehová; y le menospreció en su corazón". En la amargura de su ira, ella no pudo aguardar el regreso de David al palacio, sino que salió a su encuentro, y cuando él la saludó bondadosamente, soltó un torrente de palabras amargas pronunciadas en tono mordaz, diciendo: "¡Cuán honrado ha quedado hoy el rey de Israel, descubriéndose hoy delante de las criadas de sus siervos, como se descubre sin decoro un cualquiera!"

David consideró que Mical había menospreciado y deshonrado el servicio de Dios, y le contestó severamente: "Fue delante de Jehová, quien me eligió en preferencia a tu padre y a toda tu casa, para constituirme por príncipe sobre el pueblo de Jehová, sobre Israel. Por tanto, danzaré delante de Jehová. Y aun me haré más vil que esta vez, y seré bajo a tus ojos; pero seré honrado delante de las criadas de quienes has hablado". Al reproche de David se agregó el del Señor: A causa de su orgullo y arrogancia, Mical "nunca tuvo hijos hasta el día de su muerte".

Las ceremonias solemnes que acompañaron el traslado del arca habían hecho una impresión duradera sobre el pueblo de Israel, pues despertaron un interés más profundo en el servicio del santuario y encendieron nuevamente su celo por Jehová. Por todos los medios que estaban a su alcance, David trató de ahondar estas impresiones. El servicio de canto fue hecho parte regular del culto religioso, y David compuso salmos, no sólo para el uso de los sacerdotes en el servicio del santuario, sino también para que los cantara el pueblo mientras iba al altar nacional para las fiestas anuales. La influencia así ejercida fue muy abarcante, y contribuyó a liberar la nación de las garras de la idolatría. Muchos de los pueblos vecinos, al ver la prosperidad de Israel, fueron inducidos a pensar favorablemente en el Dios de Israel, que había hecho tan grandes cosas para su pueblo.

El tabernáculo construido por Moisés, con todo lo que pertenecía al servicio del santuario, a excepción del arca, estaba aún en Gabaa. David quería hacer de Jerusalén el centro religioso de la nación. Había construido un palacio para sí, y consideraba que no era apropiado que el arca de Dios reposara en una tienda. Resolvió construirle un templo de tal suntuosidad que expresara cuánto apreciaba Israel el honor otorgado a la nación con la presencia permanente de su Rey Jehová. Cuando comunicó su propósito al profeta Natán, recibió esta respuesta alentadora: "Anda, y haz todo lo que está en tu corazón, porque Jehová está contigo".

Pero esa noche llegó a Natán la palabra de Jehová y le dio un mensaje para el rey. David no había de tener el privilegio de construir una casa para Dios, pero le fue asegurado el favor divino, a él, a su posteridad y al reino de Israel: "Así ha dicho Jehová de los ejércitos: Yo te tomé del redil, de detrás de las ovejas, para que fueses príncipe sobre mi pueblo, sobre Israel; y he estado contigo en todo cuanto has andado, y delante de ti he destruido a todos tus enemigos, y te he dado nombre grande, como el nombre de los grandes que hay en la tierra. Además, yo fijaré lugar a mi pueblo Israel y lo plantaré, para que habite en su lugar y nunca más sea removido, ni los inicuos le aflijan más, como al principio" (véase 2 Samuel 7).

Como David había deseado construir una casa para Dios, le fue hecha esta promesa: "Jehová te hace saber que él te hará casa... Yo levantaré después de ti a uno de tu linaje... El edificará casa a mi nombre, y yo afirmaré para siempre el trono de su reino".

La razón por la cual David no había de construir el templo fue declarada así: "Tú has derramado mucha sangre, y has hecho grandes guerras; no edificarás casa a mi nombre... He aquí te nacerá un hijo, el cual será varón de paz, porque yo le daré paz de todos sus enemigos; ... su nombre será Salomón [pacífico], y yo daré paz y reposo sobre Israel en sus días. El edificará casa a mi nombre" (1 Crónicas 22: 8-10).

Aunque le fue negado el permiso para ejecutar el propósito que había en su corazón, David recibió el mensaje con gratitud. "Señor Jehová —exclamó—, ¿quién soy yo, y qué es mi casa, para que tú me hayas traído hasta aquí? Y aun te ha parecido poco esto, Señor Jehová, pues también has hablado de la casa de tu siervo en lo por venir", y renovó su pacto con Dios.

David sabía que sería un honor para él, y que reportaría gloria a su gobierno, el llevar a cabo la obra que se había propuesto en su corazón; pero estaba dispuesto a someterse a la voluntad de Dios.

Muy raras veces se ve aun entre los cristianos la resignación agradecida que él manifestó. ¡Cuán a menudo los que sobrepasaron los años de más vigor en la vida se aferran a la esperanza de realizar alguna gran obra a la que aspiran de todo corazón, pero para la cual no están capacitados! Es posible que la providencia de Dios les hable, tal como le habló su profeta a David y les advierta que la obra que tanto desean no les ha sido encomendada. Les toca preparar el camino para que otro realice la

obra. Pero en vez de someterse con agradecimiento a la dirección divina, muchos retroceden como si fueran menospreciados y rechazados, y
deciden que si no pueden hacer lo que desean, no harán nada. Muchos
se aferran con energía desesperada a responsabilidades que son incapa-
ces de llevar y en vano procuran hacer algo imposible para ellos, mientras descuidan lo que pudieran hacer. Y por falta de cooperación, la obra
mayor es estorbada o se frustra.

En su pacto con Jonatán, David había prometido que cuando tuviera
descanso de sus enemigos, manifestaría bondad hacia la casa de Saúl.
En su prosperidad, teniendo en cuenta este pacto, el rey preguntó: "¿Ha
quedado alguno de la casa de Saúl, a quien haga yo misericordia por
amor de Jonatán?" (véase 2 Samuel 9, 10). Se le habló de un hijo de
Jonatán, Mefi-boset, quien había sido cojo desde la niñez.

En la fecha de la derrota de Saúl por los filisteos en la llanura de
Jezreel, la nodriza de este niño, tratando de huir con él, lo había dejado
caer, y como consecuencia quedó lisiado para toda la vida. David hizo
traer al joven a la corte, y le recibió con mucha bondad. Se le devolvieron las propiedades particulares de Saúl para el mantenimiento de su
casa; pero el hijo de Jonatán había de ser huésped permanente del rey y
sentarse diariamente a la mesa real. Los informes propalados por los
enemigos de David, habían creado en Mefi-boset fuertes prejuicios contra él y lo consideraba usurpador; pero la recepción generosa y cortés

que le acordó el monarca, y sus bondades continuas, ganaron el corazón del joven; se hizo muy amigo de David, y como su padre Jonatán, se convenció de que tenía el mismo interés hacia el rey escogido por Dios.

Una vez que David se hubo afianzado en el trono de Israel, la nación gozó de un largo período de paz. Los pueblos vecinos, viendo la fortaleza y la unidad del reino, no tardaron en creer prudente desistir de las hostilidades abiertas; y David ocupado con la organización y el desarrollo de su reino, evitó toda guerra agresiva. Sin embargo, hizo finalmente la guerra a los viejos enemigos de Israel, los filisteos, y a los moabitas, y logró la victoria sobre ambos pueblos y los sujetó a tributo.

Todas las naciones vecinas formaron entonces contra David una gran coalición, que dio origen a las mayores guerras y victorias de su reinado, y al mayor incremento de su poder. Esta alianza hostil, que surgió en realidad de los celos inspirados por el creciente poder de David, no había sido provocada por él, sino que nació de estas circunstancias:

Llegaron a Jerusalén noticias de la muerte de Nahas, rey de los amonitas y monarca que había sido bondadoso con David cuando éste huía de la ira de Saúl. Deseando expresar su aprecio agradecido del favor que se le había hecho cuando estaba en desgracia, David envió una embajada de condolencia a Hanún, hijo y sucesor del rey amonita. "Y dijo David: Yo haré misericordia con Hanún, hijo de Nahas, como su padre la hizo conmigo".

Pero su acto de cortesía fue mal interpretado. Los amonitas aborrecían al verdadero Dios, y eran acerbos enemigos de Israel. La aparente bondad de Nahas para con David había sido motivada enteramente por la hostilidad hacia Saúl, rey de Israel. Los consejeros de Hanún torcieron el significado del mensaje de David. "Dijeron a Hanún su señor: ¿Te parece que por honrar David a tu padre te ha enviado consoladores? ¿No ha enviado David sus siervos a ti para reconocer e inspeccionar la ciudad, para destruirla?"

Medio siglo antes las instrucciones de sus consejeros indujeron a Nahas a imponer sus crueles condiciones al pueblo de Jabes de Galaad, cuando la sitiaban los amonitas, y sus habitantes solicitaron un pacto de paz. Nahas había exigido que se sometieran todos a que se les sacase el ojo derecho. Los amonitas aún recordaban vívidamente cómo el rey de Israel había frustrado aquel cruel propósito, y había rescatado a la gente a la que ellos querían humillar y mutilar. Los animaba todavía el mismo odio hacia Israel. No podían concebir el espíritu generoso que había inspirado el mensaje de David.

Cuando Satanás domina las mentes humanas, las incita a la envidia y las sospechas para que interpreten mal las mejores intenciones. Escuchando a sus consejeros, Hanún consideró a los mensajeros de David como espías, y los abrumó de desprecios e insultos. A los amonitas se les permitió ejecutar sin restricción los malos designios de su corazón, para que su verdadero carácter fuese revelado a David. Dios no quería que Israel se coligara con ese pueblo pagano y pérfido.

En los tiempos antiguos, como ahora, el cargo de embajador era considerado sagrado. De conformidad con el derecho universal de las naciones, aseguraba protección contra la violencia y los insultos personales. El embajador era representante de su soberano, y cualquier indignidad que se le infligiese exigía prontas represalias. Sabiendo los amonitas que el insulto hecho a Israel sería seguramente vengado, hicieron preparativos para la guerra. "Y viendo los hijos de Amón que se habían hecho odiosos a David, Hanún y los hijos de Amón enviaron mil talentos de plata para tomar a sueldo carros y gente de a caballo de Mesopotamia, de Siria, de Maaca y de Soba. Y tomaron a sueldo treinta y dos mil carros... Y se juntaron también los hijos de Amón de sus ciudades, y vinieron a la guerra" (1 Crónicas 19: 6, 7).

Era en verdad una alianza formidable. Los habitantes de la región situada entre el río Eufrates y el Mediterráneo habían hecho una liga con los amonitas. Había al norte y al este de Canaán enemigos armados, unidos para aplastar a Israel.

Los hebreos no esperaron que fuera invadido su país. Sus fuerzas, bajo el mando de Joab, cruzaron el Jordán y avanzaron hacia la capital amonita. Mientras el capitán hebreo dirigía su ejército al campo, procuró alentarlo para el conflicto, diciéndole: "Esfuérzate, y esforcémonos por nuestro pueblo, y por las ciudades de nuestro Dios; y haga Jehová lo que bien le parezca" (vers. 13). Las fuerzas unidas de los aliados fueron vencidas en el primer encuentro. Pero aún no estaban dispuestas a renunciar a la lucha, y el año siguiente reanudaron la guerra. El rey de Siria reunió sus fuerzas, y amenazó a Israel con un ejército enorme. David, dándose cuenta de cuánto dependía del resultado de esta lucha, se encargó personalmente de la campaña, y por la bendición de Dios infligió a los aliados una derrota tan desastrosa que los sirios, desde el Líbano hasta el Eufrates, no sólo renunciaron a la guerra, sino que pagaron tributo a Israel. David prosiguió con vigor la guerra contra Amón, hasta que cayeron sus fortalezas y toda la región quedó bajo el dominio de Israel.

Los peligros que habían amenazado a la nación con la destrucción total, resultaron, mediante la providencia de Dios, en medios de llevarla a una grandeza sin precedente. Al conmemorar sus notorios libramientos, David cantó así:

"Viva Jehová, y bendita sea mi roca,
y enaltecido sea el Dios de mi salvación;
el Dios que venga mis agravios,
y somete pueblos debajo de mí;
el que me libra de mis enemigos,
y aun me eleva sobre los que se levantan contra mí;
me libraste de varón violento.
Por tanto yo te confesaré entre las naciones, oh Jehová,
y cantaré a tu nombre.
Grandes triunfos da a su rey,
y hace misericordia a su ungido,
a David y a su descendencia, para siempre"
(Salmo 18: 46-50).

Y mediante los cantos de David se inculcó al pueblo el pensamiento de que Jehová era su fortaleza y su libertador:

"El rey no se salva por la multitud del ejército,
ni escapa el valiente por la mucha fuerza.
Vano para salvarse es el caballo;

la grandeza de su fuerza a nadie podrá librar".
"Tú, oh Dios, eres mi rey;
manda salvación a Jacob.
Por medio de ti sacudiremos a nuestros enemigos;
en tu nombre hollaremos a nuestros adversarios.
Porque no confiaré en mi arco,
ni mi espada me salvará;
pues tú nos has guardado de nuestros enemigos,
y has avergonzado a los que nos aborrecían".
"Estos confían en carros, y aquéllos en caballos;
mas nosotros del nombre de Jehová nuestro Dios tendremos
memoria" (Salmos 33: 16, 17; 44: 4-7; 20: 7).

El reino de Israel había alcanzado ahora en extensión el cumplimiento de la promesa hecha a Abrahán, y repetida después a Moisés: "A tu descendencia daré esta tierra, desde el río de Egipto hasta el río grande, el río Eufrates" (Génesis 15: 18; Deuteronomio 11: 22-25). Israel se había convertido en una nación poderosa, respetada y temida de los pueblos vecinos. En su propio reino, el poder de David se había hecho muy grande. Gozaba de los afectos y de la lealtad de su pueblo como muy pocos soberanos, de cualquier época, los han podido gozar. Había honrado a Dios, y ahora Dios le honraba a él.

Pero en medio de la prosperidad acechaba el peligro. En la época de mayor triunfo exterior, David estaba en el mayor de los peligros, y sufrió la derrota más humillante de su vida.

CAPITULO 71

Este capítulo está basado en 2 Samuel 11 y 12.

Pecado y Arrepentimiento de David

LA BIBLIA tiene poco que decir en alabanza de los hombres. Dedica poco espacio a relatar las virtudes hasta de los mejores hombres que jamás hayan vivido. Este silencio no deja de tener su propósito y su lección. Todas las buenas cualidades que poseen los hombres son dones de Dios; realizan sus buenas acciones por la gracia de Dios manifestada en Cristo. Como lo deben todo a Dios, la gloria de cuanto son y hacen le pertenece sólo a él; ellos no son sino instrumentos en sus manos.

Además, según todas las lecciones de la historia bíblica, es peligroso alabar o ensalzar a los hombres; pues si uno llega a perder de vista su total dependencia de Dios, y a confiar en su propia fortaleza, caerá seguramente. El hombre lucha con enemigos que son más fuertes que él. "No tenemos lucha contra sangre y carne, sino contra principados, contra potestades, contra los gobernadores de las tinieblas de este siglo, contra huestes espirituales de maldad en las regiones celestes" (Efesios 6: 12). Es imposible que luchemos sólo con nuestra propia fuerza; y todo lo que aleje a nuestra mente de Dios, todo lo que induzca al ensalzamiento o a la dependencia propia prepara seguramente nuestra caída. El

Dios envió al profeta Natán para reprender al rey David por haber ordenado la muerte de Urías el heteo.

819

ROBERT AYRES © PPPA

tenor de la Biblia está destinado a inculcarnos desconfianza en el poder humano y a fomentar nuestra confianza en el poder divino.

El espíritu de confianza y ensalzamiento de sí fue el que preparó la caída de David. La adulación y las sutiles seducciones del poder y del lujo, no dejaron de tener su efecto sobre él. También las relaciones con las naciones vecinas ejercieron en él una influencia maléfica. Según las costumbres entre los soberanos orientales de aquel entonces, los crímenes que no se toleraban en los súbditos quedaban impunes cuando se trataba del rey; el monarca no estaba obligado a ejercer el mismo dominio de sí que el súbdito. Todo esto tendía a aminorar en David el sentido de la perversidad excesiva del pecado. Y en vez de confiar humilde en el poder de Dios, comenzó a confiar en su propia fuerza y sabiduría.

Tan pronto como Satanás pueda separar el alma de Dios, la única fuente de fortaleza, procurará despertar los deseos impíos de la naturaleza carnal del hombre. La obra del enemigo no es abrupta; al principio no es repentina ni sorpresiva; consiste en minar secretamente las fortalezas de los principios. Comienza en cosas aparentemente pequeñas: la negligencia en cuanto a ser fiel a Dios y a depender de él por completo, la tendencia a seguir las costumbres y prácticas del mundo.

Antes que terminara la guerra con los amonitas, David regresó a Jerusalén, dejando la dirección del ejército a Joab. Los sirios ya se habían sometido a Israel, y la completa caída de los amonitas parecía segura. David se veía rodeado de los frutos de la victoria y de los honores de su gobierno sabio y hábil. Fue entonces, mientras vivía en holgura y desprevenido, cuando el tentador aprovechó la oportunidad de ocupar su mente. El hecho de que Dios había admitido a David en una relación tan estrecha consigo, y había manifestado tanto favor hacia David, debiera haber sido para él el mayor de los incentivos para conservar inmaculado su carácter. Pero cuando él estaba cómodo, tranquilo y seguro de sí mismo, se separó de Dios, cedió a las tentaciones de Satanás, y atrajo sobre su alma la mancha de la culpabilidad. El hombre designado por el cielo como caudillo de la nación, el escogido por Dios para ejecutar su ley, violó sus preceptos. Por sus actos el que debía castigar a los malhechores, les fortaleció las manos.

En medio de los peligros de su juventud, David, consciente de su integridad, podía confiar su caso a Dios. La mano del Señor le había guiado y hecho pasar sano y salvo por infinidad de trampas tendidas para sus pies. Pero ahora, culpable y sin arrepentimiento, no pidió ayuda ni dirección al cielo, sino que buscó la manera de desenredarse de los peligros en que el pecado le había envuelto. Betsabé, cuya hermosura fatal había resultado ser una trampa para el rey, era la esposa de Urías el heteo, uno de los oficiales más valientes y más fieles de David. Nadie podía prever cuál sería el resultado si se llegase a descubrir el crimen. La ley de Dios declaraba al adúltero culpable de la pena de muerte, y el soldado de espíritu orgulloso, tan vergonzosamente agraviado, podría vengarse quitándole la vida al rey, o incitando a la nación a la revuelta.

Todo esfuerzo de David para ocultar su culpabilidad resultó fútil. Se había entregado al poder de Satanás; el peligro le rodeaba; la deshonra, que es más amarga que la muerte, le esperaba. No había sino una manera de escapar, y en su desesperación se apresuró a agregar un asesinato a su adulterio. El que había logrado la destrucción de Saúl, trataba ahora de llevar a David también a la ruina. Aunque las tentaciones eran distintas, ambas se asemejaban en cuanto a conducir a la transgresión de la ley de Dios. David pensó que si Urías moría a mano de los enemigos en el campo de batalla, la culpa de su muerte no podría atribuirse a las ma-

quinaciones del rey; Betsabé quedaría libre para ser la esposa de David; las sospechas se eludirían y se mantendría el honor real.

Urías fue hecho portador de su propia sentencia de muerte. El rey envió por su medio una carta a Joab, en la cual ordenaba: "Poned a Urías al frente, en lo más recio de la batalla, y retiraos de él, para que sea herido y muera" (véase 2 Samuel 11, 12). Joab, ya manchado con la culpa de un asesinato protervo, no vaciló en obedecer las instrucciones del rey, y Urías cayó herido por la espada de los hijos de Amón.

Hasta entonces la foja de servicios de David como soberano había sido tal que pocos monarcas la tuvieron jamás igual. Se nos dice que "David administraba justicia y equidad a todo su pueblo" (2 Samuel 8: 15). Su integridad le había ganado la confianza y la lealtad de toda la nación. Pero cuando se apartó de Dios, y cedió al maligno, se hizo, por el momento, agente de Satanás; sin embargo, conservaba el puesto y la autoridad que Dios le había dado, y a causa de esto exigía ser obedecido en cosas que hacían peligrar el alma del que las hiciera. Y Joab, más leal al rey que a Dios, violó la ley de Dios por orden del rey.

El poder de David le había sido dado por Dios, pero para que lo ejercitara solamente en armonía con la ley divina. Cuando ordenó algo que era contrario a la ley de Dios, el obedecerle significó pecar. "Y las [autoridades] que hay, por Dios han sido establecidas" (Romanos 13: 1), pero no debemos obedecerlas en contradicción a la ley de Dios. El apóstol Pablo, escribiendo a los corintios, fija el principio que ha de guiarnos. Dice: "Sed imitadores de mí, así como yo de Cristo" (1 Corintios 11: 1).

Una relación de cómo se había ejecutado su orden fue enviada a David, pero redactada tan cuidadosamente que no comprometió a Joab ni al rey. Joab "mandó al mensajero, diciendo: Cuando acabes de contar al rey todos los asuntos de la guerra, si el rey comenzare a enojarse, ... entonces tú le dirás: También tu siervo Urías heteo es muerto. Fue el mensajero, y llegando, contó a David todo aquello a que Joab le había enviado". La contestación del rey fue: "Así dirás a Joab: No tengas pesar por esto, porque la espada consume, ora a uno, ora a otro; refuerza tu ataque contra la ciudad, hasta que la rindas. Y tú aliéntale".

Betsabé observó los acostumbrados días de luto por su marido; y

822

cuando terminaron, "envió David y la trajo a su casa; y fue ella su mujer". Aquel que antes tenía tan sensible la conciencia y alto el sentimiento del honor que no le permitían, ni aun cuando corría peligro de perder su propia vida, levantar la mano contra el ungido del Señor, se había rebajado tanto que podía agraviar y asesinar a uno de sus más valientes y fieles soldados, y esperar gozar tranquilamente el premio de su pecado. ¡Ay! ¡Cuánto se había envilecido el oro fino! ¡Cómo había cambiado el oro más puro!

Desde el principio, Satanás ha venido presentando a los hombres un cuadro de las ganancias que pueden obtenerse por la transgresión. Así sedujo a los ángeles. Así tentó a Adán y a Eva a que pecaran. Y así sigue todavía apartando a las multitudes de la obediencia a Dios. Representa el camino de la transgresión como apetecible; "pero su fin es camino de muerte" (Proverbios 14: 12). ¡Felices quienes habiéndose aventurado en ese camino, aprenden cuán amargos son los frutos del pecado, y se apartan de él a tiempo! En su misericordia Dios no abandonó a David para que fuese arruinado por los premios engañosos del pecado.

También por causa de Israel era necesario que Dios interviniera. Con el tiempo se conoció el pecado de David con Betsabé, y se sospechó que él había planeado la muerte de Urías. Esto deshonró más al Señor. El había favorecido y ensalzado a David, y el pecado de éste representaba mal el carácter de Dios, y echaba oprobio sobre su nombre. Tendía a rebajar las normas de la piedad en Israel, a empequeñecer en muchas mentes el aborrecimiento del pecado, mientras que envalentonaba en la transgresión a los que no amaban ni temían a Dios.

El profeta Natán recibió órdenes de llevar un mensaje de represión a David. Era un mensaje terrible en su severidad. A pocos soberanos se les podría haber dirigido una represión sin que el mensajero perdiese la vida. Natán transmitió la sentencia divina sin vacilación, aunque con tal sabiduría celestial que despertó la simpatía y la conciencia del rey y le indujo a que con sus labios emitiera su propia sentencia de muerte. Apelando a David como al guardián divinamente designado para proteger los derechos de su pueblo, el profeta le relató una historia de agravio y opresión que exigía justicia y castigo.

"Había dos hombres en una ciudad —dijo—, el uno rico, y el otro pobre. El rico tenía numerosas ovejas y vacas; pero el pobre no tenía más que una sola corderita, que él había comprado y criado, y que había crecido con él y con sus hijos juntamente, comiendo de su bocado y bebiendo de su vaso, y durmiendo en su seno; y la tenía como a una hija. Y vino uno de camino al hombre rico; y éste no quiso tomar de sus ovejas y de sus vacas, para guisar para el caminante que había venido a él, sino que tomó la oveja de aquel hombre pobre, y la preparó para aquel que había venido a él".

El rey se airó y exclamó: "Vive Jehová, que el que tal hizo es digno de muerte. Y debe pagar la cordera con cuatro tantos, porque hizo tal cosa, y no tuvo misericordia".

Natán fijó los ojos en el rey; y luego, alzando la mano derecha, le declaró solemnemente: "Tú eres aquel hombre". "¿Por qué, pues —continuó—, tuviste en poco la palabra de Jehová, haciendo lo malo delante de sus ojos?" Como David, los culpables pueden procurar que su crimen quede oculto para los hombres; pueden tratar de sepultar la acción perversa para siempre, a fin de que el ojo humano no la vea ni la sepa la inteligencia humana; pero "todas las cosas están desnudas y abiertas a los ojos de aquel a quien tenemos que dar cuenta" (Hebreos 4: 13). "Nada hay encubierto, que no haya de ser manifestado; ni oculto, que no haya de saberse" (S. Mateo 10: 26).

Natán le manifestó: "Así ha dicho Jehová, Dios de Israel: Yo te ungí por rey sobre Israel, y te libré de la mano de Saúl... ¿Por qué, pues, tuviste en poco la palabra de Jehová, haciendo lo malo delante de sus ojos? A Urías heteo heriste a espada, y tomaste por mujer a su mujer, y a él lo mataste con la espada de los hijos de Amón. Por lo cual ahora no se apartará jamás de tu casa la espada... He aquí yo haré levantar el mal sobre ti de tu misma casa, y tomaré tus mujeres delante de tus ojos, y las daré a tu prójimo... Porque tú lo hiciste en secreto; mas yo haré esto delante de todo Israel y a pleno sol".

El reproche del profeta conmovió el corazón de David; se despertó su conciencia; y su culpa le apareció en toda su enormidad. Su alma se postró en penitencia ante Dios. Con labios temblorosos exclamó: "Pequé contra Jehová". Todo daño o agravio que se haga a otros se extiende del perjudicado a Dios. David había cometido un grave pecado contra Urías y Betsabé, y se daba cuenta perfecta de su gran transgresión. Pero mucho más grave era su pecado contra Dios.

Aunque no se hallara a nadie en Israel que ejecutara la sentencia de muerte contra el ungido del Señor, David tembló por temor de que, culpable y sin perdón, fuese abatido por el rápido juicio de Dios. Pero se le envió por medio del profeta este mensaje: "También Jehová ha remitido tu pecado; no morirás". No obstante, la justicia debía mantenerse. La sentencia de muerte fue transferida de David al hijo de su pecado. Así se le dio al rey oportunidad de arrepentirse; mientras que el sufrimiento y la muerte del niño, como parte de su castigo, le resultaban más amargos de lo que hubiera sido su propia muerte. El profeta dijo: "Mas por cuanto con este asunto hiciste blasfemar a los enemigos de Jehová, el hijo que te ha nacido ciertamente morirá".

Cuando el niño cayó enfermo, David imploró y suplicó por su vida, con ayuno y profunda humillación. Se despojó de sus prendas reales, hizo a un lado su corona, y noche tras noche yacía en el suelo, intercediendo con dolor desesperado en pro del inocente que sufría a causa de su propia culpa. "Y se levantaron los ancianos de su casa, y fueron a él para hacerlo levantar de la tierra; mas él no quiso". A menudo cuando se habían pronunciado juicios contra personas o ciudades, la humillación y

el arrepentimiento habían bastado para apartar el golpe, y el Dios que siempre tiene misericordia y es presto a perdonar, había enviado mensajeros de paz. Alentado por este pensamiento, David perseveró en su súplica mientras vivió el niño. Cuando supo que estaba muerto, con calma y resignación David se sometió al decreto de Dios. Había caído el primer golpe de aquel castigo que él mismo había declarado justo. Pero David, confiando en la misericordia de Dios, no quedó sin consuelo.

Muchos que leen la historia de la caída de David, han preguntado: ¿Por qué se publicó? ¿Por qué consideró Dios conveniente descubrir este pasaje oscuro de la vida de uno que fue altamente honrado por el cielo? El profeta, en el reproche que hizo a David, declaró en cuanto a su pecado: "Con este asunto hiciste blasfemar a los enemigos de Jehová". A través de las generaciones los incrédulos han señalado el carácter de David y la mancha negra que lleva, y han exclamado con burla: "¡He aquí el hombre según el corazón de Dios!" Así se han echado oprobios sobre la religión; Dios y su palabra han sido blasfemados; muchos se han endurecido en la incredulidad, y, bajo un manto de piedad, se han envalentonado en el pecado.

Pero la historia de David no suministra motivos para tolerar el pecado. David fue llamado hombre según el corazón de Dios cuando andaba de acuerdo con su consejo. Cuando pecó, dejó de serlo hasta que, por arrepentimiento, hubo vuelto al Señor. La Palabra de Dios manifiesta claramente: "Esto que David había hecho, fue desagradable a los ojos de Jehová". Y el Señor le dijo a David por medio del profeta: "¿Por qué, pues, tuviste en poco la palabra de Jehová, haciendo lo malo delante de sus ojos?... Por lo cual ahora no se apartará jamás de tu casa la espada, por cuanto me menospreciaste". Aunque David se arrepintió de su pecado, y fue perdonado y aceptado por el Señor, cosechó la funesta mies de la siembra que él mismo había sembrado. Los juicios que cayeron sobre él y sobre su casa atestiguan cuánto aborrece Dios al pecado.

Hasta entonces la providencia de Dios había protegido a David de todas las conspiraciones de sus enemigos, y se había ejercido directamente para refrenar a Saúl. Pero la transgresión de David había cambiado su relación con Dios. En ninguna forma podía el Señor sancionar la iniquidad. No podía ejercitar su poder para proteger a David de los resultados de su pecado como le había protegido de Saúl.

Se produjo un gran cambio en David mismo. Quebrantaba su espíritu la comprensión de su pecado y de sus abarcantes resultados. Se sentía humillado ante los ojos de sus súbditos. Su influencia sufrió menoscabo. Hasta entonces su prosperidad se había atribuido a su obediencia concienzuda a los mandamientos del Señor. Pero ahora sus súbditos, conociendo el pecado de él, podrían verse inducidos a pecar más libremente. En su propia casa, se debilitó su autoridad y su derecho a que sus hijos le respetasen y obedeciesen. Su sentido de culpabilidad le hacía guardar silencio para condenar el pecado y debilitaba su brazo para ejecutar justicia en su casa. Su mal ejemplo influyó en sus hijos, y Dios no intervino para evitar los resultados. Permitió que las cosas tomaran su curso natural, y David fue castigado severamente.

Durante un año entero después de su caída, David vivió en seguridad aparente; no había evidencia externa del desagrado de Dios. Pero la sentencia divina pendía sobre él. Rápida y seguramente se aproximaba el día del juicio y del castigo, que ningún arrepentimiento podía evitar, es decir, la agonía y la vergüenza que ensombrecía toda su vida terrenal. Los que, señalando el ejemplo de David, tratan de aminorar la culpa de sus propios pecados, debieran aprender de las lecciones del relato bíblico que el camino de la transgresión es duro. Aunque, como David, se volvieran de sus caminos impíos, los resultados del pecado, aun en esta vida, serán amargos y difíciles de soportar.

Dios quiso que la historia de la caída de David sirviera como una advertencia de que aun aquellos a quienes él ha bendecido y favorecido grandemente no han de sentirse seguros ni tampoco descuidar el velar y orar. Así ha resultado para los que con humildad han procurado aprender lo que Dios quiso enseñar con esa lección. De generación en generación, miles han sido así inducidos a darse cuenta de su propio peligro frente al poder tentador del enemigo común. La caída de David, hombre que fue grandemente honrado por el Señor, despertó en ellos la desconfianza de sí mismos. Comprendieron que sólo Dios podía guardarlos por su poder mediante la fe. Sabiendo que en él estaba la fortaleza y la seguridad, temieron dar el primer paso en tierra de Satanás.

Aun antes de que se hubiese dictado la sentencia divina contra David, éste ya había comenzado a cosechar el fruto de su transgresión. Su conciencia no tenía paz. En el Salmo 32 presenta la agonía que su espíritu soportó entonces. Dice:

"Bienaventurado aquel cuya transgresión ha sido perdonada,
   y cubierto su pecado.
Bienaventurado el hombre a quien Jehóvá no culpa de
   iniquidad,
y en cuyo espíritu no hay engaño.
Mientras callé, se envejecieron mis huesos
en mi gemir todo el día.
Porque de día y de noche se agravó sobre mí tu mano;
se volvió mi verdor en sequedades de verano"

(Salmo 32: 1-4).

Y el Salmo 51 es una expresión del arrepentimiento de David, cuando le llegó el mensaje de represión de parte de Dios:

"Ten piedad de mí, oh Dios, conforme a tu misericordia;
conforme a la multitud de tus piedades borra mis
   rebeliones.
Lávame más y más de mi maldad,
y límpiame de mi pecado.
Porque yo reconozco mis rebeliones,
y mi pecado está siempre delante de mí...
Purifícame con hisopo, y seré limpio;
lávame, y seré más blanco que la nieve.
Hazme oír gozo y alegría,
y se recrearán los huesos que has abatido.
Esconde tu rostro de mis pecados,
y borra todas mis maldades.
Crea en mí, oh Dios, un corazón limpio,
y renueva un espíritu recto dentro de mí.

No me eches de delante de ti,
y no quites de mí tu santo Espíritu.
Vuélveme el gozo de tu salvación,
y espíritu noble me sustente.
Entonces enseñaré a los transgresores tus caminos,
y los pecadores se convertirán a ti.
Líbrame de homicidios, oh Dios, Dios de mi salvación;
cantará mi lengua tu justicia" (Salmo 51: 1-3, 7-14).

Así en un himno sagrado que había de cantarse en las asambleas públicas de su pueblo, en presencia de la corte, los sacerdotes y jueces, los príncipes y guerreros, y que iba a preservar hasta la última generación el conocimiento de su caída, el rey de Israel relató todo lo concerniente a su pecado, su arrepentimiento, y su esperanza de perdón por la misericordia de Dios. En vez de procurar ocultar la culpa, quiso que otros se instruyeran por el conocimiento de la triste historia de su caída.

El arrepentimiento de David fue sincero y profundo. No hizo ningún esfuerzo para aminorar su crimen. Lo que inspiró su oración no fue el deseo de escapar a los castigos con que se le amenazaba. Pero vio la enormidad de su transgresión contra Dios; vio la depravación de su alma y aborreció su pecado. No oró pidiendo perdón solamente, sino también pidiendo pureza de corazón. David no abandonó la lucha en su desesperación. Vio la evidencia de su perdón y aceptación, en la promesa hecha por Dios a los pecadores arrepentidos.

"Porque no quieres sacrificio,
que yo lo daría;
no quieres holocausto.
Los sacrificios de Dios son el espíritu quebrantado;
al corazón contrito y humillado
no despreciarás tú, oh Dios" (vers. 16, 17).

Aunque David había caído, el Señor le levantó. Estaba ahora más plenamente en armonía con Dios y en simpatía con sus semejantes que antes de su caída. En el gozo de su liberación cantó:

"Mi pecado te declaré,
y no encubrí mi iniquidad.
Dije: Confesaré mis transgresiones a Jehová;
y tú perdonaste la maldad de mi pecado...
Tú eres mi refugio;
me guardarás de la angustia;
con cánticos de liberación me rodearás" (Salmo 32: 5-7).

Muchos murmuran contra lo que llaman la injusticia de Dios al salvar a David, cuya culpa era tan grande, después de haber rechazado a Saúl por lo que a ellos les parece ser pecados mucho menos flagrantes. Pero David se humilló y confesó su pecado, en tanto que Saúl menospreció el reproche y endureció su corazón en la impenitencia.

Este pasaje de la historia de David rebosa de significado para el pecador arrepentido. Es una de las ilustraciones más poderosas que se nos haya dado de las luchas y las tentaciones de la humanidad, y de un verdadero arrepentimiento hacia Dios y una fe sincera en nuestro Señor Jesucristo. A través de todos los siglos ha resultado ser una fuente de aliento para las almas que, habiendo caído en el pecado, han tenido que luchar bajo el peso agobiador de su culpa. Miles de hijos de Dios, después de haber sido entregados traidoramente al pecado y cuando estaban a punto de desesperar, recordaron cómo el arrepentimiento sincero y la confesión de David fueron aceptados por Dios, no obstante haber tenido que sufrir las consecuencias de su transgresión; y también cobraron ánimo para arrepentirse y procurar nuevamente andar por los senderos de los mandamientos de Dios.

Quienquiera que bajo la reprensión de Dios humille su alma con la confesión y el arrepentimiento, tal como lo hizo David, puede estar seguro de que hay esperanza para él. Quienquiera que acepte por la fe las promesas de Dios, hallará perdón. Jamás rechazará el Señor a un alma verdaderamente arrepentida. El ha dado esta promesa: "Echen mano ... de mi fortaleza, y hagan paz conmigo. ¡Sí, que hagan paz conmigo!" "Deje el impío su camino, y el hombre inicuo sus pensamientos, y vuélvase a Jehová, el cual tendrá de él misericordia, y al Dios nuestro, el cual será amplio en perdonar" (Isaías 27: 5, VM; 55: 7).

CAPITULO 72

Este capítulo está basado en 2 Samuel 13 a 19.

La Rebelión de Absalón

"DEBE pagar la cordera con cuatro tantos", había sido la sentencia que David había dictado inconscientemente contra sí mismo, al oír la parábola del profeta Natán; y debía ser juzgado en conformidad con su propia sentencia. Iban a caer cuatro de sus hijos, y la pérdida de cada uno de ellos sería el resultado del pecado del padre.

David dejó pasar desapercibido el crimen vergonzoso de Amnón, el primogénito, sin castigarlo ni reprenderlo. La ley castigaba con la muerte al adúltero, y el crimen desnaturalizado de Amnón le hacía doblemente culpable. Pero David, sintiéndose él mismo condenado por su propio pecado, no llevó al delincuente a la justicia. Durante dos largos años, Absalón, el protector natural de la hermana tan vilmente agraviada, ocultó su propósito de venganza, pero tan sólo para dar un golpe más certero al fin. En un festín de los hijos del rey, el borracho e incestuoso Amnón fue muerto por orden de su hermano.

Un castigo doble había caído sobre David. Se le llevó este terrible mensaje: "Absalón ha dado muerte a todos los hijos del rey, y ninguno de ellos ha quedado. Entonces levantándose David, rasgó sus vestidos, y se echó en tierra, y todos sus criados que estaban junto a él también rasgaron sus vestidos" (véase 2 Samuel 13-19).

Los hijos del rey, al regresar alarmados a Jerusalén, le revelaron a su padre la verdad: sólo Amnón había sido muerto; "y alzando su voz lloraron. Y también el mismo rey y todos sus siervos lloraron con muy grandes lamentos". Pero Absalón huyó a Talmai, rey de Gesur y padre de su madre.

Como a otros de los hijos de David, a Amnón se le había permitido acostumbrarse a satisfacer sus gustos y apetitos egoístas. Había procurado conseguir todo lo que pensaba en su corazón, haciendo caso omiso de los mandamientos de Dios. A pesar de su gran pecado, Dios lo había soportado mucho tiempo. Durante dos años, le había dado oportunidad de arrepentirse; pero continuó en el pecado, y cargado con su culpa fue abatido por la muerte, a la espera del terrible tribunal del juicio.

David había descuidado su obligación de castigar el crimen de Amnón, y a causa de la infidelidad del rey y padre, y por la impenitencia del hijo, el Señor permitió que los acontecimientos siguieran su curso natural, y no refrenó a Absalón. Cuando los padres o los gobernantes descuidan su deber de castigar la iniquidad, Dios mismo toma el caso en sus manos. Su poder refrenador se desvía hasta cierta medida de los instrumentos del mal, de modo que se produzca una serie de circunstancias que castigue al pecado con el pecado.

Los resultados funestos de la injusta complacencia de David hacia Amnón no terminaron con esto; pues entonces principió el desafecto de Absalón con su padre. Cuando el joven príncipe huyó a Gesur, David, creyendo que el crimen de su hijo exigía algún castigo, le negó el permiso para regresar. Pero esto tendió a aumentar más bien que disminuir los males inextricables que enredaban al rey. Absalón, hombre enérgico, ambicioso y sin principios, al quedar, por su destierro, impedido de participar en los asuntos del reino, no tardó en entregarse a maquinaciones peligrosas.

Al cabo de dos años, Joab resolvió efectuar una reconciliación entre el padre y el hijo. Con este objeto, consiguió los servicios de una mujer de Tecoa, famosa por su prudencia. Habiendo recibido instrucciones de Joab, la mujer se presentó ante David como una viuda cuyos dos hijos habían sido su único consuelo y apoyo. En una disputa uno de ellos había muerto al otro, y ahora todos los parientes de la familia exigían que el sobreviviente fuese entregado al vengador de la sangre. "Así —dijo— apagarán el ascua que me ha quedado, no dejando a mi marido nombre ni reliquia sobre la tierra". El rey fue conmovido por esta súplica, y aseguró a la mujer la protección real para su hijo.

Después de obtener del rey repetidas promesas de seguridad para el joven, la mujer imploró su tolerancia para declararle que él había hablado como culpable, porque no había hecho volver a casa a su desterrado. "Porque —dijo— de cierto morimos, y somos como aguas derramadas por tierra, que no pueden volver a recogerse; ni Dios quita la vida, sino que provee medios para no alejar de sí al desterrado".

Este cuadro tierno y conmovedor del amor de Dios hacia el pecador, que provenía, como en realidad así era, de Joab, el soldado rudo, es una evidencia sorprendente de cuán familiarizados estaban los israelitas con las grandes verdades de la redención. El rey, sintiendo su propia necesidad de la misericordia de Dios, no pudo resistir esta súplica. Ordenó a Joab: "Ve, y haz volver al joven Absalón".

Se le permitió a Absalón que volviera a Jerusalén, pero que no se presentara en la corte ni ante su padre. David había comenzado a ver los efectos de su complacencia hacia sus hijos; y aunque amaba tiernamente a este hijo hermoso y tan bien dotado, creyó necesario manifestar su aborrecimiento por su crimen, como una lección tanto para Absalón como para el pueblo. Absalón vivió durante dos años en su propia casa, pero alejado de la corte. Su hermana vivía con él y la presencia de ella mantenía vivo el recuerdo del agravio irreparable que ella había sufrido. En opinión del pueblo, el príncipe era un héroe más bien que un delincuente. Y teniendo esta ventaja, se puso a ganarse el corazón del pueblo. Su aspecto personal era tal que conquistaba la admiración de todos los que le veían. "Y no había en todo Israel ninguno tan alabado por su hermosura como Absalón; desde la planta de su pie hasta la coronilla no había en él defecto".

No fue prudente de parte del rey dejar a un hombre del carácter de Absalón, ambicioso, impulsivo y apasionado, para que cavilara durante dos años sobre supuestos agravios. Y la acción de David, al permitirle regresar a Jerusalén, y sin embargo, negarse a admitirle en su presencia, le granjeó al hijo la simpatía del pueblo.

David, que recordaba siempre su propia transgresión de la ley de Dios, parecía estar moralmente paralizado; se revelaba débil e irresoluto mientras que antes de su pecado había sido valeroso y decidido. Había disminuido su influencia con el pueblo; y todo esto favorecía los designios de su hijo desnaturalizado.

Gracias a la influencia de Joab, Absalón fue nuevamente admitido en la presencia de su padre; pero aunque exteriormente hubo reconciliación, él continuó con sus proyectos ambiciosos. Asumió una condición casi de realeza, haciendo que carros y caballos, y cincuenta hombres, corrieran delante de él adondequiera que fuera. Y mientras que el rey se inclinaba cada vez más al deseo de retraimiento y soledad, Absalón buscaba con halagos el favor popular.

La influencia de la irresolución y apatía de David se extendía a sus subordinados; la negligencia y la dilación caracterizaban la administración de la justicia. Arteramente, Absalón sacaba ventaja de toda causa de desafecto. Día tras día, se podía ver a ese hombre de semblante noble a la puerta de la ciudad, donde una multitud de suplicantes aguardaba para presentarle sus agravios en procura de que fuesen reparados. Absalón se rozaba con ellos, oía sus agravios, y expresaba cuánto simpatizaba con ellos por sus sufrimientos y cuánto lamentaba la falta de eficiencia del gobierno. Después de escuchar la historia de un hombre de Israel, el príncipe respondía: "Mira, tus palabras son buenas y justas; mas no tienes quien te oiga de parte del rey", y agregaba: "¡Quién me pusiera por juez en la tierra, para que viniesen a mí todos los que tienen pleito o negocio, que yo les haría justicia! Y acontecía que cuando alguno se acercaba para inclinarse a él, él extendía la mano y lo tomaba, y lo besaba".

Fomentado por las arteras insinuaciones del príncipe, el descontento con el gobierno cundía rápidamente. Todos los labios alababan a Absa-

Absalón casi asumió un comportamiento real: delante de él corrían carros, caballos y cincuenta hombres.

JOHN STEEL © PPPA

lón. Se le tenía generalmente por heredero del trono; el pueblo lo consideraba con orgullo digno del alto puesto, y se encendió el deseo de que él ocupara el trono. "Así robaba Absalón el corazón de los de Israel". No obstante, el rey, cegado por el amor a su hijo, no sospechaba nada. La condición de realeza que Absalón había asumido era considerada por David como destinada a honrar su corte, como una expresión de júbilo por la reconciliación.

Una vez preparados los ánimos del pueblo, Absalón envió secretamente entre las tribus a hombres escogidos, para que concertaran medidas tendientes a una revuelta. Adoptó entonces el manto de la devoción religiosa para ocultar sus propósitos traidores. Un voto que había hecho mucho tiempo antes, cuando estaba desterrado, debía cumplirse en Hebrón. Absalón dijo al rey: "Yo te ruego me permitas que vaya a Hebrón, a pagar mi voto que he prometido a Jehová. Porque tu siervo hizo voto cuando estaba en Gesur en Siria, diciendo: Si Jehová me hiciere volver a Jerusalén, yo serviré a Jehová". El padre cariñoso, consolado con esta evidencia de piedad en su hijo, le despidió con su bendición.

La conspiración había madurado completamente. El acto culminante de hipocresía de Absalón tenía por objeto no sólo cegar al rey, sino también afirmar la confianza del pueblo, y seguir incitándolo a la rebelión contra el rey que Dios había escogido.

Absalón salió para Hebrón, y fueron con él "doscientos hombres de Jerusalén convidados por él, los cuales iban en su sencillez, sin saber nada". Estos hombres fueron con Absalón sin soñar que su amor por el hijo los llevaba a la rebelión contra el padre. Al llegar a Hebrón, Absalón llamó inmediatamente a Ahitofel, uno de los principales consejeros de David, hombre de mucha fama por su sabiduría, cuya opinión era considerada tan segura y tan sabia como la de un oráculo. Ahitofel se unió a los conspiradores, y su apoyo hizo que pareciera asegurado el éxito de la causa de Absalón, y trajo a su estandarte a muchos hombres de influencia de todas partes del reino. Cuando la trompeta de la rebelión sonó, los espías que el príncipe tenía diseminados difundieron la noticia de que Absalón era rey, y gran parte del pueblo se congregó alrededor de él.

Mientras tanto, la alarma se transmitió al rey en Jerusalén. David se despertó de repente, para ver estallar la rebelión cerca de su trono. Su propio hijo, al que amaba y en el cual confiaba, había estado conspirando para apoderarse de la corona e indudablemente para quitarle la vida. En su gran peligro, David sacudió la depresión que por tanto tiempo le había embargado, y con el ánimo de sus años mozos se preparó para hacer frente a esta terrible emergencia. Absalón estaba reuniendo sus fuerzas en Hebrón, a una distancia de sólo treinta kilómetros. Pronto estarían los rebeldes a las puertas de Jerusalén.

Desde su palacio, David contemplaba su capital, "hermosa provincia, el gozo de toda la tierra, ... la ciudad del gran Rey" (Salmo 48: 2). Le estremecía el pensamiento de exponerla a la carnicería y a la devastación. ¿Debía llamar en su auxilio a los súbditos que seguían leales al trono, y resistir para conservar la capital? ¿Debía permitir que Jerusalén fuera bañada en sangre? Tomó su decisión. Los horrores de la guerra no caerían sobre la ciudad escogida. Abandonaría Jerusalén, y luego probaría la fidelidad de su pueblo, dándole una oportunidad de reunirse para apoyarle. En esta gran crisis, era su deber hacia Dios y hacia su pueblo mantener la autoridad de la cual el cielo le había investido. Confiaría a Dios la resolución del conflicto.

Con humildad y dolor, David salió por la puerta de Jerusalén, alejado de su trono, de su palacio y del arca de Dios, por la insurrección de su hijo amado. El pueblo le seguía en larga y triste procesión como un séquito fúnebre. Acompañaba al rey su guardia personal, compuesta de cereteos, peleteos y trescientos geteos de Gat bajo el mando de Itai. Pero David, con su altruismo característico, no podía consentir que estos extranjeros, que habían buscado su protección, participasen en su calamidad. Expresó su sorpresa de que estuvieran dispuestos a hacer este sacrificio por él.

"Y dijo el rey a Itai geteo: ¿Para qué vienes tú también con nosotros? Vuélvete y quédate con el rey; porque tú eres extranjero, y desterrado también de tu lugar. Ayer viniste, ¿y he de hacer hoy que te muevas para ir con nosotros? En cuanto a mí, yo iré a donde pueda ir; tú vuélvete, y haz volver a tus hermanos; y Jehová te muestre amor permanente y fidelidad".

Itai le contestó: "Vive Dios, y vive mi señor el rey, que o para muerte o para vida, donde mi señor el rey estuviere, allí estará también tu siervo". Estos hombres habían sido convertidos del paganismo al culto de Jehová, y ahora probaban noblemente su fidelidad a su Dios y a su rey. Con corazón agradecido, David aceptó la devoción de ellos en su causa que aparentemente se hundía, y todos cruzaron el arroyo de Cedrón, en camino hacia el desierto.

Nuevamente la procesión hizo alto. Una compañía vestida de indumentaria sagrada se aproximaba. "Y he aquí, también iba Sadoc, y con él todos los levitas que llevaban el arca del pacto de Dios". Los que seguían a David vieron en esto un buen augurio. La presencia de aquel símbolo sagrado era para ellos una garantía de su liberación y de su victoria final. Inspiraría valor al pueblo para reunirse alrededor del rey. La ausencia del arca de Jerusalén infundiría terror a los partidarios de Absalón.

Al ver el arca, el corazón de David se llenó por un momento breve de regocijo y esperanza. Pero pronto le embargaron otros pensamientos. Como soberano designado para regir la herencia de Dios, le incumbía una solemne responsabilidad. Lo que más preocupaba al rey de Israel no eran sus intereses personales, sino la gloria de Dios y el bienestar de su pueblo. Dios, que moraba entre los querubines, había dicho con respecto a Jerusalén: "Este es para siempre el lugar de mi reposo" (Salmo 132: 14), y sin autorización divina, ni los sacerdotes ni el rey tenían derecho a remover de su lugar el símbolo de su presencia. Y David sabía que su corazón y su vida debían estar en armonía con los preceptos divinos; de lo contrario el arca sería un instrumento de desastre antes que de éxito. Recordaba siempre su gran pecado. Reconocía en esta conspiración el justo castigo de Dios. Había sido desenvainada la espada que no había de apartarse de su casa. Ignoraba cuáles serían los resultados de la lucha; y no le tocaba a él quitar de la capital de la nación los sagrados estatutos que representaban la voluntad del Soberano divino de ella, y que eran la constitución del reino y el fundamento de su prosperidad.

Ordenó a Sadoc: "Vuelve el arca de Dios a la ciudad. Si yo hallare gracia ante los ojos de Jehová, él hará que vuelva, y me dejará verla y a su tabernáculo. Y si dijere: No me complazco en ti; aquí estoy, haga de mí lo que bien le pareciere".

David agregó: "¿No eres tú el vidente?" Es decir un hombre designado por Dios para instruir al pueblo. "Vuelve en paz a la ciudad, y con vosotros vuestros dos hijos; Ahimaas tu hijo, y Jonatán hijo de Abiatar. Mirad, yo me detendré en los vados del desierto, hasta que venga respuesta de vosotros que me dé aviso". En la ciudad los sacerdotes podrían prestarle buenos servicios averiguando todos los movimientos y propósitos de los rebeldes y comunicándolos secretamente al rey por medio de sus hijos, Ahimaas y Jonatán.

Al regresar los sacerdotes a Jerusalén, una sombra más densa cayó sobre la muchedumbre en retirada. Al ver a su rey fugitivo, y a sí misma desterrada y abandonada por el arca de Dios, le pareció el futuro oscuro y cargado de terror y negros presentimientos. "Y David subió la cuesta de los Olivos; y la subió llorando, llevando la cabeza cubierta y los pies descalzos. También todo el pueblo que tenía consigo cubrió cada uno su cabeza, e iban llorando mientras subían.

"Y dieron aviso a David, diciendo: Ahitofel está entre los que conspiraron con Absalón". Nuevamente, David se vio obligado a reconocer en sus calamidades los resultados de su propio pecado. La deserción de Ahitofel, el más capaz y astuto de los dirigentes políticos, era motivada por un deseo de vengar el deshonor de familia entrañado en el agravio hecho a Betsabé, que era su nieta. "Entonces dijo David: Entorpece ahora, oh Jehová, el consejo de Ahitofel".

Al llegar a la cumbre del monte, el rey se postró en oración, confiando a Dios la carga de su alma e implorando humildemente la misericordia divina. Pareció que su oración era contestada en seguida. Husai, el arquita, consejero sabio y capaz, que había resultado ser un amigo fiel de David, se presentó ahora ante él con su indumentaria rasgada, y con tierra en la cabeza, para unir su suerte a la del rey destronado y fugitivo. David vio, como por iluminación divina, que este hombre fiel y leal era el que se necesitaba para servir a los intereses del rey en los consejos de la capital. A pedido de David, Husai volvió a Jerusalén, para ofrecer sus servicios a Absalón, y neutralizar el artero consejo de Ahitofel.

Con este rayo de luz en las tinieblas, el rey y su séquito continuaron su marcha y descendieron por la ladera oriental del monte de los Olivos, a través de un desierto rocoso y desolado, pasando por quebradas abruptas y a lo largo de senderos pedregosos y escarpados, rumbo al Jordán.

"Y vino el rey David hasta Bahurim; y he aquí salía uno de la familia de la casa de Saúl, el cual se llamaba Simei hijo de Gera; y salía maldiciendo, y arrojando piedras contra David, y contra todos los siervos del rey David; y todo el pueblo y todos los hombres valientes estaban a su derecha y a su izquierda. Y decía Simei, maldiciéndole: ¡Fuera, fuera, hombre sanguinario y perverso! Jehová te ha dado el pago de toda la sangre de la casa de Saúl, en lugar del cual tú has reinado, y Jehová ha entregado el reino en mano de tu hijo Absalón; y hete aquí sorprendido en tu maldad, porque eres hombre sanguinario".

Durante la prosperidad de David, Simei no había demostrado mediante sus palabras o hechos que no era un súbdito leal. Pero cuando la aflicción sobrecogió al rey, este descendiente de la tribu de Benjamín reveló su verdadero carácter. Había honrado a David cuando éste ocupaba el trono, pero lo maldecía en su desgracia. Vil y egoísta, consideraba a los demás como poseedores del mismo carácter, y bajo la inspiración de Satanás, volcó su odio contra el hombre a quien Dios había castigado. El espíritu que induce al hombre a pisotear, vilipendiar o afligir al que está atribulado, es el espíritu de Satanás.

Las acusaciones de Simei contra David eran del todo falsas, eran una calumnia sin fundamento y maligna. David no era culpable de ningún agravio contra Saúl ni contra su familia. Cuando Saúl estuvo completamente en su poder, y pudo haberle dado muerte, se limitó a cortar la orilla de su manto, y hasta se reprochó por haber mostrado esta falta de respeto al ungido del Señor.

David había dado pruebas evidentes de que consideraba sagrada la vida humana hasta cuando él mismo era perseguido como fiera. Un día mientras estaba escondido en la cueva de Adulam, recordó la libertad sin aflicciones de su niñez, y el fugitivo exclamó: "¡Quién me diera a beber del agua del pozo de Belén que está junto a la puerta!" (2 Samuel 23: 13-17). Belén estaba entonces en manos de los filisteos; pero tres

Simei, un descendiente de la familia de Saúl, maldijo al rey David y le lanzó piedras cuando huía de su hijo Absalón.

FRED COLLINS © PPPA

hombres valientes de la guardia de David atravesaron las líneas filisteas, y trajeron agua de Belén. David no pudo beberla. "Lejos sea de mí, oh Jehová, que yo haga esto —exclamó—. ¿He de beber yo la sangre de los varones que fueron con peligro de su vida?" David había sido guerrero; y gran parte de su vida había transcurrido entre escenas de violencia; pero entre todos los que pasaron por tal prueba, pocos son en verdad los que hayan sido tan poco afectados por su influencia endurecedora y desmoralizadora como lo fue David.

El sobrino de David, Abisai, uno de sus capitanes más valientes, no pudo escuchar con paciencia las palabras insultantes de Simei. "¿Por qué maldice este perro muerto a mi señor el rey? —exclamó—. Te ruego que me dejes pasar, y le quitaré la cabeza". Pero el rey se lo prohibió. "He aquí —dijo—, mi hijo que ha salido de mis entrañas, acecha mi vida; ¿cuánto más ahora un hijo de Benjamín? Dejadle que maldiga, pues Jehová se lo ha dicho. Quizás mirará Jehová mi aflicción, y me dará Jehová bien por sus maldiciones de hoy".

La conciencia le estaba diciendo verdades amargas y humillantes a David. Mientras que sus súbditos fieles se preguntaban el porqué de este repentino cambio de fortuna, éste no era un misterio para el rey. A menudo había tenido presentimientos de una hora como ésta. Se había sorprendido de que Dios hubiera soportado durante tanto tiempo sus pecados y hubiera dilatado la retribución que merecía. Y ahora en su precipitada y triste huida, con los pies descalzos, y habiendo trocado su manto real por saco y ceniza, y mientras los lamentos de los que le seguían despertaban los ecos de las colinas, pensó en su amada capital, en el sitio que había sido escenario de su pecado, y al recordar las bondades y la paciencia de Dios, no quedó del todo sin esperanza. Creyó que el Señor aún le trataría con misericordia.

Más de un obrador de iniquidad ha excusado su propio pecado señalando la caída de David; pero ¡cuán pocos son los que manifiestan la penitencia y la humildad de David! ¡Cuán pocos soportarían la represión y la retribución con la paciencia y la fortaleza que él manifestó! El había confesado su pecado, y durante muchos años había procurado cumplir su deber como fiel siervo de Dios; había trabajado por la edificación de su reino, y éste había alcanzado bajo su gobierno una fortaleza y una prosperidad nunca logradas antes. Había reunido enormes cantidades de material para la construcción de la casa de Dios; y ahora, ¿iba a ser barrido todo el trabajo de su vida? ¿Debían los resultados de muchos años de labor consagrada, la obra del genio, de la devoción y del buen gobierno, pasar a las manos de su hijo traidor y temerario, que no consideraba el honor de Dios ni la prosperidad de Israel? ¡Cuán natural hubiera parecido que David murmurase contra Dios en esta gran aflicción!

Pero él vio en su propio pecado la causa de su dificultad. Las palabras del profeta Miqueas respiran el espíritu que alentó el corazón de David: "Aunque more en tinieblas, Jehová será mi luz. La ira de Jehová soportaré, porque pequé contra él, hasta que juzgue mi causa y haga mi justicia" (Miqueas 7: 8, 9). Y el Señor no abandonó a David. Este capítulo de su experiencia cuando, sufriendo los insultos más crueles y los agravios más severos, se muestra humilde, desinteresado, generoso y sumiso, es uno de los más nobles de toda su historia. Jamás fue el gobernante de Israel más verdaderamente grande a los ojos del cielo que en esta hora de más profunda humillación exterior.

Si Dios hubiera permitido que David continuase sin represión por su pecado, y que permaneciera en paz y prosperidad en su trono mientras estaba violando los preceptos divinos, el escéptico y el infiel habrían tenido alguna excusa para citar la historia de David como un oprobio para la religión de la Biblia. Pero en la aflicción por la que hizo pasar a David, el Señor muestra que no puede tolerar ni excusar el pecado. Y la historia de David nos permite ver también los grandes fines que Dios tiene en perspectiva en su manera de tratar con el pecado; nos permite seguir, aun a través de los castigos más tenebrosos, el desenvolvimiento de sus propósitos de misericordia y de beneficencia. Hizo pasar a David bajo la vara, pero no lo destruyó; el horno es para purificar, pero no para consumir. El Señor dice: "Si dejaren sus hijos mi ley, y no anduvieren en mis juicios, si profanaren mis estatutos, y no guardaren mis mandamientos, entonces castigaré con vara su rebelión, y con azotes sus iniquidades. Mas no quitaré de él mi misericordia, ni falsearé mi verdad" (Salmo 89: 30-33).

Poco después que David abandonó a Jerusalén, entraron Absalón y su ejército, y sin lucha alguna, tomaron posesión de la fortaleza de Israel. Husai se encontró entre los primeros que saludaron al monarca recién coronado, y el príncipe se quedó sorprendido y satisfecho al ver que el viejo amigo y consejero de su padre se le acercaba. Absalón estaba seguro de su éxito. Hasta entonces sus proyectos habían prosperado, y deseoso de fortalecer su trono y obtener la confianza de la nación, dio la bienvenida a Husai en su corte.

Absalón estaba ahora rodeado de un gran ejército, pero éste se componía en su mayor parte de hombres inexpertos en la guerra. Aun no habían luchado. Ahitofel sabía muy bien que la situación de David estaba muy lejos de ser desesperada. La gran mayoría de la nación seguía siéndole fiel; estaba rodeado de guerreros probados y fieles a su rey, y su ejército estaba dirigido por generales capaces y experimentados. Ahitofel sabía que después de la primera explosión de entusiasmo en favor del nuevo rey, vendría una reacción. Si la rebelión fracasaba, Absalón podría tal vez obtener una reconciliación con su padre; entonces Ahitofel, como principal consejero, sería considerado como el más culpable en la rebelión; y sobre él caería el castigo más severo.

Para evitar que Absalón retrocediera, Ahitofel le aconsejó una ac-

ción que en los ojos de toda la nación haría imposible la reconciliación. Con astucia infernal, este estadista mañoso y sin principios instó a Absalón que añadiera el crimen del incesto al de la rebelión. A la vista de todo Israel, había de tomar para sí todas las concubinas de su padre, según la costumbre de las naciones orientales, declarando así que había sucedido al trono de su padre. Y Absalón llevó a cabo esa vil sugestión.

Así se cumplió la palabra que Dios había dirigido a David por medio del profeta: "He aquí yo haré levantar el mal sobre ti de tu misma casa, y tomaré tus mujeres delante de tus ojos, y las daré a tu prójimo… Porque tú lo hiciste en secreto; mas yo haré esto delante de todo Israel y a pleno sol" (2 Samuel 12: 11, 12). No era que Dios instigara estos actos de impiedad; sino que a causa del pecado de David, el Señor no ejerció su poder para evitarlos.

Ahitofel había sido muy estimado por su sabiduría, pero le faltaba la luz que viene de Dios. "El temor de Jehová es el principio de la sabiduría" (Proverbios 9: 10), y este temor, Ahitofel no lo poseía; de otra manera difícilmente habría fundado el éxito de la traición en el crimen del incesto. Los hombres de corazón corrompido maquinan la impiedad, como si no hubiese una Providencia capaz de predominar para contrariar sus designios; pero "el que mora en los cielos se reirá; el Señor se burlará de ellos" (Salmo 2: 4). El Señor declara: "Ni quisieron mi consejo, y menospreciaron toda reprensión mía, comerán del fruto de su camino, y serán hastiados de sus propios consejos. Porque el desvío de los ignorantes los matará, y la prosperidad de los necios los echará a perder" (Proverbios 1: 30-32).

Habiendo tenido éxito en el plan destinado a afianzar su propia seguridad, Ahitofel señaló insistentemente a Absalón la necesidad de obrar inmediatamente contra David. "Yo escogeré ahora doce mil hombres, y me levantaré y seguiré a David esta noche —dijo—, y caeré sobre él mientras está cansado y débil de manos; lo atemorizaré, y todo el pueblo que está con él huirá, y mataré al rey solo. Así haré volver a ti todo el pueblo".

Este proyecto fue aprobado por los consejeros del rey. Si se lo hubiese puesto en práctica, David habría sido muerto seguramente, a menos

845

que el Señor se hubiese interpuesto directamente para salvarlo. Pero una sabiduría aún más alta que la del renombrado Ahitofel dirigía los acontecimientos. "Porque Jehová había ordenado que el acertado consejo de Ahitofel se frustrara, para que Jehová hiciese venir el mal sobre Absalón".

A Husai no se le había llamado al concilio, y no quiso intervenir sin que se lo pidieran, por temor de que se sospechara de él como espía; pero después que se hubo dispersado la asamblea, Absalón que tenía en alto aprecio el juicio del consejero de su padre, le sometió el plan de Ahitofel. Husai vio que, de seguirse el plan propuesto, David estaría perdido. Y dijo:

"El consejo que ha dado esta vez Ahitofel no es bueno. Y añadió Husai: Tú sabes que tu padre y los suyos son hombres valientes, y que están con amargura de ánimo, como la osa en el campo cuando le han quitado sus cachorros. Además, tu padre es hombre de guerra, y no pasará la noche con el pueblo. He aquí él estará ahora escondido en alguna cueva, o en otro lugar". Alegó que si las fuerzas de Absalón persiguiesen a David no capturarían al rey; y si sufriesen algún revés, ello tendería a descorazonarlas, y haría gran daño a la causa de Absalón. "Porque —dijo— todo Israel sabe que tu padre es hombre valiente, y que los que están con él son esforzados".

Y sugirió luego un plan atrayente para una naturaleza vana, egoísta y aficionada a hacer ostentación de poder: "Aconsejo, pues, que todo Israel se junte a ti, desde Dan hasta Beerseba, en multitud como la arena que está a la orilla del mar, y que tú en persona vayas a la batalla. Entonces le acometeremos en cualquier lugar en donde se hallare, y caeremos sobre él como cuando el rocío cae sobre la tierra, y ni uno dejaremos de él y de todos los que están con él. Y si se refugiare en alguna ciudad, todos los de Israel llevarán sogas a aquella ciudad, y la arrastraremos hasta el arroyo, hasta que no se encuentre allí ni una piedra.

"Entonces Absalón y todos los de Israel dijeron: El consejo de Husai arquita es mejor que el consejo de Ahitofel". Pero hubo uno que no fue engañado, y que previó claramente el resultado de este error fatal de Absalón. Ahitofel sabía que la causa de los rebeldes estaba perdida. Y sabía que cualquiera que fuese la suerte del príncipe, no había esperanza para el consejero que había instigado sus mayores crímenes. Ahitofel había animado a Absalón en la rebelión; le había aconsejado que cometiera las maldades más abominables, en deshonra de su padre; había aconsejado que se matara a David, y había proyectado cómo lograrlo; había eliminado para siempre la última posibilidad de que él mismo se reconciliara con el rey; y ahora otro le era preferido, aun por el mismo Absalón. Celoso, airado y desesperado, "se levantó y se fue a su casa a su ciudad; y después de poner su casa en orden, se ahorcó, y así murió". Tal fue el resultado de la sabiduría de uno que, no obstante sus grandes talentos, no tuvo a Dios como su consejero. Satanás seduce a los hombres con promesas halagadoras, pero al final toda alma comprobará que "la paga del pecado es muerte" (Romanos 6: 23).

No estando seguro Husai de que su consejo fuese seguido por el rey inconstante, no perdió tiempo en advertir a David que huyera sin demora más allá del Jordán. Husai envió a los sacerdotes el siguiente mensaje, que ellos habían de transmitir por intermedio de sus hijos: "Así y así aconsejó Ahitofel a Absalón y a los ancianos de Israel; y de esta manera aconsejé yo. Por tanto, ... no te quedes esta noche en los vados del desierto, sino pasa luego el Jordán, para que no sea destruido el rey y todo el pueblo que con él está".

Los jóvenes que se encargaron de llevar el mensaje fueron perseguidos porque se sospechó de ellos, pero lograron llevar a cabo su peligrosa misión. David, estando harto rendido de trabajo y de dolor después de aquel primer día de huida, recibió el mensaje que le aconsejaba cruzar el Jordán aquella noche, pues su hijo trataba de matarle.

¿Cuáles eran en este peligro terrible los sentimientos del padre y rey, tan cruelmente agraviado? ¿Con qué palabras expresó lo que sentía su alma el que era "hombre valiente", guerrero y rey, cuya palabra era ley, ahora traicionado por un hijo a quien había amado y mimado y en quien había confiado imprudentemente, mientras era agraviado y abandonado por los súbditos ligados a él por los vínculos más estrechos del honor y de la lealtad? En la hora de su prueba más negra, el corazón de David se apoyó en Dios, y cantó:

"¡Oh Jehová, cuánto se han multiplicado mis adversarios!
Muchos son los que se levantan contra mí.
Muchos son los que dicen de mí:
No hay para él salvación en Dios.
Mas tú, Jehová, eres escudo alrededor de mí;
mi gloria, y el que levanta mi cabeza.
Con mi voz clamé a Jehová,
y él me respondió desde su monte santo.
Yo me acosté y dormí, y desperté,
porque Jehová me sustentaba.
No temeré a diez millares de gente,
que pusieren sitio contra mí...
La salvación es de Jehová;
sobre tu pueblo sea tu bendición" (Salmo 3).

David y toda su compañía de guerreros y estadistas, ancianos y jóvenes, mujeres y niños, cruzaron el profundo y caudaloso río de corriente rápida, protegidos por la sombra de la noche, "antes que amaneciese; ni siquiera faltó uno que no pasase el Jordán".

David y sus fuerzas se retiraron a Mahanaim, que había sido la sede real de Is-boset. Esta era una ciudad poderosamente fortificada, rodeada de una región montañosa favorable para la retirada en caso de guerra. La comarca tenía abundancia de provisiones, y el pueblo se mostraba amigo de la causa de David. Se le unieron muchos partidarios, en tanto que los ricos cabecillas de las tribus le traían abundantes regalos de provisiones y otras cosas necesarias.

El consejo de Husai había logrado su objeto, al proporcionar a David la oportunidad de escapar; pero no se podía refrenar mucho tiempo al príncipe temerario e impetuoso; y pronto emprendió la persecución de su padre. "Y Absalón pasó el Jordán con toda la gente de Israel". Absalón hizo a Amasa, hijo de Abigail, hermana de David, comandante en jefe de sus fuerzas. Su ejército era grande, pero era indisciplinado y mal preparado para enfrentarse con los soldados probados de su padre.

David dividió sus fuerzas en tres batallones bajo el mando de Joab,

Abisai e Itai el geteo, respectivamente. Al principio quiso dirigir él personalmente su ejército en el campo de batalla; pero protestaron vehementemente contra esto los oficiales de su ejército, los consejeros y el pueblo. "No saldrás —dijeron—; porque si nosotros huyéremos, no harán caso de nosotros; y aunque la mitad de nosotros muera, no harán caso de nosotros; mas tú ahora vales tanto como diez mil de nosotros. Será, pues, mejor que tú nos des ayuda desde la ciudad. Entonces el rey les dijo: Yo haré lo que bien os parezca".

Las largas filas del ejército rebelde podían divisarse perfectamente desde las murallas de la ciudad. El usurpador estaba acompañado por una hueste inmensa, en comparación de la cual la fuerza de David no parecía sino un puñado de hombres. Pero mientras el rey miraba las fuerzas rebeldes, el pensamiento que predominaba en su mente no se refería a la corona y al reino, ni tampoco a su propia vida, que dependían de la batalla. El corazón del padre rebosaba de amor y lástima para con su hijo rebelde. Mientras el ejército salía por las puertas de la ciudad, David animó a sus fieles soldados a que prosiguieran adelante, confiando en que el Dios de Israel les daría la victoria. Pero aun entonces no pudo reprimir su amor por Absalón. Cuando Joab, encabezando la primera columna, pasó por donde estaba su rey, el vencedor de cien bata-

llas inclinó su cabeza orgullosa para oír el último mensaje del monarca que, con voz temblorosa, le decía: "Tratad benignamente *por amor de mí* al joven Absalón". Y a Abisai e Itai les hizo el mismo encargo: "Tratad benignamente *por amor de mí* al joven Absalón". Pero la solicitud y el cuidado del rey, que parecía declarar que quería más a Absalón que al reino, aún más que a los súbditos fieles a su trono, no hizo sino aumentar la indignación de los soldados contra el hijo desnaturalizado.

La batalla se riñó en un bosque cercano al Jordán, donde las grandes fuerzas del ejército de Absalón no eran sino una desventaja para él. Entre las espesuras y los pantanos del bosque, estas tropas indisciplinadas se confundieron y se volvieron ingobernables. "Y allí cayó el pueblo de Israel delante de los siervos de David, y se hizo allí en aquel día una gran matanza de veinte mil hombres". Viendo Absalón que la jornada estaba perdida, se dio vuelta para huir, pero se le trabó la cabeza entre dos ramas de un árbol muy extendido, y su mula, saliéndose de debajo de él, le dejó suspendido inerme, y presa fácil para sus enemigos. En esta condición lo encontró un soldado, que por no disgustar al rey, le perdonó la vida, pero informó a Joab de lo que había visto. Joab no se dejó refrenar por ningún escrúpulo. El había tratado amistosamente a Absalón, y obtenido dos veces una reconciliación con David, pero su confianza había sido traicionada vergonzosamente. De no haber obtenido Absalón ventajas por la intercesión de Joab, esta rebelión, con todos sus horrores, no habría ocurrido. Ahora estaba en la mano de Joab destruir de un solo golpe al instigador de toda esta maldad. "Y tomando tres dardos en su mano, los clavó en el corazón de Absalón, quien estaba aún vivo en medio de la encina… Tomando después a Absalón, le echaron en un gran hoyo en el bosque, y levantaron sobre él un montón muy grande de piedras".

Así perecieron los causantes de la rebelión en Israel. Ahitofel había muerto por su propia mano. Absalón, el de aspecto principesco, cuya hermosura gloriosa había sido el orgullo de Israel, había sido abatido en pleno vigor de la juventud, su cadáver arrojado a un hoyo y cubierto de un montón de piedras, en señal de oprobio eterno. Durante su vida Absalón se había construido un monumento costoso en el valle del rey,

David lamentaba profundamente la muerte de Absalón, y Joab lo reprendió por no dar la bienvenida al ejército victorioso.

JOE MANISCALCO © PPPA

pero el único monumento que marcó su tumba fue aquel montón de piedras en el desierto.

Una vez muerto el jefe de la rebelión, Joab hizo tocar la trompeta para llamar a su ejército que perseguía a la hueste enemiga en su huida, y en seguida se enviaron mensajeros para que llevaran las noticias al rey.

El vigía que estaba sobre la muralla de la ciudad, mirando hacia el campo de batalla, columbró a un hombre que venía corriendo solo. Pronto un segundo hombre se hizo visible. Mientras el primero se acercaba, el centinela le dijo al rey, que esperaba a un lado de la puerta: "Me parece el correr del primero como el correr de Ahimaas hijo de Sadoc. Y respondió el rey: Ese es hombre de bien, y viene con buenas nuevas. Entonces Ahimaas dijo en alta voz al rey: Paz. Y se inclinó a tierra delante del rey, y dijo: Bendito sea Jehová Dios tuyo, que ha entregado a los hombres que habían levantado sus manos contra mi señor el rey". A la pregunta ansiosa del rey: "¿El joven Absalón está bien?" Ahimaas dio una respuesta evasiva.

Vino el segundo mensajero, gritando: "Reciba nuevas mi señor el rey, que hoy Jehová ha defendido tu causa de la mano de todos los que se habían levantado contra ti". Nuevamente salió de los labios del padre la pregunta ansiosa: "¿El joven Absalón está bien?" No pudiendo ocultar el mensajero la grave noticia, le contestó: "Como aquel joven sean los enemigos de mi señor el rey, y todos los que se levanten contra ti para mal".

Esto bastó. David no hizo más preguntas, sino que cabizbajo, "subió a la sala de la puerta, y lloró; y yendo, decía así: ¡Hijo mío Absalón, hijo mío, hijo mío Absalón! ¡Quién me diera que muriera yo en lugar de ti, Absalón, hijo mío, hijo mío!"

El ejército victorioso, regresando del campo de batalla, se acercaba a la ciudad, y sus gritos de triunfo repercutían por las colinas vecinas. Pero al entrar por la puerta de la ciudad, sus gritos se apagaban, sus manos dejaban bajar los estandartes, y con mirada abatida, avanzaban más como quienes hubiesen sufrido una derrota que como vencedores. Porque el rey no los esperaba para darles la bienvenida, sino que se oía

desde la cámara de sobre la puerta su llanto lastimero: "¡Hijo mío Absalón, hijo mío, hijo mío Absalón! ¡Quién me diera que muriera yo en
lugar de ti, Absalón, hijo mío, hijo mío!"

"Y se volvió aquel día la victoria en luto para todo el pueblo; porque
oyó decir el pueblo aquel día que el rey tenía dolor por su hijo. Y entró el
pueblo aquel día en la ciudad escondidamente, como suele entrar a es-
condidas el pueblo avergonzado que ha huido de la batalla".

Joab se llenó de indignación. Dios les había dado nuevo motivo de
triunfo y alegría; la rebelión más grande que jamás se hubiera visto en
Israel había sido deshecha; y sin embargo, esta gran victoria era trocada
en luto en honor de aquel cuyo crimen había costado la sangre de miles
de hombres valientes. El rudo y brusco capitán se abrió paso hasta la
presencia del rey y osadamente le dijo:

"Hoy has avergonzado el rostro de todos tus siervos, que hoy han
librado tu vida, y la vida de tus hijos y de tus hijas, ... amando a los que
te aborrecen, y aborreciendo a los que te aman; porque hoy has declarado que nada te importan tus príncipes y siervos; pues hoy me has hecho
ver claramente que si Absalón viviera, aunque todos nosotros estuviéra-
mos muertos, entonces estarías contento. Levántate pues, ahora, y ve
afuera y habla bondadosamente a tus siervos; porque juro por Jehová
que si no sales, no quedará ni un hombre contigo esta noche; y esto te
será peor que todos los males que te han sobrevenido desde tu juventud
hasta ahora".

A pesar de que este reproche era duro y cruel para el rey de corazón
quebrantado, David no se resintió por él. Viendo que su general estaba
en lo justo, bajó y fue a la puerta, y con palabras de aliento y elogio
saludó a sus valientes soldados mientras pasaban frente a él.

CAPITULO 73

Este capítulo está basado en 2 Samuel 24;
1 Reyes 1; 1 Crónicas 21; 28; 29.

Los Ultimos Años de David

LA DERROTA de Absalón no trajo inmediatamente la paz al reino. Era tan grande la parte de la nación que se había unido a la rebelión, que David no quiso volver a la capital ni reasumir su autoridad sin que las tribus le invitasen a hacerlo. En la confusión que siguió a la derrota de Absalón, no se tomaron providencias inmediatas y decididas para llamar al rey, y cuando al fin la tribu de Judá inició el plan de hacer volver a David, se despertaron los celos de las otras tribus, y como consecuencia se desató una contrarrevolución. Pero ésta fue rápidamente sofocada, y la paz volvió a reinar en Israel.

La historia de David ofrece uno de los más impresionantes testimonios que jamás se haya dado con respecto a los peligros con que amenazan al alma el poder, la riqueza y los honores, las cosas que más ansiosamente codician los hombres. Pocos son los que pasaron alguna vez por una experiencia mejor adaptada para prepararlos para soportar una prueba semejante. La juventud de David como pastor, con sus lecciones de humildad, de trabajo paciente y de cuidado tierno por los rebaños, la

David invitó al pueblo a contribuir para la construcción del templo, y todos colaboraron generosamente.

855

JOHN STEEL Ⓒ PPPA

comunión con la naturaleza en la soledad de las colinas, que desarrolló su genio para la música y para la poesía, y dirigió sus pensamientos hacia su Creador; la prolongada disciplina de su vida en el desierto, que le hacían manifestar valor, fortaleza, paciencia y fe en Dios, habían sido cosas de las que el Señor se valió en su preparación para ocupar el trono de Israel. David había tenido preciosas indicaciones del amor de Dios y había sido abundantemente dotado de su Espíritu; en la historia de Saúl había visto cuán absolutamente inútil es la sabiduría meramente humana. No obstante, el éxito y los honores mundanos habían debilitado tanto el carácter de David que repetidamente fue vencido por el tentador.

Las relaciones con los pueblos paganos provocaron un deseo de seguir las costumbres nacionales de éstos, y encendieron una ambición de grandeza terrenal. Como pueblo de Jehová, Israel había de recibir honores; pero a medida que aumentaron su orgullo y confianza en sí, los israelitas no se conformaron con esa preeminencia. Se preocupaban más por su posición entre las otras naciones. Este espíritu no podía menos que atraer tentaciones.

Con el objeto de extender sus conquistas entre las naciones extranjeras, David decidió aumentar su ejército y requerir servicio militar de todos los que tuviesen edad apropiada. Para llevar a cabo este proyecto, fue necesario hacer un censo de la población. El orgullo y la ambición fueron lo que motivó esta acción del rey. El censo del pueblo revelaría el contraste que había entre la debilidad del reino cuando David ascendió al trono y su fortaleza y prosperidad bajo su gobierno. Esto tendería aún más a fomentar la ya excesiva confianza en sí que sentían tanto el rey como el pueblo. Las Escrituras dicen: "Satanás se levantó contra Israel, e incitó a David a que hiciese censo de Israel" (véase 1 Crónicas 21). La prosperidad de Israel bajo el gobierno de David se debía más a la bendición de Dios que a la habilidad de su rey o a la fortaleza de su ejército. Pero el aumento de las fuerzas militares del reino daría a las naciones vecinas la impresión de que Israel confiaba en sus ejércitos, y no en el poder de Jehová.

Aunque el pueblo de Israel sentía orgullo de su grandeza nacional, no vio con buenos ojos el proyecto de David de extender tanto el servicio militar. La propuesta causó mucho descontento; en consecuencia se creyó necesario emplear los oficiales militares en lugar de los sacerdotes y magistrados que anteriormente habían tomado el censo. El objeto de esta empresa era directamente contrario a los principios de la teocracia. Aun Joab protestó a pesar de que hasta entonces se había mostrado tan sin escrúpulos. Dijo él: "Añada Jehová a su pueblo cien veces más, rey señor mío; ¿no son todos éstos siervos de mi señor? ¿Para qué procura mi señor esto, que será para pecado a Israel? Mas la orden del rey pudo más que Joab. Salió, por tanto, Joab, y recorrió todo Israel, y volvió a Jerusalén".

Aún no se había terminado el censo, cuando David se convenció de su pecado. Condenándose a sí mismo, dijo: "He pecado gravemente al hacer esto; te ruego que quites la iniquidad de tu siervo, porque he hecho muy locamente".

A la mañana siguiente el profeta Gad le trajo a David un mensaje: "Así ha dicho Jehová: Escoge para ti: o tres años de hambre, o por tres meses ser derrotado delante de tus enemigos con la espada de tus adversarios, o por tres días la espada de Jehová, esto es, la peste en la tierra, y que el ángel de Jehová haga destrucción en todos los términos de Israel. Mira, pues, qué responderé al que me ha enviado".

La contestación del rey fue: "En grande angustia estoy; caigamos ahora en mano de Jehová, porque sus misericordias son muchas, mas no caiga yo en manos de hombres" (2 Samuel 24: 14).

La tierra fue herida por una pestilencia, que destruyó a setenta mil personas en Israel. La pestilencia no había llegado a la capital cuando "alzando David sus ojos, vio al ángel de Jehová, que estaba entre el cielo y la tierra, con una espada desnuda en su mano, extendida contra Jerusalén. Entonces David y los ancianos se postraron sobre sus rostros, cubiertos de cilicio". El rey imploró a Dios en favor de Israel. "¿No soy yo el que hizo contar el pueblo? Yo mismo soy el que pequé, y ciertamente he hecho mal; pero estas ovejas, ¿qué han hecho? Jehová Dios mío, sea ahora tu mano contra mí, y contra la casa de mi padre, y no venga la peste sobre tu pueblo".

La realización del censo había causado desafecto entre el pueblo;

pero éste había participado de los mismos pecados que motivaron la acción de David. Así como el Señor, por medio del pecado de Absalón, trajo castigos sobre David, por medio del error de David, castigó los pecados de Israel.

El ángel exterminador se había detenido en las inmediaciones de Jerusalén. Estaba en el monte Moriah "en la era de Ornán jebuseo". Por indicación del profeta, David fue a la montaña y edificó allí un altar a Jehová, "y sacrificó holocaustos y ofrendas de paz; y Jehová oyó las súplicas de la tierra, y cesó la plaga en Israel" (2 Samuel 24: 25).

El sitio en que se construyó el altar, que de allí en adelante había de considerarse como tierra santa para siempre, fue obsequiado al rey por Ornán. Pero el rey se negó a recibirlo. "No, sino que efectivamente la compraré por su justo precio; porque no tomaré para Jehová lo que es tuyo, ni sacrificaré holocausto que nada me cueste. Y dio David a Ornán por aquel lugar el peso de seiscientos siclos de oro". Este sitio, ya memorable por ser el lugar donde Abrahán había construido el altar para ofrecer a su hijo, y era ahora santificado por esta gran liberación, fue posteriormente escogido como el sitio donde Salomón erigió el templo.

Otra sombra aún había de oscurecer los últimos años de David. Había llegado a la edad de setenta años. Las penurias y vicisitudes de su

vida errante en los días de su juventud, sus muchas guerras, los cuidados y las tribulaciones de sus años ulteriores, habían minado su vitalidad. Aunque conservaba su claridad y vigor mentales, la debilidad y la edad, con el consiguiente deseo de reclusión, le impedían comprender rápidamente lo que sucedía en el reino, y nuevamente surgió la rebelión a la sombra misma del trono. Otra vez se manifestó el fruto de la complacencia paternal de David.

El que ahora aspiraba al trono era Adonías, hombre "de muy hermoso parecer" en su persona y porte, pero sin principios de ninguna clase, y temerario. En su juventud se le había sometido a muy poca restricción y disciplina; pues "su padre nunca le había entristecido en todos sus días con decirle: ¿Por qué haces así?" (véase 1 Reyes 1). Ahora se rebeló contra la autoridad de Dios, que había designado a Salomón como sucesor de David en el trono. Tanto por sus dotes naturales como por su carácter religioso, Salomón estaba mejor capacitado que su hermano mayor para desempeñar el cargo de soberano de Israel; no obstante, aunque la elección de Dios había sido indicada claramente, Adonías no dejó de encontrar adherentes. Joab, aunque culpable de muchos crímenes, había sido hasta entonces leal al trono; pero ahora se unió a la conspiración contra Salomón, como también lo hizo Abiatar, el sacerdote.

La rebelión estaba madura; los conspiradores se habían reunido en una gran fiesta en las cercanías de la ciudad para proclamar rey a Adonías, cuando sus planes fueron frustrados por la rápida acción de unas pocas personas fieles, entre las principales estaban Sadoc, el sacerdote, Natán, el profeta, y Betsabé, la madre de Salomón. Estas personas presentaron al rey cómo iban las cosas y le recordaron la instrucción divina de que Salomón debería sucederle en el trono. David abdicó inmediatamente en favor de Salomón, quien fue en seguida ungido y proclamado rey. La conspiración fue aplastada. Sus principales actores habían incurrido en la pena de muerte. Se le perdonó la vida a Abiatar, por respeto a su cargo y a su antigua fidelidad hacia David; pero fue destituido del puesto de sumo sacerdote, que pasó al linaje de Sadoc. A Joab y Adonías se les perdonó por el momento, pero después de la muerte de David sufrieron la pena de su crimen. La ejecución de la sentencia en la persona del hijo de David completó el castigo cuádruple que atestiguaba el aborrecimiento en que Dios tenía el pecado del padre.

Desde los mismos comienzos del reinado de David, uno de sus planes favoritos había sido el de erigir un templo a Jehová. A pesar de que no se le había permitido llevar a cabo este propósito, no había dejado de manifestar celo y fervor por esa idea. Había suplido una gran abundancia de los materiales más costosos: oro, plata, piedras de ónix y de distintos colores; mármol y las maderas más preciosas. Y ahora estos tesoros de valor incalculable, reunidos por David, debían ser entregados a otros; pues otras manos que las suyas iban a construir la casa para el arca, símbolo de la presencia de Dios.

Viendo que su fin se acercaba, el rey hizo llamar a los príncipes de Israel y a hombres representativos de todas las partes del reino, para que recibieran este legado en calidad de depositarios. Deseaba hacerles su última recomendación antes de morir y obtener su acuerdo y su apoyo en favor de esta gran obra que había de llevarse a cabo. A causa de su debilidad física, no se había contado con que él asistiera personalmente a esta entrega; pero vino sobre él la inspiración de Dios y con aun mayor medida de fervor y poder que de costumbre pudo dirigirse por última vez a su pueblo. Le expresó su deseo de construir el templo y le manifestó el mandamiento del Señor de que la obra se encomendara a Salomón, su hijo. La promesa divina era: "Salomón tu hijo, él edificará mi casa y mis atrios; porque a éste he escogido por hijo, yo le seré a él por padre. Asimismo yo confirmaré su reino para siempre, si él se esforzare a poner por obra mis mandamientos y mis decretos, como en este día". "Ahora, pues —dijo David—, ante los ojos de todo Israel, congregación de Jehová, y en oídos de nuestro Dios, guardad e inquirid todos los preceptos de Jehová vuestro Dios, para que poseáis la buena tierra, y la dejéis en herencia a vuestros hijos después de vosotros perpetuamente" (véase 1 Crónicas 28, 29).

David había aprendido por su propia experiencia cuán duro es el sendero del que se aparta de Dios. Había sentido la condenación de la ley quebrantada, y había cosechado los frutos de la transgresión; y toda su alma se conmovía de solicitud y ansia de que los jefes de Israel fuesen leales a Dios y de que Salomón obedeciese la ley de Dios y evitase los pecados que habían debilitado la autoridad de su padre, amargado su vida y deshonrado a Dios. David sabía que Salomón necesitaría humildad de corazón, una confianza constante en Dios, y una vigilancia incesante para soportar las tentaciones que seguramente le acecharían en su elevada posición; pues los personajes eminentes son el blanco especial de las saetas de Satanás. Volviéndose hacia su hijo, ya reconocido como quien debía sucederle en el trono, David le dijo: "Y tú, Salomón, hijo mío, reconoce al Dios de tu padre, y sírvele con corazón perfecto y con ánimo voluntario; porque Jehová escudriña los corazones de todos, y entiende todo intento de los pensamientos. Si tú le buscares, lo hallarás; mas si lo dejares, él te desechará para siempre. Mira, pues, ahora, que Jehová te ha elegido para que edifiques casa para el santuario; esfuérzate, y hazla".

David dio a Salomón instrucciones minuciosas para la construcción del templo, con modelos de cada una de las partes, y de todos los instrumentos de servicio, tal como se los había revelado la inspiración divina. Salomón era todavía joven y habría preferido rehuir las pesadas responsabilidades que le incumbirían en la erección del templo y en el gobierno del pueblo de Dios. David dijo a su hijo: "Anímate y esfuérzate, y manos a la obra; no temas, ni desmayes, porque Jehová Dios, mi Dios, estará contigo; él no te dejará ni te desamparará".

Nuevamente David se volvió a la congregación y le dijo: "Solamente a Salomón mi hijo ha elegido Dios; él es joven y tierno de edad, y la obra grande; porque la casa no es para hombre, sino para Jehová Dios". Y continuó diciendo: "Yo con todas mis fuerzas he preparado para la casa de mi Dios", y procedió a enumerar los materiales que había reunido. Entonces dijo: "Además de esto, por cuanto tengo mi afecto en la casa de mi Dios, yo guardo en mi tesoro particular oro y plata que, además de todas las cosas que he preparado para la casa del santuario, he dado para la casa de mi Dios: tres mil talentos de oro, de oro de Ofir, y siete mil talentos de plata refinada para cubrir las paredes de las casas". Y preguntó a la congregación que había traído sus ofrendas voluntarias: "¿Y quién quiere hacer hoy ofrenda voluntaria a Jehová?"

La asamblea respondió con buena voluntad. "Entonces los jefes de familia, y los príncipes de las tribus de Israel, jefes de millares y de centenas, con los administradores de la hacienda del rey, ofrecieron voluntariamente. Y dieron para el servicio de la casa de Dios cinco mil talentos y diez mil dracmas de oro, diez mil talentos de plata, dieciocho mil talentos de bronce, y cinco mil talentos de hierro. Y todo el que tenía piedras preciosas las dio para el tesoro de la casa de Jehová... Y se alegró el pueblo por haber contribuido voluntariamente; porque de todo corazón ofrecieron a Jehová voluntariamente.

"Asimismo se alegró mucho el rey David, y bendijo a Jehová delante de toda la congregación; y dijo David: Bendito seas tú, oh Jehová, Dios de Israel nuestro padre, desde el siglo y hasta el siglo. Tuya es, oh Jehová, la magnificencia y el poder, la gloria, la victoria y el honor; porque todas las cosas que están en los cielos y en la tierra son tuyas. Tuyo, oh Jehová, es el reino, y tú eres excelso sobre todos. Las riquezas y la gloria proceden de ti, y tú dominas sobre todo; en tu mano está la fuerza y el poder, y en tu mano el hacer grande y el dar poder a todos.

"Ahora pues, Dios nuestro, nosotros alabamos y loamos tu glorioso nombre. Porque ¿quién soy yo, y quién es mi pueblo, para que pudiésemos ofrecer voluntariamente cosas semejantes? Pues todo es tuyo, y de lo recibido de tu mano te damos. Porque nosotros, extranjeros y advenedizos somos delante de ti, como todos nuestros padres; y nuestros días sobre la tierra, cual sombra que no dura. Oh Jehová Dios nuestro, toda esta abundancia que hemos preparado para edificar casa a tu santo nombre, de tu mano es, y todo es tuyo. Yo sé, Dios mío, que tú escudriñas los corazones, y que la rectitud te agrada; por eso yo con rectitud de mi corazón voluntariamente te he ofrecido todo esto, y ahora he visto con alegría que tu pueblo, reunido aquí ahora, ha dado para ti espontáneamente.

"Jehová, Dios de Abraham, de Isaac y de Israel nuestros padres, conserva perpetuamente esta voluntad del corazón de tu pueblo, y encamina su corazón a ti. Asimismo da a mi hijo Salomón corazón perfecto, para que guarde tus mandamientos, tus testimonios y tus estatutos, y para que haga todas las cosas, y te edifique la casa para la cual yo he hecho preparativos.

"Después dijo David a toda la congregación: Bendecid ahora a Jehová vuestro Dios. Entonces toda la congregación bendijo a Jehová Dios de sus padres, e inclinándose adoraron delante de Jehová y del rey".

Con el interés más profundo el rey había reunido aquellos preciosos materiales para la construcción y para el embellecimiento del templo. Había compuesto los himnos gloriosos que en los años venideros habrían de resonar por sus atrios. Ahora su corazón se regocijaba en Dios, al ver cómo los principales de los padres y los caudillos de Israel respondían tan noblemente a su solicitud, y se ofrecían para llevar a cabo la obra importante que los esperaba. Y mientras daban su servicio, estaban dispuestos a hacer más. Añadieron al tesoro más ofrendas de su propio caudal.

David había sentido hondamente su propia indignidad para reunir el material destinado a la casa de Dios, y le llenaba de gozo la expresión de lealtad que había en la pronta respuesta de los nobles de su reino, cuando con corazones solícitos ofrecieron sus tesoros a Jehová, y se dedicaron a su servicio. Pero sólo Dios era el que había impartido esa disposición a su pueblo. Sólo él, y no el hombre, debía ser glorificado. Era él quien había provisto al pueblo con las riquezas de la tierra, y su Espíritu les había dado buena voluntad para traer sus cosas preciosas en beneficio del templo. Todo era del Señor, y si su amor no hubiese movido los corazones del pueblo, los esfuerzos del rey habrían sido en vano y el templo no se habría construido.

Todo lo que el hombre recibe de la bondad de Dios, sigue perteneciendo al Señor. Todo lo que Dios ha otorgado, en las cosas valiosas y bellas de la tierra, ha sido puesto en las manos de los hombres para probarlos, para sondear la profundidad de su amor hacia él y del aprecio en que tienen sus favores. Ya se trate de tesoros o de dones del intelecto, han de depositarse como ofrenda voluntaria a los pies de Jesús y el dador ha de decir como David: "Pues todo es tuyo, y de lo recibido de tu mano te damos".

Aun cuando sintió que se acercaba su muerte, siguió preocupándose

David por Salomón y el reino de Israel, cuya prosperidad iba a depender en gran manera de la fidelidad de su rey. Entonces "ordenó a Salomón su hijo, diciendo: Yo sigo el camino de todos en la tierra; esfuérzate, y sé hombre. Guarda los preceptos de Jehová tu Dios, andando en sus caminos, y observando sus estatutos y mandamientos, sus decretos y sus testimonios, ... para que prosperes en todo lo que hagas y en todo aquello que emprendas; para que confirme Jehová la palabra que me habló, diciendo: Si tus hijos guardaren mi camino, andando delante de mí con verdad, de todo su corazón y de toda su alma, jamás, dice, faltará a ti varón en el trono de Israel" (1 Reyes 2: 1-4).

Las "postreras palabras" de David que hayan sido registradas, constituyen un canto que expresa confianza, principios elevados y fe imperecedera:

"Dijo David hijo de Isaí,
dijo aquel varón que fue levantado en alto,
el ungido del Dios de Jacob,
el dulce cantor de Israel;
el Espíritu de Jehová ha hablado por mí: ...
Habrá un justo que gobierne entre los hombres,
que gobierne en el temor de Dios.
Será como la luz de la mañana,
como el resplandor del sol en una mañana sin nubes,
como la lluvia que hace brotar la hierba de la tierra.
No es así mi casa para con Dios;
sin embargo, él ha hecho conmigo pacto perpetuo,
ordenado en todas las cosas, y será guardado,
aunque todavía no haga él florecer
toda mi salvación y mi deseo" (2 Samuel 23: 1-5).

Grande había sido la caída de David; y profundo fue su arrepentimiento; ardiente su amor, y enérgica su fe. Mucho le había sido perdonado, y por consiguiente él amaba mucho (S. Lucas 7: 47).

Los salmos de David pasan por toda la gama de la experiencia humana, desde las profundidades del sentimiento de culpabilidad y condenación de sí hasta la fe más sublime y la más exaltada comunión con Dios. La historia de su vida muestra que el pecado no puede traer sino vergüenza y aflicción, pero que el amor de Dios y su misericordia pueden alcanzar hasta las más hondas profundidades, que la fe elevará el alma arrepentida hasta hacerle compartir la adopción de los hijos de Dios. De todas las promesas que contiene su Palabra, es uno de los testimonios más poderosos en favor de la fidelidad, la justicia y la misericordia del pacto de Dios.

El hombre "huye como la sombra y no permanece", "mas la palabra del Dios nuestro permanece para siempre". "La misericordia de Jehová es desde la eternidad y hasta la eternidad sobre los que le temen, y su justicia sobre los hijos de los hijos; sobre los que guardan su pacto, y los que se acuerdan de sus mandamientos para ponerlos por obra". "He entendido que todo lo que Dios hace será perpetuo" (Job 14: 2; Isaías 40: 8; Salmo 103: 17, 18; Eclesiastés 3: 14).

Grandes y gloriosas fueron las promesas hechas a David y a su casa. Eran promesas que señalaban hacia el futuro, hacia las edades eternas, y encontraron la plenitud de su cumplimiento en Cristo. El Señor declaró:

"Juré a David mi siervo, diciendo:… Mi mano estará siempre con él, mi brazo también lo fortalecerá… Mi verdad y mi misericordia estarán con él, y en mi nombre será exaltado su poder. Asimismo pondré su mano sobre el mar, y sobre los ríos su diestra. El me clamará: Mi padre eres tú, mi Dios, y la roca de mi salvación. Yo también lo pondré por primogénito, el más excelso de los reyes de la tierra. Para siempre le conservaré mi misericordia, y mi pacto será firme con él. Pondré su descendencia para siempre, y su trono como los días de los cielos" (Salmo 89: 3, 21-29).

> "Juzgará a los afligidos del pueblo,
> salvará a los hijos del menesteroso,
> y aplastará al opresor.
> Te temerán mientras duren el sol y la luna,
> de generación en generación…

Florecerá en sus días justicia,
y muchedumbre de paz, hasta que no haya luna.
Dominará de mar a mar,
y desde el río hasta los confines de la tierra...
Será su nombre para siempre,
se perpetuará su nombre mientras dure el sol.
Benditas serán en él todas las naciones;
lo llamarán bienaventurado" (Salmo 72: 4-8, 17).

"Porque un niño nos es nacido, hijo nos es dado, y el principado sobre su hombro; y se llamará su nombre Admirable, Consejero, Dios fuerte, Padre eterno, Príncipe de paz". "Este será grande, y será llamado Hijo del Altísimo; y el Señor Dios le dará el trono de David su padre; y reinará sobre la casa de Jacob para siempre, y su reino no tendrá fin" (Isaías 9: 6; S. Lucas 1: 32, 33).

Apéndice

Nota 1, página 81. Aunque no sólo la justicia de Dios, sino también su fidelidad a su promesa misericordiosa exigían esto, el tierno amor y la bondad de Jehová se manifestaban en expresiones como éstas: "Se arrepintió Jehová de haber hecho hombre en la tierra, y le dolió en su corazón". Por supuesto, una expresión explica la otra. Cuando leemos que Dios se arrepintió, se trata tan sólo de un modo humano de hablar, pues, como dice Calvino, "nada sucede por casualidad o que no se haya previsto". Se evoca "el dolor impuesto al amor divino por los pecados de los hombres", y que, en las palabras de Calvino, "cuando los terribles pecados de los hombres ofenden a Dios, es como si su corazón hubiese quedado herido por un dolor extraordinario".—*Dr. Edersheim.*

Nota 2, página 117. Adán vivió hasta que Matusalén llegó a los 243 años de edad. Matusalén vivió hasta que Sem, hijo de Noé, llegó a los 98 años. Sem murió cuando Abrahán y su hijo Isaac tenían, respectivamente, 150 años y 50 años de edad. Abrahán vivió hasta que Jacob y Esaú tenían 15 años, e Isaac vivió hasta que aquellos alcanzaron los 120 años de edad. Así vemos cuán directamente los conocimientos que Dios había enseñado a Adán pudieron comunicarse a sus descendientes. Adán los transmitió a Matusalén, éste se los comunicó a Sem, Sem a Abrahán y a Isaac, y estos patriarcas se los comunicaron a Jacob, padre de las tribus de Israel.

Nota 3, página 274. Este milagro tenía un significado que Moisés no pudo interpretar erróneamente. La culebra o serpiente era probablemente un basilisco o *Ureo,* la cobra… Era el símbolo del poder real y divino que se veía en la diadema de todos los faraones. Era una serpiente venenosa, como lo demuestran el hecho de que Moisés huía de ella y la mayoría de los pasajes en que se usa la misma palabra, *nahash,* la cual se deriva de la palabra correspondiente a "silbar". Nunca ataca esta serpiente sin antes inflar el cuello y luego silbar; en los monumentos se la representa siempre con el cuello enormemente hinchado. La transformación de la vara no fue meramente un milagro, sino también una señal, al mismo tiempo que una garantía y representación de la victoria sobre el rey y los dioses de Egipto.—*Speaker's Commentary.*

867

Nota 4, página 279. En la orden dada con referencia a la liberación de Israel, el Señor dijo a Faraón: "Israel es mi hijo, mi primogénito. Ya te he dicho que dejes ir a mi hijo, para que me sirva" (Exodo 4: 22, 23). El salmista nos dice por qué libró Dios a Israel de Egipto: "Sacó a su pueblo con gozo; con júbilo a sus escogidos. Les dio las tierras de las naciones, y las labores de los pueblos heredaron; para que guardasen sus estatutos, y cumpliesen sus leyes" (Salmo 105: 43-45). De estos versículos se desprende que los hebreos no podían servir a Dios en Egipto.

En Deuteronomio 5: 14, 15 se recalca la parte del cuarto mandamiento que requiere que el siervo y la sierva descansen, y a los israelitas se les dijo que recordaran que ellos habían sido siervos en la tierra de Egipto. El Señor dijo: "Mas el séptimo es Sábado a Jehová tu Dios: ninguna obra harás tú, ni tu hijo, ni tu hija, ni tu siervo, ni tu sierva, ni tu buey, ni tu asno, ni ningún animal tuyo, ni tu peregrino que está dentro de tus puertas: porque descanse tu siervo y tu sierva como tú. Y acuérdate que fuiste siervo en tierra de Egipto, y que Jehová tu Dios te sacó de allá con mano fuerte y brazo extendido: por lo cual Jehová tu Dios te ha mandado que guardes el día Sábado" (versión Reina-Valera 1909). En Exodo 5: 5 vemos que Moisés y Aarón hicieron al pueblo "cesar" o descansar de sus quehaceres.

De estos hechos podemos inferir que el sábado fue una de las cosas en que Israel no podía servir al Señor en Egipto; y cuando Moisés y Aarón llegaron con el mensaje de Dios (Exodo 4: 29-31) trataron de hacer una reforma, lo cual sólo sirvió para aumentar la opresión. Los israelitas fueron libertados para que pudieran observar los estatutos del Señor, inclusive, naturalmente, el cuarto mandamiento, y esto les imponía la obligación de observar tanto más estrictamente el sábado, así como la de guardar todos los mandamientos. En Deuteronomio 24: 17, 18, se menciona su liberación y salida de Egipto como algo que los obligaba en forma especial a manifestar bondad hacia la viuda y los huérfanos. "No torcerás el derecho del extranjero ni del huérfano, ni tomarás en prenda la ropa de la viuda, sino que te acordarás que fuiste siervo en Egipto, y que de allí te rescató Jehová tu Dios; por tanto, yo te mando que hagas esto".

Nota 5, página 293. Algunos extractos de la obra *Filosofía del plan de salvación* demuestran que las plagas tenían por objeto destruir la confianza de los egipcios en el poder y la protección de sus ídolos:

"El primer milagro, al paso que probaba la autenticidad de la misión de Moisés, destruía las serpientes, que eran entre los egipcios objeto de adoración, y dejaba así patente desde el principio que sus dioses no podían ayudar al pueblo ni tampoco salvarse a sí mismos.

"El segundo milagro iba dirigido contra el río Nilo, el cual era otro objeto de veneración religiosa para los egipcios. Tenían este río por santo, como los hindúes consideran el Ganges; y hasta veneraban los peces de sus aguas como dignos de adoración. Bebían el agua con reverencia y deleite, y creían que había en sus ondas una fuerza divina que curaba las enfermedades del cuerpo. El agua de este objeto de su homenaje idólatra se transformó en sangre; los animales que contenía y que los egipcios adoraban se convirtieron en una masa de podredumbre.

"El tercer milagro estaba destinado a alcanzar el mismo fin: destruir la fe en el río como objeto de adoración. Se hizo producir por las aguas del Nilo una inmensa cantidad de ranas que infestaron toda la tierra y molestaron mucho al pueblo. De modo que por el poder del Dios verdadero su ídolo fue contaminado y transformado en una fuente de peligro para los moradores.

"Por el cuarto milagro de una serie cuya fuerza y severidad iban en aumento, vinieron piojos sobre los hombres y las bestias por toda la tierra. 'Ahora bien —dice Gleig—, si se recuerda que nadie podía acercarse a los altares de Egipto en caso de llevar sobre sí un insecto tan impuro, y si los sacerdotes, para resguardarse contra el más leve riesgo de contaminación, llevaban solamente vestiduras de lino y se rasuraban la cabeza y el cuerpo todos los días,* se puede imaginar la severidad de este castigo milagroso impuesto a la idolatría egipcia'. Mientras duró, ningún acto de adoración pudo llevarse a cabo, y fue tan grave que los magos mismos exclamaron: 'Dedo de Dios es éste'.

"El quinto milagro tenía por objeto destruir la confianza del pueblo en Belcebú, o dios de las moscas, que era reverenciado como protector capaz de evitar los enjambres de moscas hambrientas que solían apestar la tierra durante la canícula y, según los egipcios, sólo eran eliminadas por la voluntad de ese ídolo. El milagro realizado ahora por Moisés probaba terminantemente la impotencia de Belcebú y obligaba al pueblo a buscar en otra parte auxilio y alivio del terrible castigo que sufría.

"El sexto milagro, que destruyó el ganado, excepto el de los israelitas, tenía por fin anular todo el sistema que hacía rendir culto a los animales. Este sistema, tan degradante y grosero, había llegado a ser un monstruo de muchas cabezas entre los egipcios. Tenían su toro sagrado, y otros muchos animales sagrados, como el carnero, la ternera, la cabra, pero todos fueron muertos por intervención del Dios de Moisés. En esa forma, por un solo acto de su poder, Jehová manifestó su supremacía y destruyó la misma existencia de los ídolos bestiales.

"Acerca de cuán apropiada era la sexta plaga (o séptimo milagro), dice el escritor citado anteriormente, el lector recibirá una impresión mejor cuando se le recuerde que en Egipto había varios altares sobre los cuales se ofrecían ocasionalmente sacrificios humanos, para propiciar a Tifón, o sea el principio del mal. Como estas víctimas eran quemadas vivas, las cenizas eran recogidas por los sacerdotes que oficiaban, quienes las arrojaban luego al aire y las esparcían así para que el mal se desviara de todo sitio adonde un átomo de estas cenizas fuera llevado. Siguiendo las instrucciones de Jehová, Moisés tomó un puñado de cenizas del horno (el cual era muy probablemente usado con frecuencia por los egipcios en esa época para apartar las plagas), y lo arrojó al aire, como acostumbraban hacer los sacerdotes; pero en vez de impedir el mal, hizo brotar tumores y llagas en todos los habitantes de la tierra. Ni el rey, ni los sacerdotes ni el pueblo escaparon. De modo que los ritos sangrientos de Tifón se convirtieron en una maldición para los idólatras, se confirmó la supremacía de Jehová y se insistió en la liberación de los israelitas.

"El milagro noveno iba dirigido contra el culto de Serapis, cuyo oficio especial era proteger el país contra las langostas. Periódicamente esos insectos destructores caían sobre la tierra en grandes nubes, y, como una maldición entenebrecedora, devoraban y destruían los frutos de los campos y el verdor de los bosques. A la orden de Moisés vinieron estos terribles insectos, y sólo se retiraron cuando el mismo Moisés se lo ordenó. Así se hizo manifiesta la impotencia de Serapis, y se les enseñó a los idólatras cuán insensato y fútil era confiar en otra protección que la de Jehová, Dios de Israel.

---

*Cada tercer día, según Herodoto.

"El octavo milagro y el décimo iban dirigidos contra la adoración de Isis y Osiris, a quienes, juntamente con el río Nilo, ponían en primer lugar en la larga serie de sus dioses.* Estos ídolos eran originalmente los que representaban el sol y la luna; se creía que dominaban la luz y los elementos; y su culto predominaba en alguna forma entre todas las naciones más antiguas. Los milagros que iban dirigidos contra el culto de Isis y Osiris debieron hacer una profunda impresión tanto en los israelitas como en los egipcios. En un país donde llueve muy rara vez, donde la atmósfera está siempre en calma y los astros brillan cada noche, ¡cuán grande debió ser el terror que se apoderó de todos durante la rebelión de los elementos que se menciona en los anales hebreos; en ese largo plazo de tres días y tres noches cuando la lobreguez de las densas tinieblas se extendía como paño mortuorio sobre la tierra! Jehová de los ejércitos ordenó a la naturaleza que le proclamase Dios verdadero; el Dios de Israel confirmó su supremacía y ejerció su poder para envilecer los ídolos, destruir la idolatría y librar a los descendientes de Abrahán de la tierra de su esclavitud.

"Habiéndose revelado así el Todopoderoso como el Dios verdadero, gracias a su intervención milagrosa, después de continuar ejerciendo su poder en las medidas adoptadas para destruir las distintas formas de idolatría que existían en Egipto, el undécimo y último milagro fue un castigo encaminado a manifestar a todos los intelectos que Jehová era el Dios que ejecuta juicios en la tierra".

Nota 6, página 304. En Génesis 15: 13 leemos que el Señor dijo a Abrahán: "Ten por cierto que tu descendencia morará en tierra ajena, y será esclava allí, y será oprimida cuatrocientos años". Exodo 12: 40 dice: "El tiempo que los hijos de Israel habitaron en Egipto fue cuatrocientos treinta años". Pero Pablo, en Gálatas 3: 15-17, dice que desde el tiempo en que se hizo el pacto con Abrahán hasta que se dio la ley en el Sinaí pasaron 430 años.

A juzgar por estos pasajes de las Escrituras, no hemos de entender que los israelitas estuvieron en Egipto cuatrocientos años. El tiempo que realmente pasaron en Egipto no pudo ser más que 215 años. La Biblia dice que "el tiempo que los hijos de Israel habitaron" fue 430 años. Abrahán, Isaac y Jacob, antepasados de los israelitas, habitaron en Canaán. El período de los 430 años principia con la promesa dada a Abrahán cuando se le ordenó salir de Ur de Caldea. Los cuatrocientos años a los cuales se refiere Génesis 15: 13, principian más tarde. Obsérvese que el período de cuatrocientos años no sólo es una época de peregrinaje, sino también de aflicción. Este período principia, de acuerdo con las Escrituras, treinta años más tarde, o sea más o menos en el tiempo cuando Ismael, "el que había nacido según la carne perseguía al que había nacido según el Espíritu [Isaac]" (Gálatas 4: 29).

Nota 7, página 346. El becerro de oro era una representación del toro o buey sagrado, llamado Apis, que los egipcios adoraban, y que los israelitas debieron conocer durante su larga estada en Egipto. Con referencia a este dios Apis y a lo que significaba, leemos lo siguiente:

"Apis, el toro adorado por los antiguos egipcios, quienes lo consideraban como símbolo de Osiris, dios del Nilo, marido de Isis y la gran divinidad de Egipto".— *Enciclopedia*, de Chambers.

---

*Dos milagros fueron hechos contra el culto al Nilo, y otros dos contra Isis y Osiris porque se los tenía como dioses supremos. Muchos ponían al Nilo en primer lugar, porque decían que tenía poder para regar a Egipto sin intervención de los elementos.

La *Enciclopedia Británica* (art. "Apis"), refiriéndose a los autores griegos y a las inscripciones jeroglíficas, dice: "Según este punto de vista, Apis era la encarnación de Osiris manifestada en la forma de un toro".

Puesto que el toro Apis era considerado como manifestación visible de Osiris, debemos saber qué representaba éste último para poder comprender la adoración del becerro por los israelitas. Citando nuevamente de la *Enciclopedia Británica,* transcribimos lo siguiente:

"Todos los misterios de los egipcios y toda su doctrina de la vida futura, se fundan en este culto [de Osiris]. A Osiris se le identifica con el sol... La adoración del sol era la forma primitiva de la religión egipcia y tal vez de la anterior a ella".

"A Osiris se dedicaban las oraciones y las ofrendas por los muertos; y a él se dirigen todas las inscripciones de los sepulcros, excepto las del período más antiguo". "El toro o buey Apis que lleva en lenguaje egipcio el mismo nombre que el Nilo, es decir Hapi, era adorado en Menfis... Era considerado como emblema viviente de Osiris, de modo que estaba relacionado con el sol y con el Nilo".

De estos extractos se desprende que el culto rendido por los israelitas al becerro de oro era realmente la forma egipcia de adorar al sol, idolatría que siempre ha sido la mayor antagonista del culto tributado al verdadero Dios. Es ciertamente significativo que precisamente cuando Dios se manifestaba a los israelitas en manera especial, y les hacía conocer su día de reposo, volvieron ellos al antiguo culto del sol, cuyo principal día festivo, el primer día de la semana, contendió siempre por la supremacía con el día especialmente característico del culto al Dios verdadero.

Al adorar el becerro de oro, los israelitas profesaban estar adorando a Dios, y al inaugurar ese culto del ídolo, Aarón dijo: "Mañana será fiesta a Jehová". Se proponía adorar a Dios, como los egipcios adoraban a Osiris, bajo el símbolo de la imagen. Pero Dios no podía aceptar ese culto. Aunque se lo ofrecían en su nombre, era el dios-sol, y no Jehová, quien era el verdadero objeto de su adoración.

La adoración del buey Apis iba acompañada del más grosero libertinaje, y los anales bíblicos indican que el culto del becerro al cual se entregaron los israelitas fue acompañado de todo el libertinaje común en el culto pagano. Leemos: "Y al día siguiente madrugaron, y ofrecieron holocaustos, y presentaron ofrendas de paz; y se sentó el pueblo a comer y a beber, y se levantó a regocijarse" (Exodo 32: 6). La palabra hebrea traducida por "regocijarse" significa regocijarse saltando, cantando y bailando. Este baile, practicado especialmente entre los egipcios, era indecente y sensual. La palabra traducida por "corrompido" en el versículo siguiente, donde se dice: "Tu pueblo que sacaste de la tierra de Egipto se ha corrompido", es la misma que se emplea en Génesis 6: 12, donde leemos que "toda carne había corrompido su camino sobre la tierra". Esto explica la terrible ira del Señor, y por qué deseaba exterminar al pueblo en seguida.

Nota 8, página 360. Los Diez Mandamientos eran el "pacto" al cual se refirió el Señor, cuando al proponer que haría alianza con Israel dijo: "Ahora, pues, si diereis oído a mi voz, y guardareis mi pacto", etc. (Exodo 19: 5). A los Diez Mandamientos se les llamó pacto de Dios antes de que se hiciera el pacto con Israel. No eran ellos un convenio hecho, sino algo que Dios les mandaba que cumplieran. Así el Decálogo, es decir, el pacto de Dios, llegó a ser el fundamento de la alianza hecha entre él e Israel.

Los Diez Mandamientos son, en sus detalles, "todas estas cosas", respecto a las cuales se hizo el pacto (véase Exodo 24: 8).

Nota 9, página 389. Cuando se ofrecía un sacrificio expiatorio para un sacerdote o para toda la congregación, se llevaba la sangre al lugar santo, y era derramada ante la cortina y puesta sobre los cuernos del altar de oro. El sebo era consumido sobre el altar de holocaustos que estaba en el atrio, pero el cuerpo de la víctima era quemado fuera del campamento (véase Levítico 4: 1-21).

Sin embargo, si el sacrificio era para un príncipe o para un miembro del pueblo, no se llevaba la sangre al lugar santo, sino que la carne era comida por el sacerdote, tal como el Señor lo ordenó a Moisés: "El sacerdote que la ofreciere por el pecado, la comerá; en el lugar santo será comida, en el atrio del tabernáculo de reunión" (Levítico 6: 26. Véase también Levítico 4: 22-35).

Nota 10, página 403. Que el que pronunció las palabras de la ley y llamó a Moisés al monte para hablarle era el Señor Jesucristo, es algo que se desprende de las siguientes consideraciones:

Fue por medio de Cristo como Dios se reveló al hombre en todos los tiempos. "Para nosotros, sin embargo, sólo hay un Dios, el Padre, del cual proceden todas las cosas, y nosotros somos para él; y un Señor, Jesucristo, por medio del cual son todas las cosas, y nosotros por medio de él" (1 Corintios 8: 6). "Este es aquél Moisés que estuvo en la congregación en el desierto con el ángel que le hablaba en el monte Sinaí, y con nuestros padres, y que recibió palabras de vida que darnos" (Hechos 7: 38). Este ángel era "el ángel de su faz" (Isaías 63: 9), el ángel en quien estaba el nombre de Jehová (Exodo 23: 20-23). La expresión no puede referirse a otro más que al Hijo de Dios.

Además, a Cristo se le llama el Verbo o Palabra de Dios (S. Juan 1: 1-3). Es llamado así porque en todas las edades Dios comunicó sus revelaciones al hombre por medio de él. Fue su Espíritu el que inspiró a los profetas (1 S. Pedro 1: 10, 11). Les fue revelado como el Angel de Jehová, el príncipe del ejército del Señor, Miguel el arcángel.

Nota 11, página 685. Hay quienes preguntan: Si el gobierno teocrático convenía en la época de Israel, ¿no tendría aplicación en este tiempo esa forma de gobierno? La contestación es sencilla:

Una teocracia es un gobierno que deriva su poder directamente de Dios. El gobierno de Israel era una verdadera teocracia. Era realmente un gobierno ejercido por Dios. En la zarza ardiente, Dios encomendó a Moisés que sacara a su pueblo de Egipto. Mediante señales y prodigios, Dios libró a Israel de Egipto, y lo condujo por el desierto, y finalmente lo llevó a la tierra prometida. Allí lo gobernó por medio de jueces, hasta "Samuel, el profeta", a quien Dios habló cuando era aún niño, y por medio de quien hizo conocer su voluntad. En los días de Samuel, el pueblo solicitó tener un rey. Lo solicitado fue otorgado, y Dios escogió a Saúl, y Samuel le ungió como rey de Israel. Saúl no hizo la voluntad de Dios; y como rechazó y menospreció la palabra del Señor, Dios le rechazó como rey, y envió a Samuel a que ungiera a David por rey de Israel; el Señor estableció el trono de David para siempre. Cuando Salomón sucedió a su padre David en el trono, el relato bíblico dice: "Y se sentó Salomón por rey en el trono de Jehová en lugar de David su padre" (1 Crónicas 29: 23). El trono de David era el trono del Señor, y Salomón se sentó en el trono de Jehová como rey del reino terrenal de Dios. La sucesión al trono siguió por el linaje de David hasta Sedequías, quien se sometió al rey de Babilonia, al cual prometió solemnemente, ante Dios, que le permanecería fiel. Pero Sedequías rompió su pacto; y entonces Dios le dijo:

"Y tú, profano e impío príncipe de Israel, cuyo día vino en el tiempo de la consumación de la maldad; así ha dicho el Señor Jehová: Depón la tiara, quita la corona: ésta no será más ésta: al bajo alzaré, y al alto abatiré. Del revés, del revés, del revés la tornaré; y no será ésta más, hasta que venga aquel cuyo es el derecho, y se la entregaré" (Ezequiel 21: 25-27, antigua versión de Reina-Valera; véase también 17: 1-21).

El reino era entonces súbdito de Babilonia. Cuando cayó Babilonia y Medo-Persia le sucedió, fue tornado del revés la primera vez. Cuando cayó Medo-Persia, y le sucedió Grecia, fue tornado del revés la segunda vez. Cuando el Imperio Griego perdió la supremacía y le sucedió en ella el Imperio Romano, fue tornado del revés la tercera vez. Y entonces dice la Palabra: "Hasta que venga aquel cuyo es el derecho, y se la entregaré". ¿Quién es Aquel de quien es el derecho? "Y llamarás su nombre Jesús. Este será grande, y será llamado Hijo del Altísimo; y el Señor Dios le dará el trono de David su padre; y reinará sobre la casa de Jacob para siempre; y su reino no tendrá fin" (S. Lucas 1: 31-33). Y mientras él estaba en la tierra, como "aquel profeta", Varón de dolores, experimentado en quebranto, declaró él mismo, la noche en la cual fue traicionado: "Mi reino no es de este mundo". Así fue quitado del mundo el trono del Señor, y "no será más, hasta que venga aquel cuyo es el derecho", y entonces le será dado. Ese tiempo es el fin de este mundo, y el principio del venidero.

El Salvador dijo a los doce apóstoles: "Yo, pues, os asigno un reino, como mi Padre me lo asignó a mí, para que comáis y bebáis a mi mesa en mi reino, y os sentéis en tronos juzgando a las doce tribus de Israel" (S. Lucas 22: 29, 30). Por la forma en que cita San Mateo la promesa de Cristo a los doce apóstoles nos damos cuenta de cuándo será cumplida: "En la regeneración, cuando el Hijo del Hombre se siente en el trono de su gloria, vosotros que me habéis seguido también os sentaréis sobre doce tronos, para juzgar a las doce tribus de Israel" (S. Mateo 19: 28). En la parábola de las minas, Cristo se representa a sí mismo bajo la figura de un noble que "se fue a un país lejano, para recibir un reino y volver" (S. Lucas 19: 12). Y él mismo dijo cuándo se sentará en su trono de gloria: "Cuando el Hijo del hombre venga en su gloria, y todos los santos ángeles con él, entonces se sentará en su trono de gloria, y serán reunidas delante de él todas las naciones" (S. Mateo 25: 31, 32).

A este tiempo se refiere el revelador cuando dice: "Los reinos del mundo han venido a ser de nuestro Señor y de su Cristo; y él reinará por los siglos de los siglos" (Apocalipsis 11: 15). El contexto demuestra claramente cuándo sucederá esto. "Y se airaron las naciones, y tu ira ha venido, y el tiempo de juzgar a los muertos, y de dar el galardón a tus siervos los profetas, a los santos, y a los que temen tu nombre, a los pequeños y a los grandes, y de destruir a los que destruyen la tierra" (vers. 18). El reino de Cristo se establecerá en la época del juicio final, cuando se dará la recompensa de los justos y el castigo de los impíos. Cuando todos los que se oponen a la soberanía de Cristo hayan sido destruidos, los reinos de este mundo se convertirán en los reinos de nuestro Señor y de su Cristo.

Entonces Cristo reinará como "Rey de reyes y Señor de señores" (Apocalipsis 19: 16). "El reino, y el dominio, y la majestad de los reinos debajo de todo el cielo, sea dado al pueblo de los santos del Altísimo, cuyo reino es reino eterno, y todos los dominios le servirán y obedecerán". "Recibirán el reino los santos del Altísimo, y poseerán el reino hasta el siglo, eternamente y para siempre" (Daniel 7: 27, 18).

Hasta que no llegue aquel tiempo no se puede establecer el reino de Cristo en la tierra. Su reino no es de este mundo. Sus seguidores han de considerarse como "extranjeros y peregrinos sobre la tierra". Pablo dice: "Nuestra ciudadanía está en los cielos, de donde también esperamos al Salvador, al Señor Jesucristo" (Hebreos 11: 13; Filipenses 3: 20). Desde que el reino de Israel desapareció, Dios no ha delegado su autoridad a ningún hombre o cuerpo de hombres para ejecutar sus leyes como tales. "Mía es la venganza, yo pagaré, dice el Señor" (Romanos 12: 19). Los gobiernos civiles tienen que ver con las relaciones entre un hombre y otro hombre; pero no tienen nada que ver con las obligaciones que nacen de la relación del hombre con Dios.

Con excepción del reino de Israel, jamás ha existido en la tierra gobierno alguno en el cual Dios haya dirigido los asuntos del Estado mediante hombres inspirados. Cada vez que los hombres trataron de formar un gobierno semejante al de Israel, tuvieron necesariamente que encargarse de interpretar y ejecutar la ley de Dios. Asumieron el derecho de dominar la conciencia, y así usurparon las prerrogativas de Dios.

En la dispensación anterior, mientras que los pecados contra Dios eran castigados con penas temporales, los juicios se ejecutaban no sólo por sanción divina, sino por su mandato directo y en obediencia a sus mandamientos. Había que dar muerte a los hechiceros y a los idólatras. Los hechos profanos y sacrílegos eran castigados con la pena capital. Y naciones enteras de idólatras debían ser exterminadas. Pero la ejecución de estas penas era dirigida por el que lee los corazones de los hombres, que conoce la medida de su culpabilidad, y que trata a sus criaturas con sabiduría y misericordia. Cuando los hombres dominados por flaquezas y pasiones humanas emprenden esta obra, es indiscutible que hay motivo para temer que reine la injusticia y la crueldad sin freno alguno. Se perpetrarán entonces los crímenes más inhumanos, y todo en el sagrado nombre de Cristo.

De las leyes de Israel que castigaban las ofensas contra Dios, se han sacado argumentos para probar que se deben castigar los pecados semejantes en esta época. Todos los perseguidores emplearon esos argumentos para justificar sus hechos. El principio de que Dios delegó en las autoridades humanas el derecho de dominar la conciencia, es el fundamento mismo de la tiranía religiosa y de la persecución. Pero todos los que adoptan ese fundamento pierden de vista el hecho de que ahora vivimos en una dispensación distinta; que el reino de Israel era una figura del reino de Cristo, el cual no se establecerá antes de su segunda venida; y que las obligaciones dimanentes de la relación del hombre con Dios no deben ser reguladas ni impuestas por las autoridades humanas.

Nota 12, página 692. En referencia a la identidad del pueblo de Ramá donde vivía Samuel con el de Ramá de Benjamín, el Dr. Edersheim dice: "Estos dos detalles parecen establecidos: Saúl residía en Gabaa, y conoció por primera vez a Samuel en Ramá. Pero si tal es el caso, parece imposible, en vista de lo que dice en 1 Samuel 10: 2, identificar el Ramá de Samuel con el Ramá de Benjamín, o considerarlo como el moderno *Neby Samuel,* que está situado a cuatro millas al noroeste de Jerusalén".

Indice de Referencias Bíblicas

LIDERES QUE INSPIRARON AL MUNDO

LIDERES QUE INSPIRARON AL MUNDO

LIDERES QUE INSPIRARON AL MUNDO

Indice General Alfabético

AARON, asociado con Moisés, 275, 340, 473; buenas acciones de, 473, 475; carácter de, 347, 352, 424, 425; errores cometidos por, 447, 395, 396, 474, 475; muerte de, 476; responsable de la apostasía, 347, 352, 353; sacerdocio de, 383, 449, 476, 658.

Aarones, todavía en la iglesia, 348.

Abel, caso de, 58-66; intercede por Caín, 58, 59, 62, 63; por qué se airó Caín con él, 61, 63.

Abiatar, aconseja a David, 789; conspira contra Salomón, 859; huye hacia David, 754; pierde el sacerdocio, 859

Abib, primer mes del año judaico, 608.

Abigail, casada con David, 764; intercede por Nabal, 761; piedad de, 761.

Abigail, hermana de David, 848.

Abimelec, aceptado como rey de Israel, 630; mata a los hijos de Gedeón, 630.

Abinadab, y el arca, 671, 805.

Abiram, *véase* Coré.

Abisai, comandante de David, 849; quiere matar a Simei, 842.

Abiú, *véase* Nadab.

Abner, carácter de, 797, 798; corona a Is-boset, 797; lo abandona, 798; muerto por Joab, 798; David llora por, 798; reproche de David a, 765, 797.

Abrahán, acusado por Satanás, 155; amigo de Dios, 122, 139, 154; carácter de, 117-126, 136-138, 158; casa de, 141, 142; en contraste con Lot, 170; Evangelio dado a, 117, 155, 403; falta de fe en, 125, 145, 148, 178; fortuna de, 121, 127, 149; honrado por Dios, 136-139; por naciones, 130, 149, 406; influencia de, 121, 122, 141, 148, 149, 160, 406; llamamiento de, 117, 118, 399, 406, 590; pacto con, oído por otros mundos, 156; pagó diezmo, 133, 592; perplejo por la promesa de un hijo, 135; promesa hecha a, 117, 129, 135, 139, 140, 146, 149, 173, 248, 408, 588; prueba de, más severa que la de Adán, 156; rescata a Lot de los elami-

Amuralladas, ciudades, Israel en, 619.

Ana, madre de Samuel, 645; lo dedica al templo, 647; ora por el niño, 646; recompensa de, 650.

Anac, hijos de, echados por Caleb, 576, 795; vistos por los espías, 430.

Anarquía, causa de, 606; en todas las naciones, 91, 92.

Ancianos, de Judá, David les manda ganado, 791; llamados al monte con Moisés, 340; misión de Moisés revelada a, 263; Moisés enviado a, 273, 278; Moisés les da cargo, 422, 423; setenta, nombrados, 421, 422.

Angel, aparece a Abrahán, 137, 138; Agar, 146; Lot, 161; Moisés, 269; Balaam, 493; Josué, 548; Gedeón, 619; Manoa, 635; David, 857; en la columna de nube, 339, 403, 467; lucha con Jacob, 207, 208.

Angeles, acompañan a Jacob, 206; agasajados desconocidos, 137, 138, 160; como ministros de Dios, 12, 15, 32, 51-54; cuidan al niño Moisés, 261; custodian el árbol de vida, 45; desean comprender la redención, 156; guían los animales al arca, 85; ruegan a Lucifer, 14, 20; Jacob ve, en sueño, 192; luchan al lado de Jonatán, 709; ofrecen morir por el hombre, 51, 53; presencian el sacrificio de Isaac, 156; protección de los, en tiempo de angustia, 276; protegen a Moisés, 276; lo sepultan, 535; prueba y tiempo de gracia de los, 21, 36; rechazados de los hogares, 172; servirían a Cristo en la tierra, 51; su gozo en la creación, 25; su obra en el santuario celestial, 380; guardan a José en la prueba, 227; visitan al hombre en el Edén, 33, 36.

Angeles, malos, fin de su tiempo de gracia, 21; mensajeros de Satanás, 782; seducidos por Lucifer, 363.

Animal, vida, Adán conocía la, 33; alimento de, *véase* Carne.

Animales, como sacrificios, 389; crueldad hacia los, 495, 497; en rebelión después de la caída, 44; nombrados por Adán, 27, 33; paz entre los, en el Edén, 32; sufren por el pecado, 497; *véase* Bestias.

Antediluvianos, admirables hazañas de, 69-72; adoraban la naturaleza, 80; desarrollo de los, 70, 71; destruidos por el diluvio, 92, 93; estatura de los, 79, 80, 103, 104; los modernos, inferiores a, 70, 71; pecados de los, 79-81, 87, 93; reliquias de los, 104.

Anticristo, el espiritismo como, 782.

Apetito, complacido, 44, 45, 90, 189; dominio del, 418, 637; pervertido, 333, 418.

Apostasía, castigo de la, 354; de Lucifer, 15, 16, 363, 369; del Sinaí, 345-362, 369; después del diluvio, 111; el universo presencia la, 369; en Canaán, 617, 631; en el Jordán, 507-517; en los postreros días, 169; propósito de Satanás en la, 369.

Aprobación, 742.

Aquis, y David, 749, 768, 769, 787.

Ar, y descendientes de Lot, 484.

Arad, batalla contra, 477.

liga con, 615, 616; no fueron echados todos, 574, 588, 615; por qué fueron destruidos, 433, 550; ventajas de los, sobre Israel, 547; víctimas de malos espíritus, 785.

Candelero, de oro, 381.

Cantos, armonía en los, 678; de Adán y Eva, 33; de ángeles, 15, 52, 678; de David, 727, 730, 743, 751, 752, 755, 793, 816, 829, 847, 864; de Israel, 310, 311, 424, 805, 808; de las mujeres, 310, 742; de María, 310, 424; parte del culto, 811.

Capataces, en Egipto, 279, 280.

Capillas e iglesias, conducta en, 271, 330; dedicadas, sin deuda, 380; reverencia en sus cultos, 330.

Capitanes, de Israel, 415.

Carácter de Dios, el Decálogo lo presenta, 36; falsamente representado por Satanás, 38, 373; revelado por Abrahán, 406.

Carácter, del hombre, al ser creado, 31; cómo se revela, 130, 131; desarrollado por diversas condiciones, 606; edificación del, 679, 680; efecto de la alimentación en el, 637; efecto de un solo pecado en el, 505, 506; influencia del hogar en el, 171, 172; no cambia fácilmente, 290; noble, cómo se forma, 124, 683; probado por cosas pequeñas, 160, 161, 233, 234, 623; pruebas necesarias para el, 30; Satanás obra por los defectos de, 468, 469, 512, 644; valor del, íntegro, 236.

Carbón, yacimientos de, 99.

Cárcel, José en la, 228; hermanos de José en la, 238, 240.

Caridad, descuido de la, 557; fondo para la, 599, 600; *véase* Pobres.

Carne, como alimento, 81, 418; dada a Israel por un día, 418; por un mes, 423; se permite comerla, 97, 98; significado de comerla en la pascua, 299.

Carnero, en lugar de Isaac, 153.

Casamientos apresurados, 198.

Castigo, acto extraño para Dios, 714; de David, 823, 824, 858; de Jacob, fruto del, 254; de los israelitas, 617; dilatado por misericordia, 714; es peligroso descuidarlo, 832; por qué es enviado, 454, 653.

Cedro, emblema de la realeza, 503.

Ceguera, espiritual, 451, 497, 499, 724.

Celos, de Lucifer, 15; de hijos de Labán, 201; de hermanos de José, 220; de Coré, 439; de Saúl, 742; de sacerdotes y príncipes, 256; en la casa de Abrahán, 145; entre Raquel y Lea, 198.

Cena del Señor, 611.

Cenizas, significado de su esparcimiento, 287.

Censo, David castigado por, 857.

Censura, de los hermanos, 468; muchos desviados por la, 584.

LIDERES QUE INSPIRARON AL MUNDO

Críticas, *véase* Censura.

Cuerpo, efecto de embriaguez, 398.

Cuevas, hebreos en, 619; Lot vivía en, 170.

Cuidados, mundanales, 316, 317.

Culpa, cómo se participa en, 397, 446, 656, 657; en proporción a la luz, 395, 420; temor en la, 360, 361.

Culto, canto en el, 678, 811; costumbres paganas, en el, 401; de mañana y tarde, 388; público, debe asistirse al, 612.

Cultura, verdadera, 678, 679.

Curiosidad, de Eva, 37; de los hombres de Bet-semes, 670; Satanás excita la, 38.

CHISMES, pecado de los, 336.

DAGON, dios de los filisteos, 635, 642, 666; la cabeza de Saúl en su templo, 777.

Dalila, amor de Sansón por, 641; descubre su secreto, 641.

Damasco, 175

Dan, tribu de, 252.

Daniel, 104, 676.

Dar, continuamente, 194, 195; hay bendición en, 594; *véase* Ofrendas.

Datán, *véase* Coré.

David, Ana lo profetiza, 649; aprendió lecciones de confianza, 733; cambio de, después de pecar, 827, 835; canto de, 730, 752, 755, 759; carácter de, 729-739, 743; comulga con la naturaleza, 730; con los filisteos, 769, 786, 787; conocía a Dios, 730; cuándo le apreciaba Dios, 826; debía pagar cuatro tantos, 824, 831, 860; derrota de, 817; desea edificar el templo, 811, 860; efecto de la guerra sobre, 842; efectos de su pecado, 823; elegido sucesor de Saúl, 727-731; el pueblo le amaba, 743; elige entre tres castigos, 857; en contraste con Saúl, 830; engaños de, 748, 749, 769; en la corte de Saúl, 732, 741, 742, 744; fugitivo, 741-793; gozo de, perdonado, 829; guardado por ángeles, 746; huye de Jerusalén, 837; lecciones de su vida, 855, 865; le falta fe, 751, 767; los descontentos acuden a, 752; lleva el arca a Jerusalén, 808, 809; nacido en Belén, 727; peca al tomar el censo, 856; pecado y arrepentimiento de, 819-830; pide consejo a Dios, 804; por qué le odiaba Saúl, 743; por qué se le castigó, 843; preparación de, 676, 733; propósito de Dios para, 741, 742; prosperidad de Israel bajo, 846; rebelión de Adonías contra, 859; reino asegurado a, 812; reprendido por Natán, 823; Saúl en poder de, 726, 755; trata de matar a, 743, 745; se casa con Mical, 744, 745; con Abigail, 763; se rebela Absalón, 836; su abdicación, 859; su caída, advertencia, 826, 827; su familia busca refugio, 751; talentos de, 731; últimas palabras de, un himno de fe y confianza, 864; último discurso al pueblo, 860; ungido rey de Judá, 795; de Israel, 801; vence la liga, 814, 815; y Goliat, 734-739; y Jonatán, 741, 748, 754, 813.

897

LIDERES QUE INSPIRARON AL MUNDO

Integridad, necesaria hoy, 652.

Intemperancia, 91, 397, 398, 419.

Isaac, casamiento de, 174-181; como holocausto, 149-156; disposición de, 174, 175; el Evangelio dado a, 403; en contraste con jóvenes de hoy, 180; engañado por Jacob, 184-189; nacimiento de, 146; vejez de, 217.

Isaí, padre de David, 727, 728.

Is-boset, carácter de, 796; derribado por traición, 797-800; rey de Israel, 796.

Ismael, descendientes de, 178; promesa de Dios a, 148.

Ismaelitas, José vendido a, 223, 224.

Israel, el verdadero, 500; nuevo nombre de Jacob, 208.

Israelitas, acusan a Dios, 433, 478; apostasía de, en el Jordán, 507-517; batallas de los, con: Amalec, 323, 510, 624, 715; amonitas, 632, 697, 698, 715, 816; amorreos, 484, 570; hijos de Anac, 575; Arad, 477; Hai, 553, 560; edomitas, 715; Jericó, 548; Og, 487; madianitas, 511, 624; moabitas, 715, 814; reyes de Palestina, 573; filisteos, 640, 643, 663, 704, 709, 715, 738, 771, 776; sirios, 804, 814, 815, 820; entre David y Absalón, 849, 850; castigados, pero no abandonados, 453, 666; castigos en, sobre: Nadab y Abiú, 394, 395; la apostasía del Sinaí, 353-358; fuego de Jehová, 420; por comer carne, 423; lepra de María, 427, 441; sobre los diez espías, 435; derrota, 438; Coré, Datán y Abiram, 446; y los príncipes, 446; mueren 14.000, 449; serpientes, 479; pestilencia, 509, 510, 858; lecciones en, 516, 568; clamor de, en el desierto, 463; condición de los, 365; conducidos por la nube, 304, 305, 539, 540; confiaban en Moisés, 345; conservación de los, en el desierto, 314, 454, 479, 615; darían el Evangelio, 533, 534; debilidad desconocida en, 478; dificultaron la conquista, 488, 489; Dios amenaza desheredarlos, 349, 434; propósito de, para los, 315, 342, 343, 500, 627; rehúsa librarlos, 631; dispersados de Canaán, 785; efecto del pecado de Moisés sobre, 464; en el desierto, 419; éxodo de, 303-312; fe de, probada, 463; forzados a violar el sábado, 279, 370; grandeza de, durante el reinado de David, 816, 817; historia de los, por Moisés, 519; idolatría en el monte Sinaí, 345-362; incorporados como iglesia y nación, 329; liberación de los, conocida, 350; librados de idolatría, 811; Moisés intercede por los, 349, 356, 420, 434; les muestra señales, 278; muchos no querían irse de Egipto, 282; murmuraciones de los, 306, 313, 314, 322, 346, 418, 430, 448, 463, 477; necesitaban un Salvador, 408; olvidadizos, 299; opresores de los, 303, 617, 618, 631; organización de, 413; por qué, descendieron a Egipto, 365, 366; fueron esclavos, 281, 282, 400; los cananeos perdieron su temor, 438; no fueron librados en seguida, 282; prestarían a muchas naciones, 602; prosperidad de los, en Egipto, 248, 259; rebelión de los, 260, 266, 279; rechazados, 357, 544; se casarían con cananeos, 617; sentenciados a peregrinar, 435, 457; su arrepentimiento, 435, 447, 457, 458, 631; un pueblo distinto, 248, 260, 407, 500, 685, 686; viajes de: salida de Egipto, 303; a Succot, Etam, 304; Mar Rojo, 305; Mara, 313; Elim, desierto de Sin, 314; Refidín, 322; Sinaí, 326, 417; Tabera, 420; Hazerot, 423; Cades, 429, 462; en el desierto, 453-458; Edom, 470; monte Hor, 473; moabitas, amorreos, 484; Ba-

¿Ha ESTIMULADO su pensamiento el contenido de este libro?

Publicaciones Interamericanas se complace en ofrecerle dos servicios gratuitos y sin compromiso:

- Información sobre otros títulos de nuestra amplia selección de obras edificantes.

- Un Curso Bíblico por Correspondencia, para profundizar el estudio de las Escrituras.

Para obtener uno de estos servicios, o ambos, llene y envíe por correo el cupón a nuestra dirección:

Publicaciones Interamericanas
División Hispana de la Pacific Press Publishing Association
- P. O. Box 7000, Boise, Idaho 83707, EE. UU. de N. A.

-- Corte por esta línea --

PUBLICACIONES INTERAMERICANAS
Estimados señores:
Tengan a bien hacerme llegar, gratuitamente y sin compromiso de mi parte, los siguientes materiales:
(Marque)

☐ Información sobre otras publicaciones de su sello editorial

☐ El Curso Bíblico por Correspondencia

NOMBRE _____

DOMICILIO _____

CIUDAD _____ ESTADO (o Provincia) _____

ZONA POSTAL (Zip Code) _____

PAIS _____

(Si no desea recortar esta página, bastará con que nos envíe una copia fotostática del cupón o, a falta de ésta, la información que se solicita.)